천왕성에 집 한 채

횡단의 연대기

UN APARTAMENTO EN URANO
by Paul B. Preciado

Copyright ⓒ 2019 by Paul B. Preciado c/o Janklow & Nesbit Associates
All rights reserved.

No part of this book may be used or reproduced in any manner whatsoever without written permission except in the case of brief quotations embodied in critical articles or reviews.

Korean Translation Copyright ⓒ Munhakdongne Publishing Corp. 2025
Korean edition is published by arrangement with Janklow & Nesbit Associates through Imprima Korea Agency.

이 책의 한국어판 저작권은 Imprima Korea Aency를 통해
Janklow & Nesbit Associates와 독점 계약한 문학동네에 있습니다.
저작권법에 의해 한국 내에서 보호를 받는 저작물이므로
무단 전재와 무단 복제를 금합니다.

천왕성에 집 한 채

Un apartamento
en Urano

Crónicas del cruce

횡단의 연대기

Paul B. Preciado

폴 B. 프레시아도 지음   문경자 옮김

이치아르,
나의 이름을 처음 불러준 이에게.

천왕성의 대기는 너무 무거워서 양치식물도 바닥을 기듯 자랄 것이다. 동물들은 가스 무게에 짓눌려 질질 끌려다니듯 몸을 움직일 것이다. 나는 언제나 배를 땅바닥에 붙이고 있는 이 굴욕적인 생물들과 어울리고 싶다. 윤회가 내게 새로운 거주지를 허락해준다면, 나는 그 버려진 행성을 선택해 나 같은 종족의 죄수들과 함께 그곳에서 살 것이다. 끔찍한 파충류들 사이에서, 나뭇잎이 검어지고 습지 물이 차갑고 질퍽해지는 어둠 속에서, 나는 영원하고 비참한 죽음을 추구할 것이다. 잠에 들 순 없으리라. 반대로, 나는 점점 더 명료해져가는 상태에서, 웃고 있는 악어들의 부정한 우애를 깨달으리라.

_장 주네, 『도둑 일기』 중에서

일러두기

1. 이 책은 Paul B. Preciado, *Un appartement sur Uranus*(Grasset, 2019)를 옮긴 것이다. 아울러 편집시 영어판(Semiotext, 2020) 역시 참조했다.
2. 본문에서 이탤릭으로 강조한 곳은 따옴표로 표시했다.
3. 원주 표시가 없는 주석은 모두 옮긴이주다.

차례

비르지니 데팡트의 서문	13
서문: 천왕성에 집 한 채	23
우리는 혁명을 말한다	55
퀴어 아이는 누가 지키는가?	58
생식보조 정치	65
캔디크러시 중독 치료	69
공화국의 암원숭이들	73
프랑스식 시신屍身정치	77
여성의 노동권…… 성노동	81
포궁 파업을 선언하다	85
총알	89
젠더 대혼란에 빠진 옹프레	93
인류세의 사랑	99
기억상실증에 걸린 페미니즘	103
마르코스 포 에버	107
사랑보다 더 강한 통계	111
결별의 중력	116
페미니즘은 휴머니즘이 아니다	120
'스너프' 주권	124
자기 자신이 될 용기	128
트랜스 카탈루냐	134
페드로 레메벨, 너의 영혼은 절대 포기하지 않을 거야	138
성 발렌타인은 쓰레기	141

신자유주의 미술관	145
시신모더니티	149
초혼招魂 'ajayus'	153
화학적 콘돔	157
여행은 나의 연인	161
떠돌이 민중	166
로디나 마트의 품에서	172
다른 목소리	177
네 의자가 짜릿해	182
베이루트 내 사랑	187
도시 사랑하기	192
그리스의 부채는 누구의 몸을 덥혀주는가?	197
알란을 위한 학교	201
특별하다는 생각 잊어버리기	206
어원	211
미지의 유모에게 경의를	215
침대 끝으로의 여행	220
잠들지 못하는 밤	224
소아시아의 새로운 재앙	228
이동중인 정체성	232
나의 신체는 존재하지 않는다	236
레스보스섬 여행	239
이름: 폴 베아트리스, 청원 34/2016	243

나의 트랜스 신체는 빈집이다	247
마르크스에게 행복은 정치적 해방이다	251
당신을 맞아들이는 곳	256
파괴된 것은 나의 베아트리스	261
아테네의 반란들	265
짐을 싸라	269
우리의 모니터들은 마주보고 서로 사랑을 나눈다	273
이제 책 대신 육신을 인쇄하자	277
역사의 이면	281
샌프란시스코, '미국의 클리토리스'	286
무국적 전시회	292
나는 이렇게 살고 싶다	298
우리 들소들	302
인터섹스 살해	307
남반구는 존재하지 않는다	312
트위티가 역사와 만난다	316
나의 민중은 잘못 태어난 사람들로 이루어진 민중이다	322
민주주의에 반하는 민주주의자들	328
움직이는 몸들	334
축하	339
나는 대통령을 원하지 않는다	343
아들	348
트랜스 남성이 구체제에 보내는 편지	353

비르지니 데팡트의 서문

폴에게

네가 나한테 이 서문을 써주겠는지 물어봤을 때, 우리는 파리 한복판에 있는 너의 집에 있었어. 네가 머무는 거처들은 늘 수도사의 독방 같아. 책상 하나 컴퓨터 한 대 공책 몇 권 침대 하나, 그 옆에 산더미처럼 쌓인 책들. 지금도 여전히 네가 내 집에 있지 않고 너의 집에 있다는 사실이 낯설어—내 인생에서 가장 많은 시간을 함께 보낸 사람이라서, 이제 낯설어진 이 익숙한 느낌이 여전히 내게 수수께끼로, 쾌락과 고통 사이 어디쯤, 아마 그 둘 다일 수도 있는, 분명 그리움인 어떤 것으로 남아 있어.

너는 이 서문을 써주겠는지 내게 물어보았고, 나는 생각해볼 것도 없이 바로 그러겠노라 대답했지. 네가 이 칼럼을 쓰기 시작했을 때 우리는 함께 살고 있었고, 헤어진 뒤에도 너는 네 프랑스어를 손봐달라며 계속 원고를 보내주곤 했지—우리 둘 다 『리베라시옹』에서 그 일을 아주 잘 해줄 수 있다는 걸 알고 있는데도, 그게 관계를 유지하는 한 방법이었지. 내게 그 일은 계속 너의 말 속에서 살아가는 방법—네 사유의 끈을 잃지 않는 한 방법이었어.

나는 네가 글을 어떻게 쓰는지 알아. 너는 막힘이 없지. 난 이런 종류의 칼럼을 쓸 수 없을 거야, 매번 한 주 내내 그저 불안에 떨기만 할 테니—이 서문을 시작도 못하고 한 주를 보냈듯이. 처음부터 난 이 서문에 부호를 5000개쯤 붙일 거라고 생각했어, 네가 쓴 이 칼럼의 길이만큼. 급하게 플랜을 생각해봤지만, 글이 막힌다는 건, 애초에 무엇을 쓰고 싶은지 알고 있을 때조차, 그리고 책상 앞에 계속 앉아 있으면서도, 아무것도 떠오르지 않는다는 거야. 내가 머릿속에 품고 있던 플랜은 다음과 같이 시작하는 거였어. "내가 이 서문을 쓰는 날, 누군가 네 현관문에 죽여버리겠다는 낙서를 해둬서 너는 그걸 고소하러 경찰서에 다녀왔어. 같은 날 밤, 바르셀로나의 LGBT 지역 센터 문에도 똑같은 욕설과 위협이 붙어 있었어. 너는 왓츠앱을 통해 내게 문자를 보내왔어. '나 경찰서에서 나오는 길이야 이를 악물고 있어 지금 뼛속까지 추워 난 경찰서 가는 거 좋아하지 않아.' 하지만 우리가 알고 지낸 이후로 네가 경찰서에 간 게 처음은 아니지, 언제나 죽이겠다는 협박 때문이었고. 처음 그런 일이 발생했을 때 난 너한테 이렇게 말했지 내버려둬 아무 대응도 하지 마 네게 편지를 써서 너를 어떻게 죽일지 말하지 않는다면 그건 그럴 의도가 없다는 거야." 하지만 그뒤에 마드리드의 한 게이 행동주의자가 참수되었고 시신이 버려졌어. 살아남았으려면 협박받은 뒤 자기 집에서 나왔어야 했는데. 그래서 넌 고소를 하러 간 거고, 처음으로. 그리고 경찰들한테 퀴어 미시정책에 대해 그들이 알아둘 필요가 있던 모든 걸 설명해줬어. 사람들에게 그들이 생각해본 적 없는 이야기를 들려주는 것, 이게 바로 네 일이야―그리고 그 일들이 일어나기를 바라는 게 합리적이라고 그들을 납득시키는 것이.

내가 이 서문을 쓰는 날 브라질 국회의원 장 윌리스*가 생명에 위협을 느끼고 고국을 떠나기로 결심했다는 발표를 했어. 젊은 빌랄 아사니**가 유로비전 송 콘테스트 프랑스 대표로 선정되자, 그에게는 동성애 혐오적인 욕설이 엄청나게 쏟아졌지.

네가 『리베라시옹』 신문에 이 칼럼을 기고하기 시작했을 때, 주류 매체들은 동성결혼반대 시위를 당혹스러울 정도로 열렬히 지지했어―매일 수위를 높일 필요가 있었던 거지. 불관용에 발언권을 내주고, 이성애중심주의자들이 증오를 표현할 권

---

* 브라질에서 동성애자임을 밝힌 두번째 국회의원이자 성소수자 인권운동가. 2019년 살해 위협을 받고 의원직을 포기했다.
** 모로코 출신의 프랑스 가수. 젠더퀴어로, 2019년 대회 참가 전후로 혐오 폭력과 살해 위협에 시달렸다.

리를 옹호해주고. 필수적인 일이었겠지. 우리 모두가 이해했던 대로, 그건 10년간의 톨레랑스의 끝을 알리는 신호였어. 그때 네 이름은 베토*였고, 테스토스테론을 정기적으로 복용하지는 않았지만, 네가 그러고 싶을 때는 자신을 남성형으로 말하곤 했지. 넌 생물학적 사내놈들을 털보라고 불러서 나를 웃겼어. 요즘엔 더이상 아무도, 길에서 너를 무슈라고 부른 뒤 곧 어쩔 줄 몰라 하다가 말끝을 흐리며 "미안합니다, 마담"이라고 고쳐 말할 생각은 하지 않을 거야. 지금 넌 트랜스야, 우리가 함께 거리에 나갈 때 나를 가장 불안하게 하는 건 남자들이 너한테 말을 잘 건다는 사실이 아니라, 여자들의 태도가 전과 같지 않다는 점이야. 그녀들은 너를 너무 좋아해. 예전에 이성애자들은 이 남자 같은 소녀, 여자 같은 사내 녀석을 어떻게 생각해야 할지 아는 게 너무 없었어—그녀들한테 네가 꼭 편치는 않았던 거지. 지금 여자들은 너를 너무 좋아해. 개를 산책시키며 거리를 지나가든, 치즈를 팔고 있든, 식당의 종업원이든—너를 자기네 취향이라고 생각하고, 흔히들 그러듯이 공연히 사소한 친절을 아낌없이 베풀면서 네게 그 점을 알리려 해. 너는 억압에 대한 기억을 간직한 채 남자가 된다는 건 이상한 일이라며, 게다가 내가 과장한다며, 그녀들은 나한테 관심 없다고 말하지. 그래서 내가 웃고.

---

* 알베르토 또는 움베르토처럼 '~berto'로 끝나는 에스파냐 남자 이름의 애칭.

이렇게 너의 글들을 다 모아놓고 보니, 정돈된 스카이라인이 그려지네. 나는 모든 지면을, 네 글이 신문에 게재된 순간을 기억하고 있어. 그런데 그 지면들이 이렇게 합쳐진 걸 보다니 정말 깜짝 선물이야. 정말 훌륭한 깜짝 선물. 여러 이야기가 엇갈리며 교차로 펼쳐져. 바르트가 말했던 나선형인 거지—언제나 동일한 점들 주위로 모이지만, 높이가 같지는 않은. 이 책은 너의 다른 책들과도 뚜렷이 구별돼. 더 자전적이고 더 접근하기 쉬워. 그러면서 몇 개의 가닥으로 얽혀 있던 너의 『테스토스테론 중독자 Testo Junkie』를 연상시키기도 해. 너는 그 책을 '세 갈래로 땋은 머리'라고 불렀지. 이 글 모음집 역시 그래. 한 가닥은 우리에 관한 이야기—우리의 결별과 그 뒤로 이어진 세월. 엮여 있는 다른 가닥들은 또다른 모티프를 이루지. 이 역시 서양에서 벌어지고 있는 민주주의 종말에 관한 이야기야. 금융은 독재체제와 아주 잘 맞는다는 것을—심지어 손이 묶인 채 꼼짝없이 더 많이 소비할 수밖에 없게 하므로 독재체제를 선호하리라는 것을 어떻게 발견했는지 하는 이야기. 그리고 수용소로 내몰린, 바다에 빠져 죽거나 자칭 그리스도교를 믿는다는 부유한 도시들 속에서 빈곤에 내던져진 난민들 이야기야—나는 네가 좌파적인 미적 취향 때문에 그들의 상황과 네 상황을 유사하게 그리는 게 아니라, 프랑코 독재정권 말기에 성장한 다이크 아이였다가 이제는 트랜스젠더가 된 네가 너 역시 그들 중

비르지니 데팡트의 서문

하나라는 사실을 알고 있기 때문이라는 걸 알아. 여러분도 언제나 그중 한 사람일 테니, 칼라페르트*가 말하듯이 "빈곤은 결코 힘의 문제가 아니야", 도덕적이거나 정신적인 문제도 자질의 문제도 아니라는 거지. 가난은 너를 덮친 트럭처럼 너를 짓누르고—너를 움켜쥐고 너를 갈아버려. 너는 그것을 잊지 않고 있어.

물론 이건 또한 너의 전환—너의 이동들—에 관한 이야기야. 이 중심 이야기는 한 지점에서 다른 지점으로 넘어가는 이야기가 아니라, 방황의 이야기이고 삶의 장소가 된 사이에 관한 이야기야. 고정된 정체성도 없이, 고정 활동도, 주소도 나라도 없이 계속해서 변화하기. 너는 이 책을 『천왕성에 집 한 채』라고 이름지어놓고는, 지구에서는 집 없이 지내고 있어, 그저 파리 어느 한 곳의 열쇠만 갖고 있지, 2년 동안 아테네에서 어떤 집의 열쇠들만 갖고 지냈듯이. 너는 집에 짐을 들이지 않지. 정착하는 데는 관심이 없어. 너는 영원한 불법이주민 신분을 원해. 신분증명서에서 네 이름을 바꾸고 폴이 되어 국경을 넘자마자, 넌 남성을 새로운 젠더로 채택할 의향이 전혀 없다고 『리베라시옹』에 쓰지—너는 유토피아적인 젠더를 원하고 있어.

---

* 프랑스 소설가. 이탈리아 토리노 출신으로 어렸을 때 프랑스로 이민해 리옹 교외에서 청소년기를 보냈다.

마치 가능성이 감옥이 되고 넌 도망자가 된 것 같아. 너는 그 가능성들 사이에서 글을 쓰고—그렇게 하면서 또다른 가능성을 발휘하고 있어. 너는 본질적인 어떤 것을 내게 알려줬어, 열정이 없다면 정치를 하지 않는다는 것. 열정 없이 정치를 한다면 우파인 거지. 너의 죽음을 요구하는 자들에게 어떤 적대감도 없이, 단지 그들이 너에게, 우리에게 가하는 위협을 의식한 채—너는 열정을 다해 전염력 있는 정치를 하지. 한데 네게는 적대감을 위해 쓸 시간도, 화내는 데 쓸 성격도 없어. 주변부에서 솟아오르는 세상들을 펼쳐놓는 너, 너한테서 가장 놀라운 점은 끊임없이 뭔가 다른 것을 상상할 수 있는 능력이야. 마치 선전宣傳들이 네 위로 스쳐지나가듯이, 너의 시선이 체계적으로 명백한 것들을 뒤흔들어놓을 수 있다는 듯이. 너는 거만해서 섹시해—그 유쾌한 거만함 덕에 너는 다른 곳에서, 틈들 속에서 사유할 수 있고, 천왕성에서 살기를 원할 수 있고, 다른 언어로 강연하기 전에 네 것이 아닌 언어로 글을 쓸 수 있는 것 같아…… 그렇게 이 언어에서 저 언어로, 이 주제에서 저 주제로, 이 도시에서 저 도시로, 이 젠더에서 저 젠더로—이 이동들이 네가 사는 집이야. 바로 이 집, 나는 절대로 이 집을 떠나고 싶지 않고, 중개적인 너의 언어, 교차로 같은 너의 언어, 이동중인 너의 언어를 결코 잊고 싶지 않아.

이상이 내가 구상하고 있던 플랜이야, 나는 모든 독재체제가

—종교나 공산주의와 마찬가지로 극우도—가진 강박관념, 퀴어 신체, 매춘부 신체, 트랜스 신체, 법 테두리 밖에 있는 신체들을 공격하려는 이 강박관념에 대해 말하면서 글을 끝맺고 싶었어. 그건 마치 석유를 가졌다는 거랑 같아—모든 강력한 체제가 석유 보유를 원하고, 이를 이유로 국토 관리에서 우리를 제외시키고 싶어하잖아. 이를테면 분류하기 어려운 원자재를 아주 많이 보유한 셈이 되거든. 그토록 많은 사람이 관심을 가지니, 결국 희귀하고 값진 에센스 같은 것을 가져야겠다고 생각하게 되는 거지—그게 아니라면 자유를 침해하는 모든 단체가 우리의 정체성, 우리의 생명, 침실에서 우리가 몸으로 무엇을 할지 그토록 관심 갖는 이유를 달리 어떻게 설명하겠어?

　우리가 서로 만난 이후 처음으로 지금 나는 너보다 더 낙관적이야. 나는 2000년 이후 출생한 아이들은 이런 어리석은 짓거리에 가담하기를 거부할 거라고 생각해—나의 이 낙관주의가 내가 맞닥뜨리기를 거부하는 어떤 거대한 공포에서 비롯한 건지, 정확한 직관에서 비롯한 건지, 아니면 그저 부르주아화해서 그런지, 얻을 이득이 엄청 많기라도 한 것처럼 모든 게 지속되리라고 생각할 필요가 있어서인지는 잘 모르겠어. 그 점에 대해서는 전혀 모르겠어. 하지만 살면서 처음으로 나는 이렇게 느껴—이것이 폭력과 강간이라는 전통적인 살인자-남성성을 걸고 하는 최후의 일전이라고. 저들이 지르는 큰 소리가 들리고, 저들이 자기네 사고틀을 구성하는 근심거리를 내몰겠다며 거리에서 우리를 죽이는 건 이번이 마지막이다. 나는 2000년 이후 출생한 아이들은 이 남성중심적—또는 네가 하는 말로 '테크노가부장적'—질서와 함께 지속한다는 것은 모두를 죽이고 모든 것을 잃는 것이라고 생각하리라 믿어.

나는 이 아이들이 너의 글들을 읽을 거라고—그리고 네가 제안하는 것을 이해하고 너를 부러워할 거라고 생각해. 너의 생각과 너의 전망과 너의 공간을 부러워할 거라고. 너는 아직 오지 않은 시대를 위해 글을 쓰고 있어. 아직 태어나지 않은, 또한 이 항구적인 이동—이게 삶의 속성이지—속에서 살아가게 될 아이들을 위해 넌 글을 쓰고 있어.

나는 네 책 속으로 입문하는 독자가 세상의 모든 즐거움을 느끼기를 바라. 폴 B. 프레시아도의 집에 오신 것을 환영합니다—여러분은 이제 우주선에 올라타셨습니다. 무사하리라는 생각은 하지 마세요. 그러나 아시게 되겠지만 폭력적이진 않습니다. 그저 페이지를 따라가다보면 여러분 각자 어느 순간 당신이 무슨 일을 당했는지 납득하지 못한 채 그 일이 일어나고 있음을 알게 될 겁니다—여러분은 물구나무를 서게 될 테고, 이제 중력은 낡은 추억에 불과해질 겁니다. 여러분은 다른 곳에 가 있을 거예요. 그리고 독서를 끝내면서 여러분은 우주가 존재한다는 것을, 우주가 여러분 앞에 열려 있다는 것을 알게 될 겁니다—바로 그곳에서 여러분은 여러분한테 주어졌던 상상과는 완전히 다른 어떤 것이 될 수 있을 겁니다.

비르지니 데팡트[*]

---

* 프랑스의 작가이자 영화감독으로 젠더와 섹슈얼리티, 사회 주변부에서 삶을 영위하는 사람들을 탐구한 작품으로 유명하다. 한때 프레시아도의 애인이었으며, 이 저서에 서문을 썼다.『베즈 무아』『킹콩걸』『아포칼립스 베이비』『베르노 수부텍스』『친애하는 개자식에게』 등을 썼다.

서문

천왕성에 집 한 채

　세월이 흐르면서 나는 꿈을 삶의 일부로 여길 줄 알게 되었다. 감각이 강렬해서, 너무 현실적이어서, 아니 바로 현실감이 전혀 없어서, 실제로 겪은 사건들과 마찬가지로 자서전에 넣을 만한 꿈들이 있다. 삶은 무의식 속에서 시작되고 마감되며, 우리가 명료한 의식상태에서 하는 행위는 꿈이라는 열도列島 속 작은 섬들에 불과하다. 꿈 체험을 고려하지 않고는 어떤 존재도 전적으로 행복이나 광기를 복원해낼 수 없다. 이것은 칼데론 데라바르카*의 전도된 교훈이다. 인생을 하룻밤 꿈이라 생각할 것이 아니라, 꿈 또한 삶의 한 형태라는 것을 이해해야 한다. 이집트인들처럼 꿈은 조상들의 영혼이 우리와 소통하기 위해 통과하는 우주 터널일 거라고 믿는 것이나, 신경과학이 바라듯 꿈은 뇌가 깨어 있는 상태에서 체험한 것들이 수면의 역

---

*『인생은 꿈』 등을 쓴 17세기 에스파냐의 극작가이자 시인, 수도사.

설적인 과정 속에서 역전되며 이루어지는 일종의 '짜깁기'일 거라고 생각하는 것이나 똑같이 이상한데, 그동안 우리의 눈은 마치 뭔가 바라보고 있는 것처럼 눈꺼풀 아래에서 재빨리 움직이고 있으니 말이다. 눈은 잠들어 감겨 있지만 계속해서 보고 있다. 그러므로 인간의 정신이 때로는 꿈속에서 때로는 각성상태에서 끊임없이 현실을 창조하고 편집한다고 말하는 편이 더 적절하다.

지난 몇 달 동안 깨어 있는 내 삶은, 카탈루냐식으로 완곡하게 표현해보면 '세세하게 들여다보지 않으면 괜찮았고', 꿈속의 내 삶은 어슐러 르 귄의 소설 같은 힘을 갖고 있었다. 최근의 한 꿈에서 나는 현대미술 작가 도미니크 곤살레스푀르스테와 나의 지리적 이탈 문제에 대해 논의하고 있었다. 수년간 방랑생활을 해온 나로서는 이 세상에서 내가 살 곳을 결정하기가 어렵다. 대화를 나누는 동안, 우리는 둘 다 거대한 아이가 된 것처럼, 태양계가 마치 A. 칼더의 모빌인 것처럼, 행성들이 천천히 궤도를 돌고 있는 것을 관찰했다. 나는 그녀에게 당장은 결정에 따를 갈등을 피하려고 각 행성마다 집을 한 채 임대했다고, 그렇지만 그중 한곳에서 한 달 이상은 살지 못하겠다고, 그런 상황이 경제적으로나 감정적으로나 견딜 수 없었다고 설명하고 있었다. 아마도 도미니크가 엑조투어리즘*을 기획한 작

---

* Exotourisme. 도미니크 곤살레스푀르스테의 작품 〈엑조투어리즘 2002/2013 벽에 그린 네온〉은 정신의 여행을 뜻한다.

가라서, 내 꿈속에서 그녀가 우주의 부동산 관리 전문가가 되었던 모양이다. 그녀가 매우 실용적인 태도를 보이며 내게 말했다. "너 대신 내가 화성에 집 한 채를 갖고 토성에 임시 거처를 마련할게. 하지만 천왕성의 집은 포기하겠어. 거긴 너무너무 멀거든."

깨어 있는 상태의 나는 천문학에 특별한 조예가 없고 태양계 여러 행성의 위치와 거리에 대해 아무 개념이 없다. 하지만 나는 위키피디아에서 천왕성 항목을 찾아보았다. 천왕성은 실제로 지구에서 가장 멀리 떨어진 행성들 중 하나다. 해왕성, 명왕성, 그리고 하우메아, 마케마케, 에리스 같은 왜성矮星들만 그보다 더 멀다. 나는 천왕성이 프랑스대혁명이 일어나기 8년 전에 광학망원경으로 발견된 첫 행성이라는 글을 읽었다. 천문학자이자 음악가인 윌리엄 허셜은 그가 직접 제작한 광학유리를 사용하여 3월 13일 바스시市 뉴킹가街 19번지 자기 집 정원에서, 청명한 하늘에서 천왕성을 관찰했다. 아직 그것이 거대한 별인지 꼬리 없는 혜성인지 모른 허셜은 아메리카에서 식민지를 잃은 영국 왕을 위로하기 위해 그 별에 '조지의 별Georgium Sidus'이란 이름을 붙였다고 한다. 영국은 대륙을 잃었지만, 왕은 별 하나를 얻었다고. 천왕성 덕분에 허셜은 매년 200파운드라는 넉넉한 왕실 연금을 받으며 생활을 영위할 수 있었다. 천왕성 때문에 그는 자신이 오케스트라 단장을 맡고 있던 바스시와 음악을 버리고, 왕이 망원경으로 천왕성을 관찰하며 그의 새로운 정복에 확신을 가질 수 있도록 윈저로 거처를 옮겼다. 천왕성 때문에 허셜은 반미치광이가 되어, 남은 생을 18세기의 가장 거대한 망원경을 제작하면서 보냈다고들 하는데, 영국 사람들은 그 망원경을 '괴물'이라고 불렀다. 천왕성 때문에 허셜은 이후 절대로 오보에를 연주하지 않았다고 한다. 그는 여든넷에 사망했는데, 이는 천왕성이 태양 주위를 돌기 위해 필요한 햇수다. 그가 만든 망원경 몸통의 직경이 어마어마해서 그의 장례식 당시 가족이 그것을 식당으로 이용했다는 이야기도 있다.

천왕성을 두고 물리학자들은 '목성형 행성'이라고 부른다. 얼음과 메탄과 암모니아로 구성된 목성형 행성은 태양계에서 가장 차가운 행성으로, 시속 900킬로미터가 넘는 바람이 분다. 간단히 말해 거주 가능 조건에 부합한다고 말할 수 없다. 결국 도미니크의 말이 옳다. 나는 천왕성의 집을 떠나야 할 것이다.

그러나 꿈은 바이러스 같다. 오늘밤부터는, 깨어 있는 동안 천왕성에 집이 한 채 있다는 느낌이 더 커지면서, 내가 살고 싶은 곳이 바로 거기라는 확신이 점점 더 강해진다.

그리스인들에게 천왕성Uranus은, 이 꿈속에서 내게 그런 것처럼, 세상의 견고한 지붕이고 천공의 끝이었다. 천왕성은 그리스의 많은 의례 속 기도에서 신들의 집으로 간주된다. 신화에서 우라노스는 대지의 신 가이아가 수정도 짝짓기도 없이 혼자 수태한 아들이다. 그리스 신화는 또한 20세기와 21세기 내내 출현하게 될, 몸을 재생산하고 변환하는 기술을 'DIY(doit-yourself)' 방식으로 예고하는 일종의 레트로 공상과학소설이다. 이와 동시에 등장인물들이 법의 틀 밖에서 상상할 수 없이 많은 관계에 빠져드는 일종의 키치 텔레비전 연속극이다. 가이아는 아들 우라노스와 결혼했다. 우라노스는 자주 성운星雲 속에서 나타나는 티탄으로, 올림포스산 위의 한 테크노클럽에서 다른 유형의 근육질들과 어울려 춤을 추는 일종의 '핀란드의 톰'*이다. 하늘과 땅의 근친상간적인, 결국 별로 이성애적이지 않은 관계로부터 티탄 1세대가 태어났다. 그들 가운데 물의 신 오케아노스, 시간의 신 크로노스, 또 기억의 신 므네모시네……가 있다. 우라노스는 대지의 신의 아들인 동시에 나머지 모두의 아버지다. 그의 문제가 무엇이었는지는 분명 모르지만, 그가 좋은 아버지가 아니었던 것은 사실이다. 아이들을 가이아의 뱃속에서 나오지 못하게 해서 그렇든, 아이들이 태어나자마자 그들을 타르타로스에 집어던져버려서 그렇든. 따라서 가이아는 자식 하나를 설득하여 아버지에게 불임수술을 하게 했다. 피렌체의 베키오궁에 가면 16세기에 조르조 바사리가 재

---

* 1970년대 '호모에로틱'한 일러스트레이션의 거장으로 평가받은 토우코 라크소넨의 필명. 그의 일생을 담은 영화의 제목이기도 하다. 보수적인 핀란드 사회에서 동성애자로 배척당한 자신의 경험에 판타지를 섞은 그림을 발표하여 엄청난 파장을 일으켰다. 1957년 상의를 탈의한 채 명랑하게 웃는 벌목꾼의 누드를 게이 잡지 표지로 공개하면서 '톰'이라는 가명을 사용했고 여기서 '톰 오브 핀란드'라는 인기 브랜드가 탄생했다. 근육질의 몸매, 바이크를 탄 불량배, 상의를 탈의한 채 밝게 웃는 남성, 가죽재킷과 제복 등 남성성을 극대화한 이미지를 즐겼다.

현한, 크로노스가 아버지 우라노스를 낫으로 거세하는 그림을 볼 수 있다. 사랑의 여신 아프로디테는 우라노스의 잘린 생식기로부터 출현했다…… 이는 사랑이 신체와 생식기를 분리시킴으로써, 생식의 힘이 이동하고 외재화함으로써 생겨났음을 암시할 수도 있다.

플라톤의 『향연』에 인용된 이 같은 이성애적이지 않은 임신 형식에서, 독일의 법률가 카를 하인리히 울리히스Karl Heinrich Ulichs는 영감을 얻어 1864년 '제3의 성'의 사랑이라고 명명한 것을 지시하고자 '우라니스트uraniste'*라는 용어를 만들어냈다. 남성이 다른 남성에게 끌리는 현상을 설명하고자, 울리히스는 플라톤을 따라 주체성을 둘로 나누고 영혼과 신체를 분리시켜, 법을 어기고 서로 사랑하는 남성들의 존엄성을 주장하도록 허용하는 영혼과 신체의 결합을 생각해냈다. 영혼과 신체의 분할은 경험의 차원에서 성차의 이분법적 인식론을 재생산하며, 그리하여 두 가지 선택만 가능하다. 울리히스는, 우라니스트는 병자도 죄인도 아니며, 남성의 영혼에 이끌리는 남성의 신체에 갇힌 여성의 영혼이라고 말한다.

이것이 그 시대 영국이나 프로이센에나 있던, 당신을 교수형에 처하게 할 수도 있던, 사랑의 한 형태를 합법화하려는 나쁜 생각이 아니었다. 오늘날에도 이 사랑은 74개국에서 여전

---

* 뒤에 나오는 '우라니즘'을 포함해 이 단어 역시 현재 프랑스어 사전에 등재되어 있으며 (주로 남자 간) '동성애(자)'를 지칭하는 말로 쓰인다.

히 불법이며, 그중 나이지리아, 파키스탄, 이란, 카타르를 포함한 13개국에서는 사형에 처해진다. 이 사랑은 서구 대부분의 민주주의국가에서 가정과 사회와 경찰의 폭력을 불러일으키는 흔한 동기다.

울리히스는 법률가나 과학자로서 이렇게 진술한 게 아니다. 그는 일인칭으로 발언했다. 그는 "우라니스트들이 있다"라고 말하지 않고 "나는 우라니스트다"라고 말한다. 1867년 8월 28일—그가 투옥되고 그의 책이 금서가 된 이후에—울리히스는 그와 같은 고백을 위해 이상적인 대중 즉 500명의 법률가 학회, 독일의 국회의원들, 바이에른 왕…… 앞에서 라틴어로 그렇게 주장했다. 그때까지 울리히스는 누마 누만티우스라는 가명 뒤에 자신을 숨기고 있었다. 하지만 그날부터 그는 본명으로 발언하면서 감히 아버지의 이름을 더럽힌다. 일기에서 울리히스는 두려웠다고 고백한다. 뮌헨에 있는 오데온극장의 그랜드 홀 무대에 모습을 나타내기 전에, 그는 그대로 달아나 다시는 돌아오지 않을 생각도 잠시 했다. 그러나 갑자기 수년 전에 남색가를 옹호했던 스위스의 작가 하인리히 회슬리*의 말(본명으로는 하지 않은 그 말)이 떠올랐다고 한다. "내 앞에 두 개의 길이 있다. 이 책을 쓰고 박해를 무릅쓸 것인가, 아니면 이 책을 쓰

---

* 19세기 독일의 모자장수이자 작가. 고대 그리스의 동성애를 본격적으로 다룬 그의 작품 『에로스』 『그리스 남자들 간의 사랑』(1836~1838)은 19세기에 동성애를 옹호한 최초의 작품들 중 하나다.

지 않고 땅에 묻힐 때까지 죄책감에 시달릴 것인가. 나는 분명 글쓰기를 멈추고 싶은 유혹에 직면했다…… 하지만 눈앞에 박해받는 자들과 아직 태어나지도 않은 이미 불행한 아이들의 이미지가 나타났고, 이 저주받은 순결한 아기들의 요람을 흔드는 불행한 어머니들이 보였다! 이어서 나는 눈에 붕대를 감은 심판관들을 보았다. 마지막으로 차가운 내 얼굴 위로 관 뚜껑을 다시 들어올리는 묘혈 파는 인부를 생각했다. 그러고는 내가 굴복하기 전에, 몸을 일으켜 억압된 진실을 지키고 싶은 억제할 수 없는 욕망이 나를 사로잡았다…… 그래서 결국 나는 나를 파멸시키기 위해 진력한 자들에게서 단호하게 눈을 멀리 뗀 채 계속 글을 쓰기로 했다. 조용히 있든 말을 하든 선택이랄 게 없다. 나는 생각한다, 말하든가 심판받든가!"

울리히스는 일기에서 뮌헨 오데온극장 홀에 앉아 있는 국회의원과 재판관들이 그의 연설을 듣다가 분노한 군중처럼 "폐회하시오! 폐회하시오!"라고 소리소리 질렀다고 이야기한다. 그러나 그는 "계속하게 두시오"라는 목소리도 한두 개는 들렸다고 쓴다. 아수라장 속에서 국회의장은 현장을 떠나지만, 일부 국회의원들은 남는다. 울리히스의 목소리는 떨리고 있다. 그들이 그의 말을 경청하고 있는 것이다.

한데 이성과 지식에 접근을 거부당했던 사람들을 위해, 정신병자 취급을 받았던 우리를 위해 발언한다는 것은 무엇을 의미할까? 우리는 어떤 목소리로 말할 수 있을까? 표범이나 사이보

그가 우리에게 목소리를 빌려줄 수 있을까? 말을 한다는 것은 횡단의 언어를 발명하는 것이고, 천체 여행에 목소리를 투사하는 것이고, 또한 우리의 차이를 규범의 언어로 옮기는 것이다. 그러는 동안 우리는 은밀히 법이 이해하지 못하는 이상한 객설을 계속 늘어놓는다.

따라서 울리히스는 천왕성에 집을 한 채 갖고 싶다고 공개적으로 표명한 최초의 유럽 시민이었다. 그는 자신을 성범죄자이자 환자로 구성한 범주들을 고발하고자 발언한 최초의 정신질환자이자 최초의 성범죄자였다. 그는 "나는 남색가가 아니다"라고 말하지 않았다. 반대로 그는 사회가 어떤 신체를 건강하거나 병든 것으로, 또는 합법적이거나 불법적인 것으로 인정하도록 규정해둔 정치적 관례를 변경할 것을, 기호체계를 재편할 것을 요청하면서, 남성들 간의 성행위 권리를 옹호했다. 그는 새로운 언어와 새로운 진술의 무대를 발명했던 것이다. 우라노스에서 뮌헨의 법률가들까지 울리히스가 건넨 말 한마디 한마디에서, 서구의 이분법적 인식론이 양산한 폭력이 울려나온다. 우주 전체가 둘로, 오로지 둘로만 나뉘어 있다. 이러한 인식체계 속에서는 모든 게 하나의 표면과 하나의 이면만 가진다. 우리는 인간이 아니면 동물이다. 남자 아니면 여자. 산 자 아니면 죽은 자. 우리는 식민지 지배자 아니면 식민지 피지배자다. 유기체 아니면 기계. 우리는 규범에 의해 둘로 나뉘었다. 둘로 잘려서 그 틈의 이쪽 또는 저쪽에 남아 있어야만 했다. 우리가 주체성이라고 부르는 것은 이 골절의 상처가 또렷이 보이도록 내버려둔, 우리가 될 수 있었을 모든 존재의 다양성 위에 난 흉터에 불과하다. 이 흉터 위에서 재산, 가족, 상속이 시작되었다. 이 흉터 위에 우리는 고유명사를 쓰고 그 위에서 성정체성을 주장한다.

1868년 5월 6일, 성소수자들의 권리를 옹호하고 투쟁한 카를 마리아 케르트베니Karl Maria Kertbeny는 직접 손으로 쓴 편지를 울리히스에게 보냈다. 그 편지에서 그는 친구가 '우라니스트'라고 불렀던 것을 언급하기 위해 '동성애자homosexuel'라는 단어를 만들어낸다. 그는 프로이센에서 공표된 반동성애법에 반대하며, 동성 간의 성적 실천도, 그가 '이성애자hétérosexuel'라고—이것도 처음으로—명명한 사람들의 성적 실천과 마찬가지로, '자연스러운 것'이라는 생각을 지지했다. 케르트베니에 따르면, 동성애와 이성애는 자연스러운 사랑의 두 가지 방식일 뿐이었다. 하지만 19세기 말의 법과 의학의 대표자들은 동성애를 일종의 질병, 일탈, 범죄로 재분류하게 된다.

나는 역사에 대해 말하려는 게 아니다. 여러분에게 말하려는 것은 오늘날 여러분의 삶, 나의 삶에 대해서다. '우라니즘'의 개념이 문학의 기록보관소 어딘가에서 분실된 동안, 케르트베니의 개념들은, 20세기 내내 여러분 대부분이 자기 정체성을 언급하기 위해 마치 그것이 서술 범주인 것처럼 그 개념들을 사용할 정도로, 섹슈얼리티와 재생산을 관리하는 생명관리정치의 공인된 기술이 된다. 동성애는 1975년까지 서구의 정신의학개론서에서 성질환으로 기입되게 된다. 동성애는 임상심리학의 담론뿐만 아니라 서구 민주주의의 정치적 언어에서도 핵심 개념으로 남아 있다.

동성애 개념이 정신의학 개론서에서 사라질 무렵, 인터섹슈얼리티와 트랜스섹슈얼리티 개념들이 의학, 약리학, 법이 치료를 권고하는 새로운 병리학으로 등장한다. 서구의 병원에서는 태어난 누구든 신체검사를 받고, 1950년대 미국에서는 의학박사 존 머니, 존과 조안 햄프슨이 고안한 젠더의 정상성 평가 매뉴얼을 따르게 된다. 아기의 신체가 눈에 보이는 성차 기준에 맞지 않으면, 그는 '성을 재지정'하는 일련의 수술을 받게 된다. 마찬가지로 몇몇 예외를 제외하고, 서구 대부분의 민주주의국가에서는 한 신체가 남성 또는 여성으로 지정되지 않으면 인간 사회의 구성원으로 등록될 수 있는 가능성을 학술 담론상으로든 법상으로든 인정하지 않고 있다. 트랜스섹슈얼리티와 인터섹슈얼리티는 정신신체학적 병리현상으로 기술되며, 생명의 복잡성 앞에서 성차에 대한 시각-정치적 체계가 부적합하다고는 기술되지 않는다.

여러분은 어떻게, 우리는 어떻게 그와 같은 범주들을 따라 가시성, 재현, 주권의 양도, 그리고 정치적 승인이라는 체계 전체를 조직할 수 있을까? 여러분은 진정으로 자신이 남자 아니면 여자, 우리가 동성애자 아니면 이성애자, 인터섹슈얼 아니면 트랜스섹슈얼이라고 믿는가? 이 구분이 여러분을 불안하게 하는가? 여러분은 이 구분을 신뢰하는가? 인간으로서 당신의 정체성이 갖는 의미 자체가 이런 구분에 기초를 두고 있는가? 당신이 이 단어들 중 하나를 들으며 목구멍이 떨리는 걸 느낀다면, 침묵하지 마라. 마치 허셜 망원경의 관인 것처럼, 당신의 가슴을 관통하려 시도하는 것은 우주의 다양체다.

나는 여러분에게 동성애와 이성애가 생명의 재생산에 대한 가부장의 지배력을 유지시키는 것을 목표로 하는, 이분법적이고 위계적인 분류학 바깥에 존재하는 게 아니라는 말을 하고 싶다. 동성애와 이성애, 인터섹슈얼리티와 트랜스섹슈얼리티는 식민주의적이고 자본주의적인 인식론 바깥에 존재하는 게 아니다. 이 인식론은 재생산의 인구 관리 전략, 노동력 재생산 전략, 또한 소비자 인구 재생산 전략으로서 재생산의 성적 실천을 특권화한다. 재생산되는 것은 생명이 아니라 자본이다. 이 범주들은 권력이 강제로 부과한 지도이지, 생명의 영토가 아니다. 하지만 동성애와 이성애가, 인터섹슈얼리티와 트랜스섹슈얼리티가 존재하지 않는다면, 그렇다면 우리는 누구인가? 우리는 어떻게 사랑할까? 이를 상상해보자.

그러고 나면 다시 내 꿈이 돌아오고, 나는 트랜스라는 내 조건이 새로운 형태의 우라니즘임을 이해한다. 나는 남자가 아니다 나는 여자가 아니다 나는 이성애자가 아니다 나는 동성애자가 아니다 나는 양성애자가 아니다. 나는 성별-젠더체계의 반체제자다. 나는 이분법적인 정치적 인식론적 체제 안에 갇힌 우주의 다양체, 여러분 앞에서 나는 외친다. 나는 기술과학적 자본주의의 경계 안에 갇힌 우라니스트다.

　울리히스처럼 나도 주변 변방에 대한 소식은 가져올 것이 없고, 여러분에게 한 조각 전망을 끌어오겠다. 나는 천왕성에 대한 소식을 가지고 돌아오겠다. 천왕성은 하느님의 왕국도 시궁창도 아니다. 정반대다. 나는 태어날 때 여성의 성을 지정받았다. 사람들은 나를 두고 레즈비언이라고들 했다. 나는 스스로 나에게 테스토스테론을 일정량 처방하기로 결심했다. 나는 결코 내가 남자라고 생각하지 않았다. 나는 결코 내가 여자라고 생각하지 않았다. 나는 여럿이었다. 나는 나 자신을 트랜스섹슈얼로 여기지 않았다. 나는 테스토스테론으로 실험을 해보고 싶었다. 나는 그것의 점성, 그것이 초래할 변화의 예측 불가능성, 복용하고 48시간이 지난 뒤 그것이 일으키는 강렬한 정동을 좋아한다. 규칙적으로 복용할 경우, 정체성을 와해시키고, 복용하지 않았다면 눈에 보이지 않은 채 남아 있었을, 신체의 유기적 층들을 명료히 드러나게 만드는 약의 위력을 좋아한다. 다른 경우와 마찬가지로 여기서도 중요한 것은 복용량, 복용주기, 연속성, 리듬과 같은 계량단위들이다. 나는 알아볼 수 없을 만큼 변하기를 원했다. 나는 '젠더 불쾌감'을 치료하기 위한 호르몬요법으로서 의료기관에 테스토스테론을 요청한 것이 아니었다. 나는 테스토스테론의 작용을 직접 체험해보기를 원했고, 내 욕망의 강도를 이 약과 연동시켜보고 싶었고, 나의 주체성을 일변시켜 내 얼굴을 증식시켜보고 싶었고, 가히 혁명적인 기관이 될 신체를 만들어보고 싶었다. 나는 나의 신분증명서가 우스꽝스럽고 쓸모없어질 때까지 사회가 내 얼굴에 붙여놓았던 여성의 가면을 부숴버렸다. 그런 뒤 나는 아무 핑계도 대지 않고, 법의학 체계가 나를 살아 있는 인간의 신체로 인정할 수 있도록, 나를 트랜스섹슈얼로, '정신질환자'라 판별하는 것을 수락했다. 나는 내 신체를 대가로 나의 이름을 얻었다.

샤먼이 식물을 가지고 자기 주체성을 구성하듯이, 테스토스테론으로 나의 주체성을 구성하기로 결심하면서, 나는 내가 살고 있는 이 시대의 부정성否定性을 감당하고 있다. 내가 재현해야만 하는 이 부정성에 맞서 내가 투쟁할 수밖에 없게 된 것은, 21세기에 트랜스 남성이라는 것, #미투 운동에서 남자 이름을 가진 페미니스트라는 것, 약리포르노pharmaco-pornographique산업의 소비자가 되어버린 이성애-가부장 체계를 믿지 않는 무신론자라는 것, 이 역설적인 나의 구현이 성립된 이후였다. 트랜스 남성으로서의 나의 존재는 구체제 성性의 정점을 이루는 동시에 붕괴의 시작이고, 규범적 진행의 절정이면서 앞으로 도래할 증식에 대한 예고다.

나는 여러분에게, 여러분과 죽은 자들에게, 또한 이미 죽은 듯이 살고 있는 사람들에게 말하기 위해 이 글을 쓴다, 그리고 특히 앞으로 태어날, 아무 죄 없이 저주받은 아이들에게 말하기 위해 여기 왔다. 우리 우라니스트는 조직적인 유아 살해를 시도하는 정책에서 살아남은 생존자들이다. 우리가 아직 성인이 아니었고 스스로를 방어할 수 없었는데도, 우리는 우리에게서 생명의 근본적인 다양성과 만물의 이름을 바꾸고 싶은 욕망을 말살하려는 시도에서 살아남았다. 당신은 죽었는가? 내일 그들이 태어날까? 여러분에게 늦은 아니면 이른 축하를 보낸다.

나는 여러분에게 하느님의 왕국도 시궁창도 아닌 횡단에 관한 소식을 가져오겠다. 정반대다. 겁낼 것도 들뜰 것도 없다. 나는 질병에 관한 무언가를 설명하려는 것이 아니다. 나는 트랜스섹슈얼리티가 무엇인지도, 성을 어떻게 바꿀 수 있는지도, 어떤 시기에 전환하는 것이 좋은지 또 나쁜지 말하려는 것도 아니다. 이 모든 것 중 어느 것도 진실이 아닐 것이므로, 지구 어느 한 지점에 떨어지는, 그곳을 바라보는 장소에 따라 달라지는 오후의 햇살보다 더 진실하지 않을 것이므로. 그것은 천왕성이 지구 주위를 돌면서 그리는 느릿느릿한 궤도가 노란색이라는 말보다도 더 진실하지 않을 테니. 나는 여러분에게 테스토스테론을 복용할 때 일어나는 모든 일을 말할 수 없고, 또 이것이 당신의 몸에 어떤 변화를 일으키게 될지도 말할 수 없다. 수고를 들여 필요한 만큼, 그리고 당신이 취향껏 감당할 수 있는 만큼 지식의 양을 자신에게 처방하라.

이 때문에 내가 여기 온 건 아니다. 나의 어머니, 선주민 출신 작가 페드로 레메벨이 말했듯이, 나는 내가 왜 왔는지 모르지만, 여기 있다. 아테네 정원들 위로 불쑥 솟아나온 이 천왕성의 집에. 나는 잠시 머물 것이다. 이 교차로에서. 왜냐하면 교차점이야말로 실존하는 유일한 장소이기 때문이다. 서로 마주한 두 연안은 없다. 우리는 언제나 길들이 교차하는 지점에 있다. 인간들의 언어를 습득한 괴물처럼, 내가 여러분에게 말을 건네는 것도 바로 이 교차로에서다.

나는 더이상 울리히스처럼, 내가 여성의 신체에 갇힌 남성의 영혼이라고 주장할 필요가 없다. 내게는 영혼이 없으며 몸도 없다. 나는 천왕성에 집을 하나 가지고 있다. 그 집은 분명 나를 대부분의 지구인으로부터 멀리 떨어트려놓겠지만, 여러분이 나를 만나러 올 수 없을 정도로 멀지는 않다. 설령 꿈속일지라도……

횡단의 연대기

이 책이 우라노스 별자리 아래서 쓰인 것이라면, 이는 횡단의 연대기 중 일부가 책에 포함되어 있기 때문이다. 이 글들은 2013년부터 2018년 초, 프랑스 일간지 『리베라시옹』과 유럽의 다른 매체에 신고자, 주로 공항과 호텔 방에서 쓴 것들이다. 이 칼럼을 시작했을 때, 나의 이름은 아직 베아트리스였고, 퀴어-레즈비언으로서 반체제자였지만 법적 사회적으로는 여성 신분이었다. 이 책을 마감했을 때, 나는 여전히 교차로에 있지만, 새로운 이름으로 책에 서명하고, 나의 법적 성별이 남성이 되었음을 표시한 새로운 신분증을 갖게 됐다. 나는 이 칼럼들이 작성된 연대순을 그대로 유지했다. 왜냐하면 그 순서가 곧 성과 젠더 전환이 연속적으로 이루어진 순서, 횡단의 이야기이기도 하기 때문이다. 이런 의미에서, 이 칼럼의 저자는 최소한 두 명이다. 둘의 불일치는 저자가 횡단을 수행하면서 내는 다양한 목소리 분포를 쌍곡선 방식으로 가시화한다—이 같은 현상은 모든 글쓰기 작업 속에 존재하지만, 대개 저자의 이름이 갖는 그 단일성 아래서 지워진다.

나는 우리가 직면해 있는 세계의 정치적 변화를 최대한 잘 이해할 수 있게 해주는 것이 바로 전환의 과정이라고 말하고 싶다. 성전환과 이주移駐는 가부장적 식민주의, 성차, 인종의 위계, 가족, 국민국가의 정치적 법적 구조에 의문을 제기함으로써, 살아 있는 인간의 신체를 시민권의 경계 안에, 더 나아가 우리가 인간성으로 이해하고 있는 것의 경계 안에 위치시키는 두 가지 행위다. 지리적 언어적 신체적 이동을 넘어 이 두 여정을 특징짓는 것은, 여행자뿐만 아니라 그를 환대하거나 내치는 인간 공동체의 급진적인 변화다. (정치적 성적 인종적) 구체제는 모든 이행移行 행위를 범죄시한다. 하지만 횡단이 가능할 때마다, 생명을 생산하고 재생산하는 새로운 형태들과 더불어 새로운 사회의 지도가 그려지기 시작한다.

횡단은 2004년에 시작되었다. 내가 처음으로 소량의 테스토스테론을 나 자신에게 처방하기로 결심했던 해다. 그뒤로 몇 년 동안 남성과 여성 사이, 레즈비언 남성성과 드랙킹 여성성 사이 이름 없는 어느 공간을 돌아다니면서, 나는 사람들이 그 후로 '젠더플루이드'라고들 하는 입장을 경험했다. 연속적으로 내가 구현한 모습들의 유동성은 성의 이분법 밖에 있는 한 신체의 존재를 받아들이지 않으려는 사회적 저항에 맞닥뜨렸다. 신체상 '남성의 이차성징'에 속하는 급속한 성장을 촉발시키지 않기 때문에 우리가 '한계용량'이라 부르는 양의 테스토스테론을 자신에게 처방하면서, 나는 젠더 연금술사처럼 이 '유동성'을 변조했다. 이 연대기는 이 한계 문턱 위 어딘가에서 시작한다.

역설적이게도 나는 변화를 열망했기 때문에 유동성을 포기했다. 횡단이 이 변화의 실험실이 되었다. '성전환' 결심에는 필연적으로, 에두아르 글리상Édouard Glissant이 '떨림un tremblement'이라고 명명한 것이 동반된다. 횡단은 불확실성, 불명증성, 이상함의 장소다. 그것은 약점이 아니라 힘이다. 글리상에 의하면, "떨림의 사유는 공포의 사유가 아니다. 그것은 체계에 대항하는 사유다." 2014년 9월 뉴욕에서, 트랜스 활동가들이 운영하는 세계에서 유일한 기관 중 하나인 오드리로드클리닉에서, 성전환에 관한 정신의학적 기록을 시작했다. '성전환'은 성의 구체제 수호자들이 원하는 것처럼, 정신병에 걸려드는 것이 아니다. 그렇다고 성차에 대한 새로운 신자유주의적 관리가 주장하는 것처럼, 사춘기 동안 절대적인 규범성과 절대적인 불가시성에 이르도록 끝마칠 수 있는 단순한 의학적 법적 절차도 아니다. 노동, 정동, 경제, 임신 등 사회적 공간들이 남성성 아니면 여성성, 이성애 아니면 동성애라는 용어들로 분할되어 있는, 성 이분법의 과학적-상업적 명제가 지배하는 사회에서, 젠더를 전환하는 과정은 인류가 발명한 정치적 경계들 중에서 인종의 경계와 더불어 아마도 가장 폭력적일 경계를 뛰어넘어야 함을 전제로 한다. 횡단하기, 그것은 끝없는 수직 벽을 뛰어넘는 동시에 공중에 그어진 선 위를 걸어가는 것이다. 이성애-가부장 성차 체제가 서구의 과학적 종교라면, 그렇다면 성전환은 일종의 이단 행위일 수밖에 없다. 테스토스테론 복용량이 늘어남에 따라 변화도 심해진다. 얼굴에 난 수염은, 목소리 변화가 사회적 인식에 촉발하는 단절에 비하면 매우 사소한 것에 불과하다. 테스토스테론은 성대 두께를 변화시키고 근육을 만들어주는데, 근육의 형태가 바뀌면서 음색과 음역도 바뀐다. 젠더 여행자는 목소리 변화를 일종의 점유로, 자신을 미지의 것과 동일시하도록 강제하는 일종의 복화술 행위로 느낀다. 이 변동은 내가 겪은 가장 아름다운 일 중 하나다. 트랜스가 된다는 것은 내적 '크레올화'* 과정을 원하는 것이고, 전환

---

* créolisation. 글리상의 용어로, 식민지 본국과 피식민지 간의 언어 변화·형성 과정을 가리키는 말에서 점차 확대되어, 장기간에 걸친 이질적인 집단 간의 영향하에 새로운 문화의 형성을 일컫는다.

과 변동, 이종교배를 통해서만 자기 자신이 된다는 것을 수용하는 일이다. 테스토스테론이 내 목구멍에서 밀어내는 목소리는 한 남성의 목소리가 아니라 횡단의 목소리다. 내 안에서 떨리고 있는 목소리는 경계境界의 목소리다. "우리는 세상과 함께 진동할 때 세상을 더 잘 이해한다. 왜냐하면 세상이 사방에서 떨리고 있으므로"라고 글리상이 말했다.

목소리 변화와 함께 때마침 이름도 바뀌었다. 한동안 나는 나의 여성 이름이 남성형으로 바뀌기를 원했다.* 계속 베아트리스라는 이름을 쓰면서 문법에 맞춰 남성형 대명사와 형용사로 다뤄지기를 원했다. 하지만 이렇게 문법을 꼬는 것이 젠더의 신체적 유동성보다 훨씬 더 어려웠다. 그리하여 나는 결국 남자 이름을 하나 구하기로 결정했다.

2014년 5월, 부사령관 마르코스**는 '사파티스타의 현실'로부터 보내는 공개서한을 통해 마르코스의 죽음을 알렸다. 마르

---

* 프랑스어는 성수에 따라 변화형이 있는데, 고유명사인 여성으로서의 자기 이름이 대명사로 지칭시 남성형으로 바뀌길 원했다는 말이다.
** 멕시코의 무장혁명단체인 사파티스타민족해방군의 실질적인 지도자로, 본명은 라파엘 세바스티안 기엔. 멕시코의 선주민 차별 금지를 주장하면서 2014년까지 사용한 활동명이 '부사령관 마르코스'였다. 여기서 '부사령관'은, 군사조직의 서열 2위가 아닌, 각기 모두가 사령관인 선주민들의 다음 서열이라는 의미다. 밀림을 무대로 반군활동을 했으나 후에는 인터넷을 통해 각종 메시지와 성명 등을 발표했다. 2001년 3월에 국제인권기구와 연대해 15일간 멕시코 전역을 순회하며 평화대장정을 마친 뒤 수도 멕시코시티에 입성해 세계의 이목을 집중시켰다.

코스는 치아파스주의 혁명 과정에서 목소리 제공차 발명된 얼굴 없는 이름이었다. 같은 편지에서 부사령관은 이제 마르코스라는 이름을 버리고, 2014년 5월에 암살당한 호세 루이스 솔리스 로페스, 일명 갈레아노*에게 경의를 표하면서 갈레아노라는 이름을 쓰겠다고 단언했다. 당시 나는 내 이름을 마르코스로 할 생각이었다. 나는 이 이름을 나의 얼굴과 나의 성姓을 감춰줄 사파티스타 가면처럼 쓰려고 했다. 마르코스는 나의 옛 이름을 다시 국유화하고 나의 얼굴을 공유화하는 한 수단이었다. 나의 결정은 소셜 네트워크에서 즉시 라틴아메리카 투사들로부터 식민주의적 행위라고 규탄받았다. 그들은 내가 백인이고 에스파냐 여권을 가지고 있어서 마르코스라는 이름을 가질 수 없다고 주장했다. 정치적 허구는 불과 며칠 안 갔다. 이 이름은 정치적 이식移植 시도의 실패다. 2014년 5월 7일 『리베라시옹』 칼럼의 서명 속에 포함된 일시적 흔적으로만 이 이름은 존재한다. 분명 라틴아메리카 활동가들이 옳았을 것이다. 그 행위에는 식민주의적 교만, 개인적 허영심이 있었다. 하지만 보호에 대한 필사적인 탐색 또한 있었다. 누가 감히 역사도 기억도 삶도 없는 이름을 가진답시고 자신의 이름을 버리겠는가? 나는 마르코스라는 이름을 이식하는 데 실패하면서 그로부터 명백히 모순되는 두 가지를 배웠다. 나는 나의 이름을 위해 투쟁해

---

* 이 이름 역시 에두아르도 갈레아노에게서 빌린 것으로, 자세한 내용은 이 책의 107~108쪽 본문과 각주를 참조하길 바란다.

야만 했을 것이다. 그리고 동시에 그 이름은 일종의 봉헌이어야 했고, 부적처럼 내게 주어져야 했다.

나는 내 친구들에게 나를 위해 이름을 하나 골라달라고 부탁했다. 새로운 이름은 함께 힘을 모아 선택하고 싶었다. 하지만 제안받은 이름들(올랜도, 맥스, 파스칼……) 중 어떤 것도 내 것이라는 강한 느낌이 없었다. 내가 이름을 찾으려고 일련의 샤머니즘적 의식을 시작한 것은 바로 그 무렵이었다. 나는 변하기 위해 필요했던 일에 착수했다. 나는 자신을 횡단에 내맡겼다. 그렇게 해서 마침내 2015년 12월 어느 날 밤, 바르셀로나 고딕지구의 한 침대에서 나의 새로운 이름에 관한 꿈을 꾸었다. 꿈속에서 나는 이상한, 어이없게도 평범한, '폴'이라는 이름을 받아들였다. 나는 모두에게 나를 폴이라고 불러달라고 했다. 그와 동시에 나는 이름과 성을 합법적으로 바꾸는 법적 절차에 들어갔다. 변호사 카르메 헤란츠와 함께 우리는 에스파냐 정부에 나의 신체를 남성으로, 또한 폴 베아트리스를 남자 이름으로 인정받을 수 있도록 법적 성전환을 신청했다. 아무 응답도 없이 행정 처리조차 불확실한 상태로 몇 달이 지난 뒤, 2016년 11월 16일 법원 결정이 내려졌다. 에스파냐 현행법에 따라, 40년도 더 전에 내가 세상 빛을 보았던 그 도시에서, 그날 11월 16일에 태어난 아기의 이름들 사이에 섞여 나의 새 이름이 공표되었다. 여기 칼럼들에는 목소리와 이름에 관한 이 변화가 기록되어 있다. 2015년 12월까지 칼럼의 저자는, 임시로 짧게 베아트리스 마르코스라는 이름을 쓴 칼럼을 제외하고는, 베아트리스였다. 2016년 1월부터 저자는 폴 B.다. 어느 경우든, 수많은 정치 행위에 의해 파기되고 복원되고 지워지고 다시 쓰인 서명은, 여기서는 권위의 장소가 아니라 횡단의 증거로서 나타나 있다.

  젠더 변화는 많은 경계의 흔적이 남은 일종의 여행이다. 나는, 아마도 횡단의 경험을 강화하기 위해서였을 텐데, 성을 전환하고 이름을 찾는 과정의 가장 험난했던 몇 개월만큼 많이 여행한 적이 없었다. 유배 경험에서처럼 도정道程은 낙원의 상실과 함께 시작되었다. 페파의 죽음, 연인과의 결별, 미술관 큐레이터로서의 지위 상실, 독립 연구 프로그램의 와해, 내 집의 포기, 파리로부터 멀어지기…… 본의 아닌 이 일련의 상실에 다른 전략적 상실도 덧붙여야 한다. 나를 탈동일시하기로 결심했기 때문이다. 테스토스테론 복용량의 증가는, 사회적 동일시 코드인 여성성을 교란시키고 얼굴에 혼선을 야기하고 이름을 지웠을 뿐만 아니라, 수개월 동안 나의 법적 시민권을 상실하게 만들었다. 점점 남자처럼 변해가는 외모에 여성 신분증을 가지고 있던 나는, 사회적 비가시성 및 젠더 불처벌 특권도 잃었다. 나는 젠더 이주민이 되었다. 이런 상황에서 모든 국경에서 의심받는 여권을 들고 나는 국제미술전시회인 도쿠멘타14 공개 프로그램의 큐레이터직을 수락했다. 나는 여행에 몰두했다. 팔레르모, 부에노스아이레스, 이스탄불, 리옹, 키예프, 취리히, 바르셀로나, 토리노, 마드리드, 프랑크푸르트, 뉴욕, 베르겐, 시카고, 로마, 아이오와, 베를린, 카셀, 런던, 카르타헤나, 빈, 홍콩, 로스앤젤레스, 트론헤임, 멕시코, 더블린, 헬싱키, 암스테르담, 보고타, 샌프란시스코, 제네바, 로테르담, 뮌헨, 그리스의 섬들, 레스보스, 히드라, 알로니소스, 아를, 베이루트, 타이베이…… 나는 계속해서 문제가 된 그 여권을 가지고, 시급히 다시 여성이기를 요구하는 정치적 상황에 맞춰가면서, 수많은 국경을 넘었다. 깔끔하게 면도를 하고, 목에는 스카프를 두르고, 가방을 메고, 목소리 억양도 좀더 발랄하게 하면서…… 그렇게 국경을 통과하려고 애쓰면서 나의 신체는 폴이 되기 위해 지워버렸던 여성성을 되살려냈다. 횡단은 유연함과 확고한 태도를 동시에 요구한다. 횡단은 상실을 요구하지만, 이 상실은 자유를 발명할 수 있는 힘을 갖기 위한 조건이다.

남성의 얼굴도 여성의 얼굴도 아니고, 확정된 이름도 없이, 불확실한 여권을 든 채 나는 아테네에 거처를 정했다. 아테네는 서쪽과 동쪽 사이에 있는 경첩 같은 도시, 길들이 교차하는 지점에 있는 도시다. 나는 부채 경제와 긴축정책으로 심각한 타격을 입은, 중동의 가난과 탈식민주의적 전쟁을 피하려고 지중해 해안을 가로질러 밀려든 수천 명의 이주민과 난민들 관리에 직면해 있는 그리스에 도착했다. 아테네는 금융 세계화와 글로벌 전쟁 상황 속에서 인종적이고 가부장적인 주권을 복원하려는 환상적인 거점으로서, 국민국가들의 재건과 부채 경제라는 간접적인 수단을 통해 유럽이 신자유주의적으로 해체되는 과정, 사회적인 통제가 이루어지는 과정을 이해할 수 있는 독특한 관측소였다. 나는 아테네가 내 목소리처럼 떨리고 있다고 느꼈고, 그런 아테네를 나는 다른 어떤 도시도 사랑해본 적이 없던 것처럼 사랑했다. 나는 아테네의 거리들, 그곳에 사는 사람들, 아테네의 언어와 사랑에 빠졌다. 아테네는 나에게 변신의 학교가 되었다.

2015년 여름 동안 이 도시는 이중의 정치적 붕괴를 겪고 있었다. 치프라스 정부는 긴축정책에 반대하는 민주적 투표를 고려하지 않기로 했다. 동시에 피레아스항구와 빅토리아광장은 물도, 식량도, 아무런 기반시설도 없는 임시 난민캠프가 되었다. 1980년대 말 뉴욕의 에이즈 위기 때처럼, 2011년 마드리드 또는 바르셀로나에서 15-M운동이 일어났을 때처럼, 국민투표가 실시된 2015년 7월 5일 신타그마광장에 모인 수십만 명의 아테네 사람들, 시민과 이주민들이 "그들은 우리를 대표하지 않는다"라고 외치면서 "oxi(반대)"라고 말했을 때, 정치의 새로운 형상이 구체화되고 있었다. 대의제 사회민주주의라는 유토피아는 붕괴되고 있었다. 그리스 의회는 속 빈 권력의 구조물이었다. 진짜 의회는 아테네 거리에 있었다.

'역사의 종말'의 가설에 따르면, 세계화의 신자유주의 세력은 국경 없는 단일한 세상을 구축함으로써 국민국가들을 침식시킬, 민주화와 동질화의 벡터로 작동할 것이었지만, 이 가설에 반하여 새로운 세계질서는 인종, 계급, 젠더, 섹슈얼리티의 경계들의 재구성으로 정의되었다. 2008년 금융위기에 이은 경제적 정치적 재구조화와 이라크 또는 시리아에서 기아와 전쟁을 피해 탈출한 인구에 대한 유럽 정부들의 대응은, 세계 인구의 상당 부분을 신자유주의의 무국적 천민 신분으로 떨어뜨렸다. 우리가 전혀 상상도 하지 못했던 일이 일어나고 있었다. 신자유주의는 국민국가들을 와해시키지 못했을 뿐만 아니라, 오히려 국민국가의 가장 보수적인 정치 부문들과 연합하여 서발턴이 권력과 지식 생산기술에 접근하는 것을 제한했다. 들뢰즈와 가타리가 '오이디푸스의 재출현과 파시스트의 결집'이라 불렀던 과정으로 특징지어지는 새로운 정치적 사이클이 시작되었다.

따라서 내가 새 이름으로 서명한 첫 칼럼이 2015년 1월 16일자였던 것은 우연이 아니다. 이 칼럼은 또다른 횡단에 대해 이야기하고 있다. 그것은 독립 카탈루냐로 이끌지도 모를 '과정'이다. 그것은 성전환처럼 규범적이고 배타적인 정체성의 구성 속에서 구체화될 위험이 상존하는 그런 과정이다. 주체와 국민은, 주체화 과정과 계속해서 변화하는 사회 창조의 과정에 종지부를 찍으려 애쓰는 규범적인 허구에 불과하다. 주체성과 사회는 단일한 정체성, 단 하나의 언어, 단 하나의 문화 또는 단 하나의 이름으로 환원될 수 없는 이질적인 많은 힘으로 구성되어 있다. 카탈루냐에서 진행중인 과정이 다른 국가로부터 독립하기 위한 한 국가의 투쟁으로 표현된다면 터무니없는 일이다. 카탈루냐에서 진행중인 과정은—로자바 또는 치아파스 경우처럼—무정부주의적 퀴어, 반국가주의적 트랜스페미니스트 집단 구성에 대한 상상 가능성으로 열려 있을 때에만 그것의 온전한 의미를 얻는다.

 여행과 아테네에서의 생활은, 변하고 있는 것은 나만이 아니며 글로벌 차원의 전환에 빠져 있는 건 우리 모두라는 사실을 이해할 수 있게 해주었다. 과학과 기술, 시장은 살아 있는 인간 신체의 현재 상태 그리고 내일 상태의 경계를 다시 그리고 있다. 이 경계들은 단지 동물성이나 역사적으로 하위-인간(비백인, 프롤레타리아, 비남성, 트랜스, 장애인, 환자, 이주민……)의 삶의 양식과 관련해서만이 아니라, 기계와 인공지능, 생산과 재생산 과정의 기계화와 관련하여 결정된다. 1차 산업혁명의 특징이 증기기관 발명과 함께 생산양식의 촉진이었다면, 반면 오늘날 기술혁명의 특징은 유전자 조작, 나노기술, 통신기술, 지원체제, 약리학, 인공지능으로, 이 기술혁명은 생명의 재생산 과정에도 영향을 미친다. 신체와 섹슈얼리티는 현재의 산업 변화 속에서, 19세기에 공장이 차지했던 자리를 차지하고 있다. 서발턴과 무국적자들의 혁명이 진행되고 있는가 하면, 그와 동시에 생명의 재생산 과정을 통제하고자 투쟁하는 반혁명 전선도 있다. 세계 도처 구석구석에서, 아테네에서 카셀까지, 로자바에서 치아파스까지, 상파울로에서 요하네스버그까지, 전통적인 형태의 정치가 고갈되고 있을 뿐만 아니라 사회, 성, 젠더, 정치, 예술 등의 분야에서 수십만 가지의 실험 행위가 출현하고 있다. 오이디푸스의 재출현과 파시스트의 결집이 권력으로 발흥할 가능성에 직면하여, 횡단을 시도하는 미시-정책들이 도처에서 작동하고 있다.

정치적 맥락이 세계대전 같은 양상을 띠기는 하지만, 독자 여러분은 이 칼럼들 속에서 교육도 도덕도 찾지 못할 것이다. 횡단의 시련을 견뎌내는 교리는 없다. 내가 분노하고 있을 때조차, 내가 '만인을 위한 시위LMPT'* 활동가들에게 또는 성차 체제를 대표하는 자들에게 대응할 때조차, 성의 제왕들이 테크노가부장제의 특권을 지키고자 그들의 의견을 표명하는 데 맞서 미투운동으로 혹독한 비판을 가하는 일에 내가 개입할 때조차 그러하다. 이 칼럼들에서 말하고 있는 바는, 잡년들과 호모들에 대해서이지 '일탈의 사회학'에 대한 것이 아니며, 젠더와 섹슈얼리티 반체제자들에 대해서이지 '젠더 불쾌감과 성전환'에 대해서가 아니다. 권력 없는 자와 이주민들 사이의 전략적 협력에 대해 말하고 있지, '그리스의 위기'나 '난민의 위기'에 대해 말하는 것이 아니다. 도시에 거주할 수 있는 모두의 권리에 대한 이야기이지, '도시 종족'이나 '변두리 동네'에 대한 이

---

* La Manif pour tous. 2013년 프랑스에서 '만인을 위한 결혼' 즉 동성결혼 합법화 및 동성 커플 입양 허가가 된 후, 이 법의 폐지를 주장하며 동성결혼반대 시위를 벌이는 프랑스 단체.

야기가 아니다. 이 용어들과 그것들이 갖는 분류와 통제에 대한 기대는 여러 학문의 전문가들에게 남겨두겠다. 토마스 베른하르트*가 말한 것처럼, 지식이 죽으면 전문가들은 그것을 아카데미라고 부른다. 이 칼럼에서 나는 정체성이라는 용어보다는 관계와 변화 가능성이라는 용어로 사유할 것을 제안한다.

앞으로 이어질 글에서 나는 최근 몇 년간 신체와 관련하여 페미니즘, 퀴어, 트랜스, 반식민주의의 반체제 담론이 새로 만들어낸 비평의 기본 틀을 상당 부분 차용하고 있다. 글을 쓸 때 나는 전문용어 외투를 입었다. 마치 혹자들은 '환대'라고 부르지만 실상은 국경지대의 (다소 폭력적인) 협상에 불과한 그런 겨울을 보내기 위해 따뜻한 외투가 필요한 이민자처럼. 이처럼 새로운 비평 용어가 많아진 것은 매우 중요한 일이다. 그것이 규범적인 언어에 대해, 지배적인 범주에 처방되는 해독제처럼 일종의 용매로 작용하기 때문이다. 한편으로는 이 용어들을 성차와 테크노가부장적 자본주의 인식론의 인지적 골격을 구성하고 있는, 지배적인 과학적 기술적 상업적 법률적 언어와 구분하는 일이 절대적으로 필요하다. 다른 한편으로는 삶의 양식을 구성하는 또다른 사회적 방식을 상상할 수 있게 할 새로운 문법을 만들어내는 것도 시급하다. 첫번째 임무의 경우, 철

---

* 어린 시절 학교에서의 가혹한 체벌과 감금, 나치 소년단인 동급생들의 폭력에 시달린 경험이 트라우마가 되어, 훗날 나치에 협력한 오스트리아 국가와 사회에 대한 신랄한 비판이 베른하르트 전 작품의 기저를 이룬다.

학은 니체를 이어서 비판적 도구로 작동한다. 모니크 위티그,[*] 어슐러 르 귄, 도나 해러웨이,[**] 캐시 애커,[***] 비르지니 데팡트와 더 가까운 두번째 임무에서, 철학은 어떤 세상을 상상하려 애쓰는 실험적인 정치적 글쓰기가 된다. 두 언어는 국경을 넘나드는 전략이 된다. 또한 철학 장르들 간의 경계, 인식론의 경계, 문헌에 사용되는 학술 언어와 허구 언어 사이의 경계도 넘어야만 한다. 젠더의 경계, 언어와 국적의 경계, 인류와 동물 그리고 산 자와 죽은 자를 가르는 경계, 현재와 역사의 경계, 우리는 이것들을 넘어서야 한다.

2013년 천왕성이 지구에 근접했다. 나는 그때 이 칼럼을 시작했고, 횡단의 길 위에서 모험을 했다. 저 얼어붙은 거성이

---

[*] 프랑스의 작가이자 레즈비언 페미니스트 활동가. 여성해방운동의 창설자로서 활동했다. 1976년 미국으로 이주한 뒤 레즈비언 여성주의 및 문학 형태 간의 상호작용에 대해 탐구하며, '이성애적 계약contrat hétérosexuel' 개념을 통해 페미니즘 이론에 큰 영향을 끼쳤다.

[**] 과학 및 테크놀로지 역사를 연구한 미국의 페미니스트 학자. 특히 1990년대에 사이보그 연구를 발명해 널리 알려졌다. 『유인원, 사이보그 그리고 여성: 자연의 재발명』에 실은 '사이보그 선언'에서 그는 제2차세계대전 이후 발명된 사이보그라는 관점에서 인간을 탐구하여 과학과 사회 사이의 엄밀한 경계를 넘어 횡단을 시도했다. 가부장적 자본주의, 인간중심주의, 반과학주의를 비판한 『사이보그 선언』(1985), 재생산 중심의 성적 관행을 부정하고 비생식적 성애의 긍정적 단면을 조명한 『반려종 선언』(2003) 등으로 유명하다.

[***] 양성애자임을 밝히고 어린 시절의 트라우마와 섹슈얼리티를 반항적인 글쓰기로 실험한 미국의 페미니스트 작가. 스트리퍼였던 그녀는 1970년대 첫 작품 발표 후 주로 제도권 밖에서 작품을 출간하여 문학 테러리스트라는 별명을 얻었다.

78년 뒤에, 태양 주위를 완전히 한 바퀴 돈 후 2096년에 되돌아오는 상상을, 나는 즐겨 하곤 한다. 그때가 되면 (인터섹슈얼, 트랜스섹슈얼, 남성적, 여성적, 괴물 같은, 명예로운) 나의 신체는, 확신컨대, 더이상 지구상에 의식이 있는 몸으로 존재하지 않을 것이다. 나는 생각해본다. 지금으로부터 그 시기 사이에 우리가 인종적 인식론과 성차를 극복하고, 다양한 생명의 실존을 가능하게 할 새로운 인지 틀을 발명하는 데 이르게 될지. 아니면 반대로 식민주의적 테크노가부장제가 지구에서 생명의 마지막 자취들마저 파괴해버렸을지. 이는 결코 알 수 없을 것이다. 하지만 저주받은 죄 없는 아이들이 언제나 여기서, 또다시 천왕성을 맞이할 수 있기를 소망한다.

아테네, 2018년 10월 5일

우리는 혁명을 말한다

　식민주의적인 낡은 유럽의 영적 지도자들은 최근 집요하게 오큐파이(월가를 점령하라) 운동, 인디그나도스(분노한 사람들) 운동, 장애-트랜스-LGBT-인터섹스와 포스트포르노 운동의 행동주의자들에게, 우리는 이데올로기가 없기 때문에 혁명을 할 수 없을 것이라고 설명하고 싶어하는 것 같다. 그들은 '이데올로기'라는 말을 내 어머니가 '남편'이라고 말하던 것처럼 쓰고 있다. 하지만 우리에게는 이데올로기도 남편도 필요없다. 새로운 페미니스트인 우리는 여자가 아니라서 남편이 필요치 않다. 국민이 아니므로 이데올로기가 필요치 않은 것과 마찬가지다. 공산주의도 자유주의도 필요치 않다. 가톨릭-이슬람-유대교가 늘어놓는 상투적인 언사도 불필요하다. 우리는 또 다른 언어를 쓴다. 그들은 재현을 말한다. 우리는 실험을 말한다. 그들은 동일성을 말한다. 우리는 다중을 말한다. 그들은 도시 주변을 제어하자고 말한다. 우리는 하이브리드 도시를 만들어나가자고 말한다. 그들은 부채를 말한다. 우리는 성性의 협력과 신체의 상호의존을 말한다. 그들은 인적 자본을 말한다. 우리는 다종의 동맹을 말한다. 그들은 우리 접시에 놓인 말고기를 말한다. 우리는 세계의 도살장에서 함께 탈출하기 위해 말에 올라타자고 말한다. 그들은 권력을 말한다. 우리는 역능을 말한다. 그들은 통합을 말한다. 우리는 오픈 코드를 말한다. 그들은 남자-여자, 흑-백, 인간-동물, 동성애-이성애, 이스라엘-팔레스타인을 말한다. 우리는 너도 잘 알다시피 너의 진실 생산 장치가 이제는 작동하지 않는다고 말한다…… 사물들을, 우리 자신을 명명하는 법을 다시 배우기 위해 이번에는 얼마나 많은 갈릴레오가 필요할까? 그들은 신자유주의의 디지털 대검을 휘두르며 우리와 경제 전쟁을 하고 있다. 하지만 우리는 복지국가가 종말을 고했다고 슬퍼하진 않을 텐데, 왜냐하면 복지국가 또한 정신병원, 장애인들의 사회편입센터, 감옥, 가부장적-식민주의적-이성애중심적 학교였기 때문이다. 푸코에게 장애-퀴어 식이요법을 하게 해서 『임상의학의 죽음』을 쓰도록 해야 할 때다.* 에코섹슈얼 아틀리에에 마르크스를 초대할 때다. 우리는 신자유주의 시장에 맞서 규율국가를 작동시키지 않을 것이다. 이 둘은 이미 협정을 체결했다. 새로운 유럽에서 시장은 통치의 유일한 근거이고, 정부는 처벌하는 팔이 되었다. 이

---

* 푸코의 『임상의학의 탄생』과 대비시킨 표현.

팔의 유일한 기능은 공공의 안전에 대한 공포를 통해 국가의 정체성이라는 허구를 재창조하는 일일 것이다. 우리는 우리 자신을 인지노동자로도 약리포르노의 소비자로도 규정하고 싶지 않다. 우리는 페이스북도, 셸도, 구글도, 네슬레도, 화이자-와이어스도 아니다. 우리는 유럽제製를 생산하고 싶지 않은 만큼 프랑스제도 생산하고 싶지 않다. 우리는 생산을 원하지 않는다. 우리는 살아 있는 탈중앙화 네트워크다. 우리는 우리의 생산력 또는 우리의 재생산력에 의해 결정되는 시민권을 거부한다. 우리는 기술, 유동성, 종자, 물, 지식……의 공유에 의해 결정되는 총체적인 시민권을 원한다. 저들은 드론으로 환경오염 없는 새로운 전쟁을 치르리라고 말한다. 우리는 드론으로 사랑을 하고 싶다. 우리의 저항은 평화이고 전적인 정동이다. 저들은 위기를 말한다. 우리는 혁명을 말한다.

파리, 2013년 3월 20일

퀴어 아이는 누가 지키는가?

가톨릭교도, 유대인, 이슬람 원리주의자, 콤플렉스에서 벗어난 가부장주의자, 오이디푸스콤플렉스를 갖고 있는 정신분석가, 자연주의적 사회주의자, 이성애 규범을 옹호하는 신좌파, 커져가는 반동적인 정통파 무리가, 한 사람의 아버지와 한 사람의 어머니를 가질 아이의 권리를 동성애자들의 권리 제한을 정당화할 수 있는 주된 논거로 삼는 데 합의를 봤다. 이는 그들의 커밍아웃의 날, 이성애자들의 거대한 국가적 아우팅이다. 그들은 사람들이 익히 알고 있는 이데올로기를 옹호한다. 그들이 가진 이성애 헤게모니는 언제나 성소수자와 젠더소수자를 억압할 권리에 기초를 두었다. 우리는 그들이 도끼를 휘둘러대는 것을 보는 데 익숙하다. 문제가 되는 것은 그들이 아이들에게 이 가부장제라는 도끼를 강제로 짊어지게 한다는 것이다.

프리지드 바르조*가 보호해야 한다고 주장하는 아이는 존재하지 않는다. 어린이와 가족의 수호자들이 호소하고 있는 대상은 그들이 만들어낸 어린이, 이성애자로 그리고 성별 이분법에 근거한 아이로 전제된 정치적 형상이다. 그 어린이는 모든 저항력을, 자신의 신체와 신체기관들과 자신의 성적 유동성을 자유롭고 집단적으로 사용할 수 있는 모든 가능성을 빼앗긴 어린이다. 그들이 보호하겠다고 내세우는 이 어린 시절은 공포와 억압, 죽음을 불러들인다.

그들의 선봉장 프리지드 바르조는 어린이가 성인들의 담론에 대해 정치적 반항을 할 수 없다는 사실을 이용하고 있다. 어린이는 언제나 통치권을 인정받지 못하는 신체라는 점 말이다. 내가 과거로 돌아가 어떤 발화 장면을 만들어보도록, 과거에 내가 그랬던 것처럼 통치 대상인 어린이를 대표해서 반박할 권리를 행사하도록, 다른 이들과는 다른 아이들을 위한 또다른 형태의 정부를 옹호할 수 있게 해달라.

나도 한때 프리지드 바르조가 지켜주겠다고 큰소리치고 있는 그런 아이였다. 그리고 오늘 나는 이 기만적인 담론들이 지켜주겠다고 하는 아이들 이름을 걸고 일어선다. 다른 아이의 권리는 누가 지켜주는가? 분홍색 옷을 입고 싶어하는 어린 소년의 권리는? 가장 친한 여자친구를 껴안는 꿈을 꾸는 어린 소녀의 권리는? 퀴어, 게이, 레즈비언, 트랜스섹슈얼 또는 트랜스

---

* 브리지트 바르도에서 따온 '차가운 미치광이'란 뜻의 이 이름으로 더 유명한 프랑스의 코미디언이자 LGBT 반대운동가. 프랑스에서 2013년 4월 23일 동성결혼법안이 의회를 통과했을 때 동성결혼반대운동을 주도한 인물.

젠더 아이의 권리는? 본인이 원하면 젠더를 바꿀 수 있는 아이의 권리는 누가 지키는가? 아이가 섹슈얼리티와 젠더를 자유롭게 결정할 권리는? 아이가 성폭력도 젠더폭력도 없는 세상에서 자랄 권리는 누가 지킬 것인가?

프리지드 바르조와, '아이가 한 명의 아버지와 한 명의 어머니를 가질 권리'를 옹호하는 자들한테서 나온 편제하는 담론은, 내가 어린 시절 들었던 국가-가톨릭주의의 언어를 떠올리게 한다. 나는 프랑코 치하의 에스파냐에서 (남자로/여자로) 태어났고, 이성애자 우파 가톨릭 가정에서 자랐다. 자연주의자들이 도덕적인 미덕의 상징으로 삼을 만한 모범적인 가정이었다. 내게는 한 분의 어머니와 한 분의 아버지가 있었다. 그분들은 가정에서 이성애적 질서를 책임지는 보증자로서 자신의 기능을 성실하게 수행했다.

만인을 위한 결혼과 보조생식술PMA을 반대하는 현재의 프랑스 담론 속에서, 내 아버지의 견해와 논거가 보인다. 사적인 아늑한 가정 내에서 아버지는, 동성애자와 복장전환자travesti와 트랜스섹슈얼에 대한 배제와 폭력, 심지어는 사형까지 정당화하고자 자연과 도덕률을 내세우며 삼단논법을 펼치곤 했다. "남자는 남자다워야 하고 여자는 여자다워야 한다, 하느님이 그렇게 원하셨듯이"라는 말로 시작해서, "자연스러운 것은 한 남자와 한 여자의 결합이다. 그래서 동성애자들은 생식력이 없는 거다"로 이어지고, "만약 내 아이가 동성애자라면 나는 차라리 그 아이를 죽일 게다"라는 무자비한 결론에 이르기까지 계속됐다. 그런데 그 아이가 바로 나였다.

프리지드 바르조가 말하는 지켜야-할-아이는 가공할 교육 대책이 만들어내는 결과요, 모든 환상이 투사된 장소이며, 성인에게 규범을 자연으로 여길 수 있게 하는 알리바이다. 생명관리정치는 태생적이고 소아성애적이다. 국가의 재생산이 거기에 달려 있다. 어린이는 성인의 규범화를 보증하는 생명관리정치의 가공물이다. 젠더경찰은 신생아를 이성애자 아이로 변화시키기 위해 그들의 요람을 감시한다. 규범이 연약한 신체들 주위에서 원무를 춘다. 당신이 이성애자가 아니라면, 당신을 기다리고 있는 것은 죽음이다. 젠더경찰은 어린 소년과 소녀에게 다른 자질들을 요청한다. 젠더경찰은 상호보완적인 성기를 그려내고자 신체를 가공한다. 학교에서 의회까지 재생산을 준비하고 재생산을 산업화한다. 프리지드 바르조가 지키기를 열망하는 아이는 전제적인 기관의 창작물이다. 생명 보호를 내세워 죽음을 위한 캠페인을 벌이는 축소판 코페[*] 지지자.

나는 내가 다니던 예수성심회 자선수도회 수녀들이 운영하는 학교에서 피라르 수녀님이 우리에게 미래의 가정을 그려보라고 했던 날을 기억한다. 나는 일곱 살이었다. 가장 친한 여

---

[*] 장프랑수아 코페. 2012년 11월 대중운동연합 당대표 경선에서 중도 우파 프랑수아 피용 전 총리를 제치고 선출된 강경 우파로, 반이민자-반이슬람을 표방했다.

자친구 마르타와 결혼하여 아이 세 명, 개와 고양이 몇 마리와 함께 있는 내 모습을 그렸다. 나는 이미 만인을 위한 결혼, 입양, 보조생식술……이 존재하는 성의 유토피아를 상상하고 있었다. 며칠 뒤, 학교에서 집으로 편지를 보냈다. 나의 부모님더러 최대한 빨리 성정체성 문제를 해결할 수 있도록 나를 데리고 정신과 의사를 만나보라고 권유하는 편지였다. 병원 방문에 이어 수많은 보복이 뒤따랐다. 아버지의 경멸과 배척, 어머니의 수치심과 죄의식. 학교에서는 내가 레즈비언이라는 소문이 퍼졌다. 날마다 코페 지지자들과 프리지드 바르조 지지자들의 시위가 내 교실 앞에서 벌어졌다. "더러운 레즈비언, 하느님이 원하시는 대로 성교하는 법을 네게 가르치기 위해 누군가 너를 범할 것이다."

내게도 아버지와 어머니가 있었지만, 그들은 억압과 배제와 폭력으로부터 나를 보호해줄 수 없었다.

나의 아버지와 어머니가 지켰던 것은 아동으로서 나의 권리가 아니라, 모든 형태의 일탈을 위협과 협박, 징벌과 죽음으로 처벌하는 교육과 사회 시스템을 통해 사람들이 그분들에게 고통스럽게 주입했던 성과 젠더 규범이었다. 내게는 아버지와 어머니가 있었지만, 두 분 중 누구도 젠더와 섹슈얼리티에 대한 나의 자유로운 자기결정권을 지켜줄 수 없었다.

나는 프리지드 바르조가 나를 위해 필요하다고 요구하는 바로 그런 아버지와 어머니를 피해 달아났다. 나의 생존이 그분들에게 달려 있었던 것이다. 이렇게, 나에게도 아버지와 어머니가 있었지만, 성차와 이성애 규범 이데올로기가 내게서 그분들을 앗아가버렸다. 나의 아버지는 젠더 계율의 억압적인 대표자 역할로 전락했다. 나의 어머니는 포궁의 기능, 성 규범을 재생산하는 기능 이상으로 할 수 있었을 모든 역할을 잃었다. (당시 국가-가톨릭주의를 내세운 프랑코주의와 굳게 연결되어 있던) 프리지드 바르조의 이데올로기는 나와 같은 아이에게서, 나를 사랑하고 나를 보살펴줄 수도 있었을 아버지와 어머니를 가질 권리를 박탈해버렸다.

이 같은 폭력을 극복하기 위해서는 우리에게 많은 시간과 갈등과 상처가 필요했다. 2005년에 에스파냐에서 사파테로*의 사회주의 정부가 동성결혼법을 제안했을 때, 언제나 우파 가톨릭에 충실한 신자였던 나의 부모님은 이 법안을 지지하는 시위를 했다. 그들이 사회당에 투표한 것은 생애 처음이었다. 그분들은 단지 나의 권리를 지키기 위해서만이 아니라, 이성애자가 아닌 한 아이의 어머니와 아버지가 될 그들의 고유한 권리를 요청하기 위해 시위한 것이었다. 그들은 자신의 젠더, 자신의 성 또는 자신의 성적 지향과 무관하게, '모든 아이들'의 부모 될 권리를 위해 시위했다. 나의 어머니는 자신보다 더 망설

---

* 에스파냐의 민주화 이후 민선으로 당선된 5대 총리. 그의 소속 정당인 사회노동당은 2004년 총선에서 승리한 뒤 이라크 파병을 철수시키고 동성결혼을 허용했다.

이는 아버지를 설득해야만 했다고 내게 말했다. 어머니는 내게 "우리도 너의 부모가 될 권리가 있다"고 말했다.

 1월 13일 시위 참가자들은 아이들의 권리를 옹호한 것이 아니었다. 그들은 성과 젠더 규범 속에서 이성애자로 가정된 아이들을 교육할 수 있는 권력을 옹호한 것이다. 그들은 모든 형태의 일탈 또는 비주류를 판별하고 처벌하고 바로잡을 권리를 지키기 위해, 그뿐만 아니라 비이성애자 아이를 둔 부모에게 그 사실을 수치스러워하고 그 아이들을 인정하지 않고 교정시키는 것이 그들의 의무임을 환기시키기 위해 행진한다. 우리는 오로지 노동력과 재생산력으로만 배타적으로 훈육되지 않을 아이들의 권리를 지키고 있다. 우리는 아이들이 미래의 정액 생산자와 미래의 포궁으로 간주되지 않을 권리를 지키고 있다. 우리는 아이들이 젠더, 성 또는 인종적 정체성으로 환원될 수 없는 정치적 주체가 될 권리를 지킨다.

파리, 2013년 1월 15일

생식보조 정치

생물학적 용어로, 한 남성과 한 여성의 성적 결합이 성적 재생산 과정을 촉진시키는 데 필수적이라고 주장하는 것은, 과거에 재생산이 같은 종교, 같은 피부색, 같은 사회적 신분을 공유하는 두 주체 사이에서만 행해질 수 있다고 주장했던 만큼 비과학적인 주장이다. 오늘날 이런 주장을 종교나 인종 또는 계급 이데올로기와 관련된 정치적 규정으로 정의해볼 수 있다면, 우리는 한 남성과 한 여성의 성정치적 결합을 재생산 가능성의 조건으로 삼는 논거를 동원하는 이성애주의 이데올로기를 인식할 수 있어야 한다.

이성애를 재생산의 자연스럽고 유일한 형태로 옹호하는 이면에는, 성적 재생산과 성적 실천 사이의 기만적인 혼돈이 숨어 있다. 생물학자 린 마굴리스Lynn Margulis는 인간의 성생식이 감수분열을 한다는 것, 즉 우리의 신체를 구성하는 대부분의 세포가 2배체(2n)라는 사실을, 다시 말해 세포들은 23쌍의 염색체를 가지고 있음을 우리에게 알려주었다. 반면 정자와 난자는 반수체(n) 세포들이다. 이 세포들은 23개의 염색체 한 세트만 가지고 있다. 성적 재생산은 한 남성과 한 여성의 성적 결합이나 정치적 결합을 필요로 하는 게 아니다. 이성애나 동성애도 아닌, 두 개의 반수체 세포로 된 유전자 물질의 재결합 과정이다.

하지만 반수체 세포들은 결코 우연히 만나는 법이 없다. 모든 인간 동물은 정치적 지원하에 생식한다. 재생산은 언제나 이성애적 기술(페니스의 질 내 사정)에 의해서든, 액체의 우호적인 교환에 의해서든, 임상용 주사기로 또는 실험실용 페트리 접시에 사정을 하든, 어느 정도 조절된 사회적 행위를 통해서 신체의 유전자 물질의 공유화를 전제로 한다.

역사적으로 여러 형태의 권력이 재생산 과정을 통제하려고 애써왔다. 20세기까지는 분자 차원에 대한 개입이 가능하지 않았으므로, 가장 강력한 지배 대상이 된 것은 여성의 신체, 잠재적으로 임신 가능성이 있는 포궁이었다. 이성애는 재생산 보조 정치의 사회적 기술로 사용되었다. 결혼은 피임약도 친자확인검사도 없는 그런 세상에 필요한 가부장제도였다. 포궁에서 태어난 자손은 누구든 '권위적인 가장'의 소유물로 간주되었다. 이성애적 조합은 인구가 경제적인 셈법의 대상이었던 생명관리정치 기획의 일부가 되면서, 국가적 재생산 장치가 되었다.

재생산 과정을 진행시킬 수 없는 성적 조합에 해당되는 모든 신체는 (캐럴 페이트먼*과 주디스 버틀러**식으로 말해보면) 근대 민주주의의 토대인 "이성애적 계약"에서 배제되었다. 바로 이 계약의 규범적이고 비대칭적인 특성 때문에, 1970년대에 모니크 위티그가 이성애를 단지 성적 관행이 아니라 하나의 정치 체제라고 말한 것이다.

동성애자들, 일부 트랜스섹슈얼, 일부 이성애자들, 무성애자들, 그리고 기능적 다양성을 가진 어떤 사람들의 경우, 그들 유전자 물질의 만남은 페니스-질 삽입에 의한 사정을 통해 유발되지 않는다. 하지만 이것이 우리가 불임이라든가, 우리의 유전자 정보를 전달할 권리가 우리에게는 없다는 사실을 의미하진 않는다. 동성애자, 트랜스섹슈얼, 무성애자인 우리는 단지 '성소수자'가 아니라, '재생산소수자'이기도 하다(여기서 나는 '소수자'를 통계 용어가 아니라, 정치적으로 억압받는 사회계층을 지시하고자 들뢰즈적인 의미로 사용하고 있다).

지금까지 우리는 자신의 염색체 내 유전자의 침묵으로 우리

---

* 미국의 여성주의 정치이론가로, 로크나 루소가 생각한 사회계약이 여성을 소외시켰다고 주장하며 자유민주주의를 비판했고. 결혼계약은 매춘계약이나 노동계약과 마찬가지로 여성을 종속시키는 도구라 주장했다.

**『젠더 트러블』로 유명한 미국의 철학자이자 젠더이론가로 정치철학, 윤리학, 여성주의, 퀴어이론, 문학이론에 영향을 주었다. 젠더 수행성에 관한 이론은 젠더와 퀴어 정체성에 대한 이해를 상당히 바꿔놓았고 세계적으로 퀴어운동 등 다양한 종류의 정치적 활동을 촉발시켰다.

의 성적 불일치에 대한 대가를 지불해왔다. 우리는 단지 경제적 유산만 빼앗긴 게 아니었다. 우리의 유전물질 또한 몰수당했다. 동성애자, 트랜스섹슈얼, 그리고 '장애인'으로 간주되는 신체인 우리는 정치적으로 거세당하거나, 아니면 이성애적 기술들로 재생산을 하도록 강요받았다. 보조생식술을 비이성애적인 신체에 확대 적용하려는 현재의 투쟁은 우리와 같은 형태의 생명을 병리화하지 않고 우리의 재생산 물질을 관리하기 위한 정치적 경제적 전쟁이다.

정부가 비이성애자 커플과 개인에게 보조생식술 합법화를 거부하는 것은, 주도권을 가진 재생산 형태를 떠받치려는 것이고, 정부가 이성애주의 국가정책을 영구화하리라는 것을 확인시켜주는 일일 것이다.

파리, 2013년 9월 28일

캔디크러시 중독 치료

미국정신의학협회(다른 관점에서 봐도 성인聖人들의 의회는 아닌 이 협회)는 며칠 전에 중독자 수가 계속 늘어나고 있는 캔디크러시사가Candy Crush Saga 현상이 국가 전염병으로 인정되어야 한다고, 그리고 해독을 도와줄 가상의 독방이 마련되어야 한다고 주장했다.

2012년에 영국의 킹사社가 출시한 캔디크러시사가는 (이것의 동양판 퍼즐&드래곤과 함께) 전 세계에서 가장 많이 다운로드받은 애플리케이션이다. 이 앱은 8000만 명의 사용자를 보유하고 매일 70만 유로의 수익을 올리고 있다. 비디오게임 분석가들은 자문한다. 떠다니는 알록달록한 사탕을 주된 소재로 삼아 만들어진 이토록 바보 같은 애플리케이션이 닌텐도 프로그래머들이 수년 동안 개발한 고도로 정밀한 게임들을 어떻게 넘어설 수 있었을까?

하지만 캔디크러시의 성공 비결은 바로 그 결함에 있다. 유치하고 공격적이지 않다(폭력도 섹스도 없다)는 특성, 동의나 거부를 부추길 수 있는 특정한 문화적 내용이 없고 영원히 다시 시작된다는 점(410 단계까지). 순결함, 몽매함, 무관심함은 종속의 세계화를 가능케 하는 조건들이다.

캔디크러시는 영혼을 통제하는 규율이고, 욕망과 행동에 엄격한 시간 제한을 두는 비물질적인 감방 같은 것이다. 게임은 이차적인 사회적 방어수단을 빼앗긴 한 종의 주체에게 말을 건넨다(바로 이 점이 아마도 대다수의 게이머들이 우리가 사회적으로 '여성'이라 부르는 속성이 뭔지를 설명해줄 것이다). 게임은 대뇌변연계—감정적 기억을 관장한다—와 손, 모니터 사이에 폐쇄회로를 설치한다. 캔디크러시는 게이머가 능력을 향상시킬 수 있도록 연습하는 학습용 게임이 아니다. 접근이 정말 쉽고 친근한 우리의 외부 기술적-신체기관들 중 하나인 휴대전화에 깔 수 있는 단순한 도박 게임이다. 손바닥 안의 라스베이거스다. 캔디크러시의 목표는 사용자에게 무엇이 되었건 가르치려는 것이 아니라, 주어진 시간 안에 자신의 인지능력을 총체적으로 끌어올리는 것이고, 모니터를 자위를 대체할 표면으로 삼아 자신의 리비도 자원을 횡령하는 것이다. 캔디크러시 화면에서 게이머는 절대로 아무것도 획득하지 못한다. 그가 한 단계를 끝낼 때, 오르가슴에 이르는 것은 모니터 화면이다.

다른 관점에서 보면, 캔디크러시는 불법복제 지지자들이 옹호하는 공짜와 자유 사이의 관계를 재검토하게 한다. 가상세계의 새로운 식민지화 전략은 가능한 한 무료로 제공되는 단순한 게임을 만들어 가상의 게이머가 최대한 많은 시간 동안 온라인에 접속된 상태를 유지하도록 하는 것이다. 게임이 사용자의 생체습관 속에 일단 이식되고 나면, 바로 게임 시간 자체와 그에 결부된 형태의 지출(추가 생명과 부스터)이 수익을 창출해낸다.

캔디크러시 게이머는 다수의 화면을 관리한다. 그는 종종 물리적으로, 더이상 주요 디스플레이 틀이 아닌 그 자체로 배경과 주변으로 기능하는 컴퓨터 또는 텔레비전 모니터 앞에 앉아 있다. 동시에 그는 페이스북, 야후, 트위터, 인스타그램……을 계속 오간다. 현대의 순결한 원격기술 자위 노동자는 관제탑 안에 갇힌 돈키호테 같은 가상의 관제사나 마찬가지다. 그는 한 손으로는 업데이트를 하면서 다른 한 손으로는 줄지어 선 디지털 사탕들을 배열 정돈한다.

페이스북, 구글플레이, 애플을 통해 다운받을 수 있는 애플리케이션들은 주체성의 새로운 조작자들이다. 애플리케이션 하나를 전송받을 때 우리는 단지 그것을 휴대전화에 설치하는 것만이 아니라 우리의 인지장치 속에 그것을 설치하게 된다는 점도 의식하도록 하자. 르네 셰레René Schérer가 알려준바 근대에 발달한 교육학 덕에 우리가 자위하던 손으로 글쓰고 작업하게 되었다면, 이제는 새로운 디지털 학문 덕에 글쓰고 작업하던 포드주의적 조립라인에 있던 손으로 인지자본주의의 모니터를 자위하고 있을 것이라는 사실을 이해할 것이다.

뉴욕, 2013년 10월 26일

공화국의 암원숭이들

지배계급은 여러 다양한 피지배계급을 부추겨 서로 대립하게 만들면서도 지배계급을 전복시킬 수도 있을 반목은 방향을 돌려놓으려고 애쓴다. 이는 정치사에서 하나의 상수常數다. 가령 역사학자 하워드 진Howard Zinn이 입증했다시피, 18세기와 19세기에 북아메리카 땅에서, 식민지 엘리트들은 하인으로 일하는 영국, 독일 또는 아일랜드 출신의 빈곤한 백인들로 구성된 사회 하부계급과, 선주민과 흑인 하인, 노예 사이에 증오심을 부추겼다. 이를 위해 본국인들은 재현 시스템을 고안해냈고, 이는 과학적 담론, 보드빌과 블랙페이스 춤 같은 대중문화를 통해 전달되었다. 이에 따르면 아메리칸인디언과 흑인은 생물학적으로 열등하며 따라서 통치기술에 접근할 능력이 없다. 인종주의적 인식론에 도취한 노동자와 백인 하인들은, 자신의 저항 에너지를 인종 혐오로 바꾸고, 백인 대지주들이 미래의 비백인 일꾼뿐만 아니라 그들 자신과 가난한 백인 일꾼들에 대한 패권을 장악하는 데 일조했다.

같은 시기에, 부분적으로는 '미국노예제폐지협회'에 고무되어 성적 지배를 저지하는 투쟁을 시작했던 백인 페미니스트들은, 결국엔 흑인 여성들을 그들의 협약에서 배제시키게 된다. 이에 흑인 여성 투사인 소저너 트루스Sojourner Truth가 곧 반기를 들고 "내가 흑인이기 때문에 여성이 아닌가?"라는 질문을 던지며 그녀들에게 항거하게 된다.

백인 노동자와 하인, 아메리칸인디언 그리고 흑인 노동자와 하인들이 동맹하여 일으킨 항거, 식민체제에 맞선 다방면에 걸친 페미니스트의 저항은 18세기에도 가능했다. 이는 아메리카 대륙의 역사뿐만 아니라 다가올 미래의 세계사도 바꿔놓게 된다. 하지만 이를 위해서는 식민주의적 인식론과 이성애적-자본주의가 창안해낸 정체성의 대립들 밖에서 정치를 사유하는 것이 필수적이었을 것이다. 오늘날 우리는 기성 질서에 저항하는 반체제적 에너지에 필적할 만한 전환과, 식민주의적 인식론에서 비롯한 정체성 굳히기 현상에 직면해 있다. 동성애자와 트랜스와 논바이너리의 권리를 위해 투쟁하는 페미니스트 또는 활동가로서, 우리는 자칭 동성애혐오자인 무슬림, 베일을 쓴 여성들, 그뿐만 아니라 조상 대대로 남성우위론이 득세해온 것으로 보이는 비서구권 문화에 계속해서 저항할 것을 요청받고 있다. 이성애적-식민주의적 정치의 진정한 상속자들인 금융자본주의 세력과 정체성 중심의 내셔널리즘 세력들은 또 한번 우리를 분열시키고 서로 대립하게 만들려고 기를 쓰고 있다.

네오내셔널리즘 담론의 폭력성이 우리를 마비시킬 수도 있지만, 그 재현 형식은 분명 우리를 원자화시키기보다 오히려 우리의 자유지상주의적인 동맹이 확장되어갈 방향을 우리에게 제시해줄 것이다.

크리스티안 토비라Christiane Taubira*를 원숭이라 부르고 그녀에게 바나나를 내밀며 그녀를 모욕한 것은 바로 동성결혼반대 시위자들이다. 동성결혼반대 집회에서 이 시위자들은 "원숭이와 결혼해서 안 될 이유가 뭔가?"라고 쓰인 플래카드를 흔들곤 했다. 이 모든 중상과 모욕에서, 원숭이 형상은 이주자, 비백인, 동성애자를, 비유적으로는 인류로부터, 간접적으로는 국가의 정치 기획으로부터 배제시키는 데 유용한 비열한 시니피앙으로 작동한다. 우리가 오늘날에도 여전히 사용하고 있는 린네의 『자연의 체계』(1758)에서 표제어 호모사피엔스 항목은 단지 인간과 인간이 아닌 영장류의 차이를 지시할 뿐만 아니라, 종과 인종, 국민이 결부되는 정치적 지배관계를 자연화시키는 데도 유용하다. 오늘 토비라를 공격하는 욕설에서 다시 출현한 암원숭이는 식민주의 이성의 인식론적 지렛대다. 인간과 동물, 남성과 여성 사이의 경계인 암원숭이는 윤리의 끝을 한계짓고,

---

* 2012~2016년 프랑스 올랑드 정부 때 법무부 장관을 역임한 프랑스령 기아나 출신의 흑인 여성 정치인. 극우정당 국민전선의 한 정치인이 2013년 그녀를 원숭이라 조롱하여, 기아나 법원이 징역형과 벌금형을 선고한 바 있다.

정치를 전쟁과 점유로서 정당화한다. 암원숭이처럼 흑인은 물건이자 상품, 살아 있는 기계, 순전히 생산력과 재생산력으로 간주되었다. 암원숭이처럼 동성애자는 인간 공동체에 속할 자격이 없는, 결혼과 재생산, 혈통을 주관하는 사회제도 속에 통합될 수 없는 인간 이하로 여겨졌다. 암원숭이처럼 흑인과 동성애자들은 지배당하고 길들여지고 갇히고 소모되고 소비되어야 했다. 암원숭이는 우리의 타자가 아니며, 오히려 도래할 민주주의의 전망에 대한 시그널이다.

이제는 우리가(흑인이 여성이 트랜스가 동성애자가 장애인이) 더이상 영장류임을 부정하면서 인류에 속한다고 주장하는 것이 문제가 아니다. 프랑스 인종주의의 새 얼굴은, 만약 우리가 배제를 재생산하기를 원하지 않는다면, 또 우리가 분열되도록 내버려두기를 원하지 않는다면, 한걸음 더 앞으로 나아갈 것을 우리에게 요청하고 있다. 식민주의적 인식론의 기반이 되는 분류법은 거부해야 마땅하다. 끊임없이 우리를 되돌려보내는 동물성을 껴안아야 한다. 비르지니 데팡트의 킹콩, 게릴라 걸스의 고릴라들, 바스키아의 원숭이, 도나 해러웨이의 괴물, 엘리 스트릭의 원숭이 닮은 여성들, 셰릴 더니의 워터멜론 우먼…… 이들과 함께, 우리는 바나나를 들고 나무 위로 올라가 모두 함께 암원숭이들의 정치를 창안하기 위해 새장을 열고 모든 분류학의 걸쇠를 풀어야 한다.

파리, 2013년 11월 15일

프랑스식 시신屍身정치

　나는 에스파냐내전에 관한 이야기를 들으며 자랐다. 수년 동안 나는 어른들에게 형제들끼리 어떻게 서로를 죽일 수 있었는지, 어떻게 죽음이 유일한 정치 수단이 되었는지 물어보았다. 나는 그들이 왜 서로 싸웠는지, 무엇이 그들이 서로를 죽이도록, 모든 것을 파괴하도록 내몰았는지 끝내 이해하지 못했다. 노점상 딸이었던 나의 할머니는 가톨릭 신자였고 무정부주의자였다. 정어리통조림 공장의 가난한 노동자였던 그녀의 남동생은 무신론자에 공산주의자였다. 읍사무소 회계원이었던 그녀의 남편은 프랑코 지지파 활동원이었다. 그 남편의 형은 농부였는데 프랑코 군대에 강제 징집되어 끌려가 공산주의자들을 추격했다. 마치 무슨 징후처럼 실패하도록 강제된 의미 회복의 시도를 끊임없이 반복했던 가족사에서, 가장 큰 외상을 남긴 것은 할머니의 남편이 공산주의자인 나의 삼촌을 어떻게 형 집행 예정일에 감옥에서 구해냈는지에 관한 이야기였다. 가족 식사는 번번이 만취한 할아버지가 눈물을 흘리며 나의 삼촌에게 "그들이 나더러 반 강제로 네 등에 총알을 박으라고 시켰어"라고 소리지르면서 끝이 났다. 그러면 삼촌은 이렇게 답했다. "형이 그렇게 할 수 없을 거라고 누가 그랬지?" 온갖 비난 끝에 나온 이 불심검문은 어린 나의 귓전에서 같은 전쟁이 다시 일어나기라도 한 것처럼 울려대곤 했다. 의미도 해결책도 없었다.

그들을 전쟁으로까지 몰아간 것이 이념적인 결의가 아니라 혼돈, 절망, 우울, 배고픔, 질투, 그리고 어리석음—이렇게 말해선 안 될 이유가 뭔가—이라는 것을 이해하기 시작한 것은 불과 몇 년 전이다. 프랑코는 자신의 군모에서 전설을 하나 끌어냈다. 이 전설은 프리메이슨단원과 유대인, 동성애자, 공산주의자, 바스크인과 카탈루냐인들이 맺은 악마적인 동맹이 에스파냐를 파괴할 위험이 있다는 것이었다. 하지만 에스파냐를 무너뜨릴 사람은 바로 그였다. 가톨릭 국가주의는 존재하지도 않는 한 국가를 창조했고 영원하고 새로운 에스파냐라는 신화를 설계했으며, 이를 명목으로 나의 삼촌들은 서로를 죽이라는 명령을 받았다. 과거 에스파냐에서 그랬던 것처럼, 프랑스의 국가-교회주의적인 새로운 언어가, 존재하지 않는, 폭력만 권고하는 프랑스 국민을 만들어내려 애쓰고 있다.

나는 68의 발자취를 따라 프랑스에 살러 왔다. 이베리아의 축구에 비견할 만한 건강한 힘을 가진 한 철학을 통해, 우리는 그 발자취를 읽을 수 있었다. 데리다, 들뢰즈, 푸코, 가타리를 읽으면서 프랑스어와 사랑에 빠졌던 것이다. 나는 이 언어를 써보고 싶었고 이 언어 속에서 살아보고 싶었다. 무엇보다 나는 프랑스를, 민주적인 제도들—합의보다는 비판을 격려하도록 고안된 제도들—의 힘에 의해 파시즘으로 귀결되는 어리석음을 와해시킬 곳으로 생각했었다. 그러나 이베리아의 내 선조들을 재와 흙으로 뒤덮어버린 어리석음과 혼돈이 프랑스를 지배하고 있었다. 나는 프랑스의 식민지 역사를 잊고 있었고, 유대인 색출작업을 잊고 있었고, 알제리를 잊고 있었다.

최근에 나는 프랑스의 국가-교회주의에 의해 지탱되는 증오의 언어가 행사하고 있는 마력이, 그것에 동조하는 자들이 빠른 속도로 달려오고 있다는 게 믿기지 않는다. 그들이 야당이든, 사회주의 정부 내에서 르펜식 정책을 자랑스럽게 집행하는 발스 같은 여당이든. 극우, 우파, 좌파의 일부(롬족, 이민자, 무슬림, 유대인, 흑인, 동성애자, 페미니스트들…… 이 국가 쇠락의 원인이라고 여기고 있는 자들)는 사회경제 문제의 해결책이 인구의 일부를 배척하고 죽음으로 내모는 기술을 실천하는 데서 나온다는 사실을 입증하고 싶어한다. 나는 프랑스인의 20퍼센트가 이처럼 혼돈에 빠져서 미래의 희망을 가장 오래된 폭력적인 통치 형태 즉 시신정치nécropolitique 위에 세우려 한다는 사실을 믿기 힘들다. 시신정치는 인구가 그 인구를 위해서가 아니라 국가 정체성의 절대적이고 종교적인 규정을 위해 같은 인구의 일부(또는 전체)에 죽음의 기술을 적용하는 통치다.

국가-교회주의적 언어들이 사회적 저항과 단절의 깃발을 흔들 때, 그것들이 권장하는 것은 정치라 불릴 수 없다. 그것은 전쟁이다. 사회관계의 군사화. 공적 공간을 감시 공간으로 변형시키기. 국경 폐쇄하기, 포궁 엄폐하기, 외국인과 이민자 추방하기, 그들이 일하고 거주하고 치료받는 것을 금지하기, 유대주의와 이슬람 박멸하기, 흑인, 동성애자, 트랜스섹슈얼…… 이들을 가두거나 몰살시키기. 요컨대 공화국의 어떤 신체들은 국가적 성적 인종적 종교적 정체성에 따라 통치기술에 접근이 금지된다는 사실, 통치하도록 태어난 신체가 있고 통치당하는 대상으로 남아 있어야 할 신체들이 있다는 사실을 우리에게 설명해야 한다. 이런 정치적 제안에 그들은—나는 지금 르펜을 뽑은 사람들을 생각하고 있고, 안타깝게도 르펜의 연설과 몸짓이 내겐 언제나 친숙한데—이 유권자들은 이름 걸고 말해야 한다. 자신들이 원하는 것은 전쟁이고, 자신들에게 어울리는 것은 바로 죽음이라고.

파리, 2013년 11월 23일

여성의 노동권······ 성노동

무기 제조와 판매, 노동이다. 사형을 집행해 누군가를 죽이기, 노동이다. 실험실에서 동물 학대하기, 노동. 사정할 때까지 손으로 페니스 흔들기, 범죄다! 민주적이고 신자유주의적인 우리 사회가 성적 서비스를 노동으로 간주하기를 거부한다는 사실을 어떻게 이해해야 할까? 대답은 도덕이나 정치철학 쪽이 아니라 근대 여성 노동의 역사에서 찾아보아야 한다. 양도할 수 없고 상품화할 수도 없는 자연자원으로 규정되어 생산경제 영역에서 제외된 여성의 체액, 기관, 신체 행위는 사유화와 포획, 수용收容 과정의 대상이 되었고, 이는 오늘날 매춘이 범죄시됨에 따라 확고해지고 있다.

이 과정을 이해하기 위해 예를 하나 들어보자. 18세기까지 수많은 노동계급 여성은 전문적인 유모로서 자신의 서비스를 판매하면서 생계를 유지했다. 유럽의 대도시에서 도시에 사는 귀족과 부르주아 가정의 아이들 가운데 3분의 2는 유모의 젖을 먹고 자랐다.

1752년 과학자 칼 폰 린네는 『유모 계모Nutrix Noverca』라는 팸플릿을 발간하여, 젖에 의해 '인종과 계급이 오염되는 것'을 피할 수 있도록 모든 여성에게 자신의 아이에게 직접 수유할 것을 권유하고, 정부에는 위생과 사회질서를 위해 타인에게 수유하는 행위를 금지할 것을 요청했다. 린네의 이 논설로, 18세기에 여성노동은 평가절하되고 유모는 범죄자 취급을 받게 된다. 노동시장에서 젖의 평가절하는 모유의 상징가치를 주장하는 새로운 수사를 동반한다. 국가적 사회적 유대가 어머니에서 자식에게 전달되는 액체 물질의 상징으로서, 젖은 가정의 범위 내에서 소비되어야 하고, 더이상 경제적 교환 대상이 되어서는 안 된다.

프롤레타리아 여성들이 지닌 판매 가능한 노동력으로서의 젖은 인종적 국가적 정체성이 흐르는 소중한 생명관리정치적 액체가 되었다. 젖은 이제 여성의 소유가 아니라 국가에 귀속되었다. 여성 노동의 평가절하, 액체의 사유화, 어머니들의 가정 내 감금이라는 3중의 과정이 완성된 것이다.

이와 유사한 일이, 여성의 성적 실천을 경제 영역에서 축출해내면서 벌어지고 있다. 여성의 쾌락 생산력은 그녀들 소유가 아니라, 국가 소유다—바로 이 때문에 국가는 이 생산력을 사용하는 고객들로부터 벌금을 물릴 권리를 확보하고, 이 생산력의 산물은 오로지 국민의 생산 또는 재생산에 귀속되어야만 하는 것이다. 젖의 경우와 마찬가지로, 이주와 국민 정체성 문제는 매춘을 금지하는 새 법안들의 핵심에 있다.

매춘부(자신의 정동적 언어적 신체적 자원이 유일한 생산수단인 이주민 여성, 임시직 여성)는 21세기 생명관리정치적인 노동자 계열을 보여주는 형상이다. 생산수단 소유와 관련해 마르크스주의적 질문을 던져보자면, 성노동 여성의 모습에서는 전형적인 착취의 양상이 발견된다. 매춘부에게서 소외의 첫번째 원인은, 개인의 노동으로부터 잉여가치를 추출하는 것이 아니라, 무엇보다 가치와 진실의 원천으로서 자신의 신체와 주체성을 인정받지 못한다는 데 있다. 매춘부들은 모른다, 그녀들은 할 수 없다, 그녀들은 완전한 권리를 가진 정치적인 주체도 경제적인 주체도 아니다, 이렇게 단언할 수 있다는 것은 문제다.

성노동은 고객의 쾌락의 유발을 지배하는 근육과 신경, 생화학의 구조를 작동시킬 수 있는 자위 장치를 (터치, 언어, 연출을 통해) 창안해내는 일이다. 성노동자는 자신의 신체를 파는 것이 아니라, 접골의나 배우 또는 광고제작자가 하듯이, 자신의 신체적 인지적 자원을 막강한 생산력으로 변형시킨다. 그/그녀는 접골의처럼 자신의 근육을 사용하고, 접골의가 고객의 근육과 골격체계를 다룰 때처럼 정교하게 구강성교를 한다. 배우와 마찬가지로 그녀의 행위는 정사 장면을 연극화하는 그녀의 능력 영역에 속한다. 광고제작자와 마찬가지로 그녀의 노동은 소통과 사회관계를 통해 쾌락의 특수한 형태를 창조하는 것이다. 모든 노동과 마찬가지로 성노동 또한 상징과 언어와 정동의 생산에 기초를 둔 살아 있는 주체들 사이의 협동이 빚어낸 산물이다.

  매춘부는 글로벌 자본주의에서 생산적인 서발턴의 육체다. 사회주의 정부가 여성이 자신의 생산력을 노동으로 변형시키지 못하도록 금지하는 것을 국가의 당면 과제로 삼는다는 사실은 유럽 좌파의 위기에 대해 많은 것을 말해준다.

파리, 2013년 12월 21일

포궁 파업을 선언하다

신자유주의적 개인주의의 허구 속에 갇힌 우리는, 대부분의 신체기관에 대한 관리를 행정적 또는 경제적인 여러 결정 기관이 확보하고 있는데도, 우리의 신체가 자신의 것이라는, 가장 내밀한 우리의 재산이라는 순진한 믿음을 가진 채 살고 있다. 모든 신체기관 중에서도 포궁이, 역사적으로 악착스럽게 정치적 경제적 수용收用 대상이 되었던 것은 분명하다. 임신이 가능한 빈 공간, 포궁은 개인의 신체기관이 아니라 종교권력과 정치권력, 의료산업과 제약산업, 농산물가공산업이 각축전을 벌이는 공적공간이다. 모든 여성은 몸속에 국민국가의 실험실을 하나씩 지니고 있으며, 국가를 구성하는 민족의 순수성은 바로 그것의 관리에 달려 있다.

40년 전부터 서구에서 페미니즘은 포궁의 탈식민화 과정을 진행시켜왔다. 에스파냐의 현실은, 이 과정이 충분하지 못할 뿐만 아니라 여전히 취약하고 철회될 수도 있음을 보여준다.

2013년 12월 20일, 마리아노 라호이 정부는 아일랜드의 법*과 더불어 유럽에서 가장 제한적이 될 새로운 낙태법 초안을 가결시켰다. '태아의 생명과 임산부의 권리를 보호'하는 이 법은, 두 경우에만 낙태를 합법적인 것으로 여긴다. 어머니의 신체적 또는 정신적 건강을 위태롭게 하는 경우(22주까지)와 강간(12주까지)의 경우. 하지만 또한 의사 한 명과 별도의 정신의학자 한 명이 어머니가 매우 위험하다는 것을 입증해야만 할 것이다. 이 법안은 좌파와 페미니스트들의 분노뿐만 아니라, 임산부의 자기결정권을 폐지함으로써 그들을 병리학적으로 다루고 감시하는 그 과정에 참여하기를 거부하는 정신의학자들의 집단적인 반발도 불러일으켰다.

검열이나 표현의 자유에 대한 제한처럼 포궁에 관한 정책들은, 내셔널리즘적이고 전체주의적인 방향으로의 이탈을 감지하기 위한 훌륭한 탐지기다. 영토의 재편성과 국가의 '해부'에 직면한 에스파냐의 경제적 정치적 위기 상황에서(카탈루냐 분리 과정과 엘리트 지도층의 부패를 생각해보자), 정부는 국가의 주권을 새롭게 제조할 수 있는 생명관리정치의 장소로서 포궁을 회수하려 하고 있다. 에스파냐 정부는 포궁을 소유함으로써 해체중인 국민국가의 오래된 국경들을 고정시킬 수 있으리라 생각한다.

---

* 아일랜드는 2019년 1월에서야 낙태 합법화가 된다. 반면 에스파냐는 2010년에 되었으나 여타 유럽 국가에 비해 늦은 편이었다.

이 법은 또한 앞서 사회주의 정부 임기 동안 획득한 동성결혼 합법화에 대한 대응으로, 인민당의 반복적인 시도에도 불구하고 헌법재판소는 이 법 폐지를 거부한 바 있다. 이성애 가족 모델을 재검토하는 상황에서, 오푸스데이*의 가톨릭 원리주의자들과 로우코 바레라 추기경의 측근인 라호이 정부는 오늘날 국민의 재생산뿐만 아니라 남성의 헤게모니가 결정되는 최후의 장소로서 여성의 신체를 점령하고자 한다.

생명관리정치 이야기가 영상물로 제작될 수 있다면, 라호이와 그 정부의 법무부 장관 루이즈 갈라르돈이 국민국가의 모든 포궁 속에 에스파냐 국기를 심는 미친 포르노 공포물을 인민당이 준비하고 있을 것만 같다. 정부가 에스파냐 여성들에게 보내는 메시지가 있다. '당신의 포궁은 국가의 영토고, 가톨릭과 국가의 주권을 위한 비옥한 영역이다. 당신은 어머니로서만 존재한다. 다리를 벌리고 수정의 땅이 되라, 그리고 에스파냐를 재생산하라.' 인민당이 발의한 법이 효력을 발생한다면, 에스파냐 여성들은 포궁내막 깊숙한 곳의 내각 그리고 주교회의와 함께 잠에서 깨게 될 것이다.

포궁을 가지고 태어난 신체로서 나는 국가-가톨릭주의 앞에서는 다리를 닫겠다. 라호이와 바레라에게 말하노니, 당신들은 내 포궁 속에 한 발도 들여놓지 못할지다. 나는 에스파냐의 정

---

* 에스파냐의 신부 에스크리바가 1928년에 창설한, '신의 사역'이란 뜻의 가톨릭 종교단체의 명칭.

치를 위해 출산한 적이 없으며 또 앞으로도 절대 출산하지 않을 것이다. 이 조촐한 논단을 통해, 나는 모든 신체를 포궁 파업에 초대하겠다. 이제 우리의 존재를 재생산력이 있는 포궁으로서가 아니라 온전한 시민으로서 뚜렷이 드러내자. 금욕을 통해, 동성애를 통해, 그뿐만 아니라 자위, 남색, 페티시즘, 식분증食糞症, 동물성애…… 그리고 낙태를 통해. 우리의 질 속에 국가-가톨릭주의적인 정액이 단 한 방울이라도 주입되게 내버려두지 말자. 인민당을 위해, 주교회의 신자들을 위해 출산하지 말자. 가장 '비폭력 애국주의'다운 행위를 하듯이, 포궁 파업을 하자. 이것이 국가를 해체하고, 포궁 수용을 더이상 고려할 만한 것으로 여기지 않을 포스트국민국가 생명공동체를 재창조하기 위한 행동의 한 방식이다.

파리, 2014년 1월 18일

총알

　동성애는 오락수업중에 아이들 심장에 총알을 한 방 먹이는 말없는 저격수다. 그들이 멍청한 바보의 아이인지, 불가지론자의 아이인지, 아니면 가톨릭 원리주의자의 아이인지 알아보려 하지도 않고 총을 겨눈다. 그 손은 파리 6구의 중학교에서도, 우선교육지역에서도 흔들리는 법이 없다. 시카고 거리에서도 이탈리아의 마을에서도 요하네스부르크 교외에서도 똑같이 정확하게 방아쇠를 당긴다. 동성애는 사랑처럼 맹목적이고, 웃음처럼 터져나오고, 수캐처럼 다정한 저격수다. 만약 아이들을 과녁으로 삼는 데 싫증나면, 그는 어느 농부 여인, 택시 운전사, 힙합 가수, 우편배달중인 여자 집배원……의 심장에 틀어박힐 연발총탄을 쏘아댄다. 마지막 총탄은 잠들어 있는 80세의 여성을 맞혔다.

　트랜스섹슈얼리티는 거울 앞에 붙박여 있거나 학교 가는 길에 걸음 수를 헤아리는 아이들 가슴에 총알을 한 방 먹이는 침묵의 저격수다. 이 저격수는 아이가 인공수정으로 태어났는지 가톨릭적인 성교로 태어났는지 신경도 쓰지 않는다. 아이가 한 부모 가정의 아이인지, 아이 아빠는 파란색 옷을 입고 엄마는 분홍색 옷을 입었는지 생각도 해보지 않는다. 그는 소치의 추위에도 카르타헤나의 열기에도 흔들리지 않는다. 그는 팔레스타인에도 이스라엘에도 똑같이 발포한다. 트랜스섹슈얼리티는 터지는 웃음처럼 무조건적이고, 사랑처럼 선명하고, 암캐처럼 보드랍고 관대한 저격수다. 때때로 그는 지방에 있는 여자 선생님에게, 어느 가장에게 총을 겨누고 쏜다, 탕.

상처를 직시할 용기를 가진 사람들에게 총알은 그들이 전에는 결코 아무것도 보지 못했던 어떤 세상의 열쇠가 된다. 커튼이 열리고 모체가 분해된다. 하지만 가슴에 총탄이 박힌 사람들 중에서 어떤 이들은 마치 아무것도 느끼지 못한 것처럼 살아가기로 결심한다.

또다른 사람들은 돈 후안 또는 공주처럼 과장된 몸짓을 하며 총탄의 무게를 벌충한다. 의사와 교회는 박힌 총탄의 뿌리를 뽑아주겠다고 약속한다. 에콰도르에서는 동성애자와 트랜스를 재교육하기 위해 새로운 복음 진료소가 매일 문을 연다고 한다. 신앙의 번개는 감전이 된다. 하지만 아무도 어떻게 총탄을 뽑아낼 수 있는지 절대 알지 못했다. 모르몬교도도 카스트로주의자도. 사람들은 그 총탄을 더 깊게 그의 가슴에 박아넣을 수 있을 뿐, 결코 뽑아낼 수 없다. 너의 총알은 수호천사다. 총알은 언제나 네 옆에 있을 것이다.

처음 총알의 무게를 느꼈을 때, 나는 세 살이었다. 거리에서 손을 잡고 걸어가는 이상한 두 소녀를 더럽고 역겨운 레즈비언이라 취급하는 아버지 소리를 들으면서, 나는 총탄이 내게 박혀 있음을 알았다. 나의 가슴은 타들어가기 시작했다. 그날 밤, 이유도 모른 채, 나는 처음으로 내가 사는 도시에서 빠져나와 또다른 나라로 떠나는 상상을 했다. 그후로 매일매일이 공포와 수치심의 나날이었다.

분노의 시위에 참여하는 성인들 중에 신경총얼기 속 낭에 싸인 불타는 총탄을 몸에 지닌 사람들이 있다는 사실을 상상하기란 어렵지 않다. 단순히 통계적으로 추론해봐도, 또 저격수의 뛰어난 솜씨를 익히 아는 내가 볼 때, 그들의 아이 중 일부는 이미 심장에 이 총탄을 지니고 있다. 나는 그들이 몇 명이나 되는지 나이가 몇 살인지 모르지만, 그중 일부가 타오르는 가슴을 가지고 있음을 안다.

그들은 누군가 그들의 손에 쥐여준 플래카드를 들고 있다. 거기에는 "우리의 고정관념을 건드리지 마"라고 적혀 있다. 하지만 그들은 자신들이 이 고정관념을 결코 감당할 수 없다는 사실을 알고 있다. 그들의 부모는 LGBT그룹이 중학교에 입학해서는 안 된다고 소리치지만, 그 아이들은 바로 자신들에게 LGBT 총알이 박혀 있다는 사실을 알고 있다. 내가 아이였을 때 밤마다 그랬던 것처럼, 그들은 자신이 부모에게 실망거리라는 것을 자기 혼자만 알고 있다는 사실을 수치스러워하며 잠자리에 든다. 그들은 부모가 알게 되면 자신을 버릴까봐, 아니 차라리 자신이 죽었으면 좋겠다고 할까봐 두려워하며 잠자리에 든다. 그리고 그들은 내가 전에 그랬던 것처럼, 몸에 총탄이 박힌 아이들이 환영받을 수 있는 어느 낯선 나라로 달아나는 꿈을 꿀 것이다. 나는 그 아이들에게 이렇게 말해주고 싶다. 인생은 멋져, 우리는 여기서 너희들을 기다리고 있어, 우리는 수가 많아, 우리 모두 총탄 세례 속에 있어, 우리는 열린 가슴을 가진 연인들이야. 너희들은 혼자가 아니야.

파리, 2014년 2월 15일

젠더 대혼란에 빠진 옹프레

미셸 옹프레는 최근 칼럼*에서 "1990년대 미국에서 철학자 주디스 버틀러에 의해 대중화된 유명한 젠더이론의 매우 구체적인 뿌리를 발견하고 경악했다"고 말했다. 그렇게 질겁한 이유를 설명하기 위해 그는 우리에게 데이비드/브렌다 라이머의 이야기를 들려주었다. 아기였을 때 데이비드는 포경수술을 받았는데, 수술을 하는 동안 그의 페니스가 불에 타는 사고가 발생했다. 1966년 의사 존 머니는 데이비드에게 여성의 성을 재지정할 것을 제안한다. 아이가 외과수술과 호르몬 치료의 도움을 받아 브렌다가 되어야 한다는 것이었다. '젠더' 임상진단 개념의 창시자인 머니는 이렇게 자신의 주장을 과학적으로 입증하겠다고 주장했다. 그에 따르면 젠더는 해부학적으로 결정된 것이 아니라, 호르몬 변수들의 상호작용과 교육 환경을 통해

---

* 옹프레의 블로그 mo.michelonfray.fr.에 발표하고 2014년 3월 6일자 『르푸앵』에 게재한 칼럼.(원주)

의도에 따라 만들어질 수 있다는 것이었다. 데이비드/브렌다는 "고통스럽게 자랐다…… 그는 소녀들에게 호감을 샀다." 질 성형수술을 거부하고 스스로에게 테스토스테론을 처방했으며, 이후 두 번에 걸쳐 음경 재건 수술을 받았다. 옹프레는 흥분한다. "그의 비탄 앞에서 부모는 마침내 진실을 밝혔다. 브렌다는 다시 과거의 자신으로 돌아갔다. 데이비드로. 한 여성과 결혼도 했지만 평화도 평온도 찾지 못했다. 그는 2002년 약물을 과다 복용하고 자살했다." 1997년 의사 밀턴 다이아몬드가 "조작이 있었음을 발견하고 그를 고발한다." 머니는 소년을 소녀로 만드는 데 성공하지 못했다.

라이머의 성의 실제, 해부학적 진실은 마침내 인정받았다.

그리고 옹프레는 이렇게 규탄한다. "주디스 버틀러는 이 헛소리를 옹호하면서 세계를 돌아다니고 있다." 그는 머니의 이론과 진료실 그리고 버틀러의 페미니즘과 퀴어이론 사이에 엄밀한 연속성이 있다고 생각한다. 라이머의 드라마가 이 철학자의 '위험한 허구'가 가진 '비상식적인' 특성을 입증해줄 것이라고. 옹프레는 버틀러의 가설을 '정신착란' '경악스러운 포스트모던 이데올로기'로 규정짓고 글을 마무리하며, 그것이 가져올 '중대한 피해'를 막기 위해 '실제'가 그녀의 실수를 폭로하게 될 날을 소망한다. 이 기괴한 칼럼을 읽고 우리는 캉*의 대가

---

* '반역의 철학자'로 불리는 그가 '시민대학'을 세워 활동하는 노르망디의 도시.

의 방법에 결여된 엄밀성에 대해, 또한 프랑스를 관통하고 있는 이론적 혼란에 대해 몇 가지 결론을 끌어내볼 수 있다.

그의 이야기는 오류와 오해로 가득하다. 버틀러를 반박하는 그의 말의 공격성을 생각해보면 더욱 심각한데, 아마도 그는 이 미국 철학자의 글을 읽어본 적이 없는 것 같다. 하지만 옹프레가 버틀러를 읽지 않았다면, 그는 어디서 라이머와 젠더이론에 관한 그의 주장을 찾을 수 있었을까? 인터넷망은 일종의 디지털 숲이다. 그 속에서 단어들은 사라진 독자의 흔적을 되찾을 수 있게 하는 전자 부스러기들이다. 바로 그렇게 옹프레의 어림짐작(라이머의 태명이 틀렸다. 데이비드가 아니고 브뤼스다. 또 그는 다이아몬드가 라이머의 의사였다는 사실을 모른다 등)은 우리를 『르푸앵』에 게재된 에밀리 라네즈의 한 논문을 상기시켰다. 논문 제목은 「'젠더이론'의 영적 지도자의 비극적 경험」이다. 이는 이해할 수 없을 정도로 어리석고 지적으로 매우 불성실한 초안에 불과한 논문이다. 이 논문은 머니의 이론과 버틀러의 이론 사이에 잘못된 관계를 설정하고 있는데, 이는 출처의 엄정한 사용보다 정치적 도구화를 우선하고 있다는 맥락상 수용할 수 없는 글이다. 옹프레 텍스트의 문장들 전체가 「퀘벡의 자유학교를 위하여」라는 인터넷의 한 기사를 표절한 것이다. 동성애 혐오를 공공연히 표명하는 사이트다. 옹프레는 이로부터 어처구니없는 잘못된 해석을 끌어냈는데, 이에 따르면 머니는 "소아성애를 옹호하고 이성애를 파괴해야 할 관습이라고 규탄했다."

젠더 견해를 표명하면서 옹프레가 가톨릭 원리주의자의 사이트를 표절하기로 선택한 것은 참으로 놀랍다. 이 대단한 우파적인 출처들은 라이머 이야기가 젠더 및 퀴어 연구에서 가장 많은 논평이 나오고 비판이 가해지는 경우 중 하나라는 사실을 그에게 알려주지 않았다. 그가 버틀러를 읽었다면, 2004년 그녀가 저서『젠더 허물기』의 한 장을 라이머 이야기 분석에 할애하고 있음을 알았을 것이다. 버틀러는 또한 머니가 페니스 없는 아이는 소녀로 키워야 한다는 결정을 내리게 한, 젠더구성주의 이론을 규범적으로 사용한 것도 비판하고 있다. 다이아몬드가 옹호했던 성차에 관한 자연주의 이론들에 따르면, 해부학과 유전학이 젠더를 정해야만 할 것이다.

옹프레의 생각과 반대로, 머니에게는 젠더 위반자의 면모가 전혀 없으며, 다이아몬드는 성의 진위 여부를 가리겠다는 영웅이 아니었다. 그들은 성차의 규범적 관점을 공유했다. 그들에 따르면 두 가지 성(그리고 두 가지 젠더)만 있을 수 있으며, 인터섹슈얼과 트랜스섹슈얼 사람들의 신체는 반드시 어느 하나의 성, 젠더로 다시 이끌어가야 하는 대상이다. 주디스 버틀러는 인터섹슈얼 협회와 더불어 젠더와 성차에 관한 임상 개념의 규범적 사용을 명백히 비판한 최초의 여성들 중 한 명이었다. 머니는 "젠더의 가단성可鍛性을 폭력적으로 강요했고" 다이아몬드는 "성의 자연성을 인공적으로 유도했다"고 버틀러는 주장했다.

　라이머에게 강요된 이 난폭한 처치는 인터섹슈얼 아동들을 위해 별도로 마련된 바로 그 처치였다. 생식기가 남성의 것인지 여성의 것인지 규정할 수 없는 신생아는 외과수술을 받고 새롭게 성을 지정받아야 한다. 목표는 여전히 동일하다. 성차를 생산하는 것, 설령 생식기를 절단하게 된다 하더라도 상관없다. 반젠더들은 라이머에게 지워진 운명에 분노하면서도, 왜 목소리를 높여 외과의학이 인터섹슈얼 아동들의 생식기를 절단하지 못하게 금지할 것을 요구하지 않았는가?

　인간의 신체를 여성 또는 남성으로 인식하도록 승인하는 생물학적 재현과 문화적 코드는 역사적으로 주어진 하나의 진실 체제에 속하므로, 그것이 갖는 규범성에 의문을 제기할 수 있어야 한다. 신체와 성차에 관한 우리의 개념은 토머스 쿤과 같이 과학적-문화적 패러다임이라 명명할 수 있는 것에 달려 있다. 하지만 모든 패러다임과 마찬가지로 그것은 또다른 패러다임으로 대체될 수 있다.

　18세기 이후로 서구에서 작동해온 성차 패러다임은 20세기 후반에 염색체 분석과 유전자 정보의 발달과 더불어 위태로워진다. 2000명 가운데 한 명 꼴로 아이는 남성이나 여성으로 간주되지 않는 생식기를 가지고 태어난다. 우리에게는 페니스 없는 소년이 될 권리, 포궁 없는 소녀가 될 권리가 있다. 심지어 소녀도 소년도 아닐 권리가 있다. 라이머의 극적인 경우가 증명하는 것은 어떤 희생을 치르더라도 성차 패러다임을 지켜내려는 의사들의 노력이다. 우리는 더이상 머니와 함께하는 젠더를, 다이아몬드와 함께하는 성차를 원하지 않는다. 우리의 인식론적 상황은 이렇다. 우리에게는 더 열려 있고 덜 위계적인 이해 가능한 새로운 모델이 필요하다. 우리에게는 신체 재현의 패러다임에서, 코페르니쿠스가 행성 재현 체계에서 시작했던 혁명과 흡사한 그런 혁명이 필요하다. 새로운 프톨레마이오스들 앞에서 우리는 성, 젠더 체계의 무신론자들이다.

파리, 2014년 3월 15일

인류세의 사랑

　나는 최근에 오로지 필로멘의 온기를 느끼기 위해 왕복 수백 킬로미터를 다녀왔다. 그녀는 영리하고 다소 신비로우며 정말 아름답다. 그녀의 열정은 쉽게 전파되어서, 그녀를 보고 있노라면 저절로 미소를 짓게 된다. 앞에 있는 것만으로도 강렬한 기쁨이 나를 사로잡고, 유기적인 쾌감이 고조된다. 그녀는 나를 사랑한다. 내가 방에 들어서면 나를 바라보지 않고도 알아차린다. 그녀는 아무 부담 주지 않고 다감하게 내게 몸을 밀착시키려 한다. 내가 쓰다듬어주면 그녀의 눈은 만족감에 스르르 감긴다. 그때 이마에 잡히는 세 개의 작은 주름이 나를 감동시킨다. 곁을 떠나야 한다거나, 가까이서 그녀를 느끼지 못한 채 잠든다는 것은 나로서는 생각조차 할 수 없는 일 같다.

　필로멘은 털이 많고, 하얀 입 위에서 눈 주위까지 두 개의 검은 반점이 원을 그리며 쫑긋한 두 귀를 감싸고 있다. 오늘날에도 여전히 사용되고 있는, 1758년에 칼 폰 린네가 고안한 생물분류학에서 그녀는 카니스루푸스파밀리아리스Canis lupus familiaris에 속하고, 나는 호모사피엔스에 속한다. 내가 인간중심주의에서 벗어난 자서전을 써야 한다면, 나는 카니스루푸스와 네 번이나 되풀이해서 깊은 사랑에 빠졌을 뿐만 아니라, 카니스루푸스들이―몇몇 주목할 만한 호모사피엔스사피엔스의 경우를 제외하고는―내 인생의 열렬한 사랑들이라고 말해야 할 것이다. 필로멘은 나의 투사도, 나의 장난감도, 고독의 치유책도, 내게 없는 아이의 대체물도 아니다. 단언컨대, 나는 개와의 사랑을 알고 있다.

어렸을 때 나는 전원에서 그저 한 육체, 동물들의 형제, 그들과 대등한 것이었다. 반면에 집에서, 중학교에서, 교회에서…… 동물들은 들어갈 수 없는 그곳들에서, 나는 혼자라고 느꼈다. 지금 내가 강하게 느끼고 있는 것, 바로 그 느낌이다. 또다른 커밍아웃 같은 것이다, 이번에는 결정적인. 테라필terraphile. 나는 이 지구를 사랑한다. 나는 무성한 풀에도 마음이 동한다. 나무껍질을 기어오르는 송충이의 섬세한 움직임보다 더 나를 감동시키는 것도 없다. 가끔 아무도 나를 볼 수 없을 때 나는 지렁이에게 입을 맞추려 몸을 숙이고, 아마도 내 숨결이 지렁이의 호흡 리듬을 촉진시키리라 느낀다.

지구의 역사학자들은 앞으로 우리가 홀로세를 끝내고 인류세로 진입할 것이라고 한다. 최소한 산업혁명 이후로 우리 호모사피엔스는 지구 생태계 변화의 주된 세력이 되었다. 인류세는 단지 우리가 주역이라는 사실만으로 규정되지 않으며, 무엇보다 우리 호모사피엔스가 발명한 시신정치의 기술들, 즉 자본주의적이고 식민주의적인 행위들, 석탄과 석유 기반 문화, 생태계를 개발 가능한 자원으로 변형시켜서 잇달아 동식물의 멸종을 초래한 생태계 변화, 지구온난화가 지구 전체로 확장되고 있다는 사실로 정의된다. 어쩌다 여기까지 왔을까? 우리의 별 지구와 우리의 관계가 주권, 지배, 그리고 죽음의 관계로 바뀌기 위해서는, 단절과 아웃소싱과 무관심의 과정을 개시하는 것이 절대적으로 필요했다. 권력과의 관계에서는 에로티시즘을 부여하고, 지구와의 관계에서는 에로티시즘을 제거하기. 우리는 바깥에 있었다고, 우리는 달랐다고 스스로를 납득시키기.

필로멘과 나는 인류세의 아이들이다. 우리의 관계는 여전히 지배관계로 특징지어져 있다. 합법적으로 나에게는 필로멘을 복종시키고 그를 가두고 생식을 하게 만들고 그의 새끼들을 소유하고, 그를 버리고 팔 권리가 있다. 그렇지만 우리는 서로 사랑하고 있다. 도나 해러웨이가 우리에게 알려준 것처럼, 루푸스 카니스와 호모사피엔스는 최근 9000년 동안 계속해서 서로서로를 '반려종'으로 만들어왔다. 개는 잡아먹히기 위해서가 아니라 우리와 함께 먹기 위해 인간이 사는 집의 경계를 넘어온 동물이다. 우리가 늑대의 먹이였던 때가 있었지만, 우리는 늑대를 변화시켰고, 포식동물과 함께 서로를 먹이–동료로 바꾸었다. 그들이 개가 됨에 따라 우리는 차츰차츰 인간이 되어

왔다. 어떻게 이런 일이 일어날 수 있었을까? 그것은 우리가 이해할 수 있는, 가장 특별하고 가장 독특한 정치적 과정 중 하나임이 틀림없다. 필로멘과 나, 우리는 시신정치의 틈바구니에서 서로를 사랑하고 있다. 해러웨이는 개와의 사랑은 "일종의 역사적 변이이고 자연적이고 문화적인 유산"이라고 말했다. 이는 아마도 전세계 민주주의 기획이 가능하다는 것을 증명하는 유일한 증거일 것이다. 페미니즘, 탈식민화, 만델라가 꿈꾸었던 화해…… 이것이 가능하다는 것을.

파리, 2014년 4월 12일

기억상실증에 걸린 페미니즘

거의 모든 정치적 반대 행위와 소수자 저항운동이 그런 것처럼, 페미니즘도 자신의 계보에 대한 만성적 몰이해로 고생하고 있다. 페미니즘은 자기의 언어를 모르고, 기원을 망각한 상태이며, 자기 목소리를 지우고, 자기 텍스트들을 잃어버리고, 기록보관소 열쇠도 가지고 있지 않다. 발터 벤야민은 『역사의 개념에 대하여』에서 역사는 승리자의 관점에서 쓰인다는 것을 우리에게 상기시킨다. 이것이 페미니즘 정신이 기억상실증에 걸린 이유다. 벤야민이 우리에게 권고하는 것은 패배자의 관점에서 역사를 쓰는 것이다. 압제의 시간을 중단시킬 수 있게 된다면 바로 그런 조건에서일 거라고 그는 말한다.

우리의 언어에서 각 단어는 역사적인 작용들로 구성된, 두루마리처럼 돌돌 말린 시간 꾸러미를 내포하고 있다. 예언가와 정치인이 단어의 역사성을 은폐하며 단어들을 신성화하려 애쓰는 동안, 신성시된 단어들을 일상적 용법으로 복원하는 세속적인 임무는 철학과 시詩의 소관이 된다. 이 일은 시간의 매듭들을 풀어내고, 승리자에게서 단어를 빼앗아 공공장소로 그것들을 되돌려놓는 일이다. 그곳에서 단어들은 집단적인 재의미 작용의 대상이 될 수 있을 것이다.

예를 들어 몰려드는 '반젠더' 앞에서, '페미니즘' '동성애' '트랜스섹슈얼리티' '젠더' 같은 단어들이 급진적인 행동주의자들에 의해 발명된 것이 아니라 최근 2세기 동안 의학 담론이 만들어낸 것임을 환기시키는 일이 시급하다. 근대에 신체정치의 지배 행위들을 합리화하는 데 쓰였던 언어들의 특징 중 하나는 다음과 같다. 17세기 이전의 지배 언어들이 신학적 검증기구와 함께 작동했다면, 현대의 지배 언어는 과학적-기술적 검증기구를 둘러싸고 유기적으로 구성되었다. 이것이 우리의 공통된 무거운 역사고, 이 역사와 더불어 우리는 의미를 근본적으로 다시 만들어야 할 것이다.

예를 들어 '페미니즘'이라는 단어가 우리에게 열어준 시간의 터널을 거슬러올라가보자. 페미니즘의 개념은 1871년에 프랑스의 젊은 의사 페르디낭발레르 파노 드 라쿠르Ferdinand-Valére Faneau de La Cour가 그의 박사학위 논문「결핵 환자에게서 나타나는 여성화féminisme와 유치증infantilisme에 관한 연구」에서 발명되었다. 페르디낭발레르 파노 드 라쿠르의 과학적 가설에 따르면, '페미니즘'은 결핵에 걸린 남자에게 영향을 미치는 일종의 질병으로서 남성 신체의 '여성화'를 야기하는 부차적인 증상이 있었다. 페르디낭발레르 파노 드 라쿠르는 결핵에 걸린 남성은 "여성처럼 섬세한 머리카락과 눈썹, 가늘고 긴 속눈썹을 갖게 된다. 피부는 하얗고 섬세하고 부드러우며, 피하지방이 매우 발달한 결과 윤곽이 눈에 띄게 부드러워지는 동시에 관절과 근육이 동작에 유연성을 부여하도록 행동을 조합해낸다. 이 뭔지 모를 하늘하늘함과 유연함은 암고양이나 여성에게 있는 고유한 속성이다. 환자가 남성성의 발달로 수염이 나는 나이에 이르면, 우리는 수염이 아예 없거나 어느 정도까지만, 통상 먼저 윗입술에 이어서 턱과 구레나룻 자리까지만 자라는 것을 볼 수 있다. 또한 드물게 듬성듬성 난 털도 가늘고 아주 미세하며 대개는 삐죽삐죽 솟아나 있다. (……) 생식기관은 두드러지게 아주 작다." '생식력과 임신 능력'은 없이 여성화된, 결핵에 걸린 남성은, 남성 시민의 조건을 상실하고 공공 의료의 보호 아래 있어야 하는 전염원이 된다.

 페르디낭발레르 파노 드 라쿠르의 논문이 발표되고 1년이 지난 뒤, 알렉상드르 뒤마 피스는 자신이 쓴 한 소책자에서, 투표권과 정치적 평등을 위해 투쟁하는 여성들의 운동인 '여성 시민citoyennes'의 대의와 연대한 남성들을 규정짓고자 페미니즘이라는 의학 개념을 빌려왔다. 최초의 '페미니스트들'은 따라서 남성이었다. 의학 논문에서 '남성적 속성'을 잃어버려서 비정상이라고 여겨졌던 남성들뿐만 아니라, 여성 시민의 정치 운동에 가담하면서 여성화되었다고 비난받은 남성들이다. 여성 참정권 운동가들이 이 병명을 되찾아와서, 그것을 정체화와 정치적 행동의 장소로 바꾸는 데는 몇 년을 더 기다려야만 할 것이다.

하지만 오늘날 새로운 페미니스트들은 어디에 있는가? 새로운 결핵환자들, 새로운 여성 참정권 운동가들은 누구인가? 우리는 정체성 정치의 독재로부터 페미니즘을 해방시켜, 규범화와 배제에 저항하는 새로운 주체들과의 동맹에, 역사에서 여성화된 것들에 개방해야 한다. 제2지대의 시민들에게, 무국적자들에게, 멜리야의 철조망 쳐진 벽을 피투성이가 된 채 넘어가는 사람들에게.

파리, 2014년 5월 10일

마르코스 포 에버

지난 5월 25일, 부사령관 마르코스는 '사파티스타의 현실'로부터 세계에 보내는 공개편지를 써서, 치아파스의 혁명 계획을 진술하는 목소리이자 지원 매체로서 창조된 인물 마르코스의 죽음을 알렸다. "이번이 내가 죽기 전 마지막 말이 될 것이다." 그리고 동일한 공식 성명에서 '갈레아노' 부사령관의 탄생을 알린다. 이 이름은 5월 2일 우파 조직에 의해 살해당한 동지 호세 루이스 솔리스 로페스 '갈레아노'의 이름에서 따온 것이다. "갈레아노가 살 수 있으려면 우리의 이름 중 하나는 반드시 죽어야 한다. 이 무례한 죽음이 만족스러울 수 있도록, 우리는 갈레아노라는 이름 대신에 다른 이름을 부여하겠다. 그가 살아 있도록, 그리고 죽음이 하나의 생명이 아니라 단지 하나의 이름만, 모든 의미가 비워져서 고유한 역사도 삶도 없는 문자들만 앗아가도록." 우리는 호세 루이스 솔리스도 자기 이름을 『라틴아메리카의 드러난 혈관』*의 저자에게서 빌려왔다는 사실을 알고 있다. 프랑스 후기구조주의의 늙은 '자기숭배자들 egóolatras'보다 언제나 두 걸음 앞서 행동했던 부사령관은, 롤랑 바르트가 텍스트 공간 내에서 예고했던 저자의 죽음을 정치적 생산 영역에서 실행에 옮겼다.

최근 몇 년 동안 사파티스타들은 신자유주의의 시신정치적 통치기술 앞에서, 또한 공산주의 앞에서 가장 창의적인 대안을 세웠다. 여느 다른 운동에서와 마찬가지로 사파티스타들은 '분노를 조직화하기' 위해 정치적 방법론을 창안해내는 중이다. 또한 삶을 재창조하기 위해.

1994년부터 사파티스타민족해방군은 마르코스 부사령관이라는 인물을 통해 21세기의 탈식민주의 철학을 사유하는 새로운 방식을 구상하고 있다. 개론과 학위논문(16세기에 시작되어 지난 세기 말부터 쇠퇴하고 있는, 책과 관련한 교회 및 식민주의 문화의 계승자들)에서 멀어진 이 민족해방군은, 이후로 테크노-선주민 디지털 구술문화를 작동시키고, 관례, 편지, 메시지, 콩트, 우화들을 낮은 소리로 들려주면서 인터넷을 누비고 있다. 바로 이것이 정치적 주체성을 생산하는 하나의 핵심 기술이다. 사파티스타들이 우리에게 가르치고 있는 것이 그 기술이다. 차명으로 이름을 다시 국유화하고 복면으로 얼굴의 개인

---

* 언론인이자 역사가, 참여 지식인으로도 유명한 에두아르도 갈레아노Eduardo Galeano가 1971년 출간한 대표 저서. 콜럼버스 시대부터 현대에 이르기까지 500년에 걸친 구미 선진국의 라틴아메리카 수탈의 역사를 그린 작품.

주의적 허구를 해체하는 것.

 부사령관으로부터 그리 멀지 않은 곳에 있는 나는, 개인 정체성의 궁극적인 지시대상으로서 얼굴의 진실과 이름의 안정성에 도전하기 위해, 이와 동일한 연극적이고 샤머니즘적인 힘을 사용하는 또다른 정치적 공간에 살고 있다. 트랜스섹슈얼리티, 트랜스젠더, 드랙킹, 드랙퀸의 문화. 트랜스는 누구나 두 개(또는 그 이상)의 이름을 가지고 있다(또는 가졌었다). 태어날 때 그에게 지정된 그리고 지배 문화가 그에 맞춰 그를 규범화하려고 애쓰는 이름과, 그에 반대하는 주체화 과정의 시작을 가리키는 이름이 그것이다.

 트랜스 이름들은 다른 성에 속하게 되었음을 의미하는 것에 만족하지 않는다. 그것은 무엇보다 탈동일시désidentification 과정을 기술한다. 피델의 남자다운 수염보다 멕시코의 남성 동성애자 작가 카를로스 몬시바이스Carlos Monsiváis의 펜에서 더 많은 것을 배웠던 부사령관 마르코스는 실제로 드랙킹, 수행적인 기술을 통해 남성성(영웅과 반역자의 목소리)의 허구를 의도적으로 구축하는 인물이었다. 단어들과 집단적 공상으로 만들어진, 얼굴도 에고도 없는 혁명적 상징. 차명은 복면과 마찬가지로, 정치적 부패와 패권의 면면을 가리고 있는 가면을 폭로하는 일종의 희화적인 가면이다. "왜 복면을 둘러싼 그토록 많은 스캔들이 있는가? 멕시코 사회는 그 가면을 떨어트릴 준비가 되어 있을까?" 얼굴과 마찬가지로 이름도 복면의 도움으로 해체된다. 그리고 집단화한다.

사파티스타들에게서 차명과 복면은 트랜스 문화의 두번째 이름, 드랙 가발, 콧수염, 하이힐처럼 기능한다. 그것들은 정치적-성적 변장의 의도적이고 과장된 기호일 뿐만 아니라, 신자유주의 미학을 대면할 수 있게 해주는 퀴어-선주민의 무기다. 이런 일은 '진짜 성性'이나 진정한 이름 내부에서 일어나는 게 아니라, 규범에 저항할 수 있게 해주는 일종의 '살아 있는 허구'의 구성을 통해 발생한다.

사파티스타의 경험이 우리 퀴어와 트랜스에게 권유하는 것, 그것은 다중의 신체를 혁명의 집단적 행위주체로 바꾸기 위해 얼굴과 이름을 다시 국유화하는 것이다.

이 보잘것없는 논단을 쓴 이후로 감히 부사령관 갈레아노에게 나는 오늘부터 나의 트랜스 이름, 베아트리스 마르코스 프레시아도로 서명할 것이라고 말할 생각이다. 그렇게 사파티스타들이 창안해낸 허구의 수행적인 힘을 회복시켜, 앞으로 해체되고 있는 늙은 유럽을 그 힘으로 살아가게 할 것이다. 사파티스타의 현실이 존재하도록.

바르셀로나, 2014년 6월 7일

사랑보다 더 강한 통계

 커플, 가족, 애정생활과 성생활과 관련하여 공개되는 모든 통계로부터 끌어낼 수 있는 연간 결별 커플의 위기를 보여주는 도표가 있다. 재앙을 측정하는 일종의 통계표다. 혹은 해방을. 이는 열정을 평가한다. 혹은 침체를. 이는 고통을 측정한다. 감정 세계의 혼돈과 재조직을. 커플이 된 해, 나이와 성별, 임금, 둘 사이에 태어난 자식 수에 따라, 부모 집을 떠난 뒤 지난 기간에 따라, 직업에 따라, 출생지와 거주지, 학업을 마친 각자의 나이, 법적 지위(결혼, 팍스,* 동거, 별거)와 연간 국내총생산에 따라, 한 커플의 지속 또는 파탄 가능성이 어느 정도인지 통계적으로 알아보는 것이 가능하다. 모든 것이 거기에 담겨 있다.

---

* PACS(Pacte civil de solidarité). '시민연대조약'의 약어로, 이성 또는 동성 간의 시민결합 제도. 결혼과 동일한 법적 권리와 의무가 주어지지만 제한적이다. 프랑스 의회는 동성 커플에게도 법적 지위를 주고자 1999년 11월 시민연대계약법을 입법했다.

당신의 미래의 결별이 이미 이 표 속에 코드화되어 있어서, 당신의 손금보다 더 읽기 쉽다.

통계들에 따르면 프랑스에서 절반이 10년 미만으로 결혼을 유지하며, 25~65세 중 15퍼센트는 혼자 살고 있다. 2013년에는 13만 쌍이 이혼했고 1만 쌍이 팍스를 파기했다. 가장 많이 갈라서는 시기는 40~45세 사람들이다. 결별의 65퍼센트는 휴가철에 발생한다. 따라서 다섯 중 세 커플이 여름에 헤어진다. 요컨대 지금이 8월이니 통계상 확률이 높은 시기다. 커플의 37퍼센트가 첫 결별 이후 재결합하지만, 단지 12퍼센트만 그들의 관계를 더 단단하게 하는 데 성공한다. 도표에 따르면, 결혼은 아이들, 단 나이가 어린 아이들이 있을 경우, 결합에 유리하게 작용한다. 반대로 커플들이 꽤 어려서 함께 생활을 시작한 경우, 또는 상황이 경제적으로나 사회적으로나 어느 정도 불안정하게 되면 더 취약하다. 남자든 여자든 농민들(연구에서 트랜스나 젠더 반체제자는 언급되지 않는다), 그리고 그보다 적은 정도로 독립심이 강한 사람들과 노동자들이 고용직보다는 결합 파기 빈도가 낮다. 여성들의 경우 결별은 간부급에서 더 빈번하다. 남성들의 경우는 이와 반대다. 커플에 최대의 안정성을 가져다주는 여성은 이성애 커플에서 비취업 여성이다—이 연구에서는 배우자의 부정이나 아내의 개인적인 성취는 빼고 '안정성'만 언급된다. 여기서 안정성은 바로 정치적 통제의 한 요소다. 모든 커플이 결별하는 사회가 있다면 그 사회는 혁명적인 사회, 아마도 총체적인 혁명 사회가 될 것이다.

이 격자 모양 도표를 따라가며 나의 인생(나의 물질적인 인생, 수치화할 수 있는 정보로 환원된 나의 인생)을 살펴봤더니, 우선은 놀랐고 다음에는 위안을 받았으니, 나는 내가 통계상 평균에 속한다는 사실에 주목한다—아직 연구에서 어느 쪽도 아닌in between 비수술 트랜스와 규범 밖의 여성으로 구성된 커플들은 조사대상으로 삼고 있지 않지만. 우리의 젠더 저항의 특이성은 통계 법칙에 따른 것이다. 통계가 사랑보다 더 강하다. 퀴어 정책보다 더 강하다. 통계는 우리가 서로 사랑했던 밤들과 결별 뒤에 오는 등이 휘는 날들을 생기 없는 산술적 계산의 소재로 바꿔버린다. 그리고 이제 이 부동의 수치가 내 부담을 덜어준다.

사회적 재현기술로서 통계의 사용은, 1760년 이후 고트프리트 아헨발과 비세트 호킨스의 작업에서 산술을 인구 관리에 적용하면서 처음 등장했다. 이 기술은 앙드레 미셸 게리와 아돌프 케틀레에 의해 19세기 말부터는 진정한 '정치적 산술'로 발전했다. 프랜시스 골턴Francis Galton은 이 상관성을 우생학적으로 사용할 생각을 해낸다. 이 수학자들은 제어하기 어려운 사회적 또는 물리적 자료로부터 사회문제에 대한 이해를 산출하는 데 몰두하게 된다. 통계학자는 기상학자이자 인체측정기다. 그들은 날씨가 어떨지 예측하는 법을 배우듯이 출생, 사망, 사랑, 결별을 예측한다. 2013년 영국에서 게리의 윤리적 통계를 계승한 방법론에 따라 실시된 또다른 조사는 '신혼기' 15개월 동안은 부부가 평균적으로 하루에 한 번 사랑을 나눈다는 결과를 내놓았다. 이 평균은 4년 뒤에는 월 4회로 낮아진다. 15년 뒤에는 커플 중 50퍼센트가 1년에 4회 사랑을 나누고, 나머지 절반은 각방을 쓴다.

결별이 남긴 자유 시간과 강박적 에너지 덕에 내 일기를 다시 상세하게 읽고 정확하게 계산해본 결과, 내가 그녀와 함께 보낸 날 중 그녀와 사랑을 나눈 날이 93퍼센트라는 결론이 나왔다. 그중 67퍼센트는 행복했고 11퍼센트는 불행했다. 나머지 시간 22퍼센트에 대해서는 기억이 없어서든 조사가 정확하지 못해서든, 내가 어떠했는지 나의 의사를 표명할 수가 없다. 우리가 동거한 날 중 사랑을 한 날은 60퍼센트다. 첫 3년은 90퍼센트 만족했고 그뒤 2년은 76퍼센트, 최근 몇 년 동안은 고작 17퍼센트 만족했다. 우리가 밤에 함께 잠든 날은 87퍼센트였고, 잠들기 전 서로 포옹한 날은 97.3퍼센트다. 침대에서 함께 책을 읽은 날은 99퍼센트다. 우리가 관계하는 동안 주고받은 말의 상대적 특성(98퍼센트)은 거의 변함이 없었다—헤어지기 전 며칠만 제외하고.

이성애중심 심리학에 따르면 성도착 과잉이라 할 우리 커플은 정확히 기준 범위 안에 있다. 패권주의적인 생명관리정치 수단이 나를 이 정도로 격려해주었던 적은 결코 없었다. 또한 나는 비판적으로 정리하고 반항할 수 있는 역량이 사랑의 고통의 강도에 반비례한다는 것을 확인한다. 통계학이 발명되기 전인 1677년에 스피노자가 예고했던 것처럼, 동일하고 유일한 하나의 감정이 상충하는 여러 방향으로 전개될 수는 없다. 나는 지금 한창 결별중이다. 태양신경절을 직접 건드리는 엄청난 충격은 영웅들도 달아나게 한다. 내 심장 속에서 통계의 위안과 혁명의 분노가 전투를 시작했다.

파리, 2014년 8월 1일

결별의 중력

　발터 벤야민, 존 오스틴, 자크 데리다, 주디스 버틀러를 따라 수년간 언어의 수행성에 대해 말해온 뒤로, 나는 요즘 '수행의 힘'을 피부에 닿은 뜨거운 불꽃처럼 경험하고 있다.
　커플과 결별의 통계에 관한 나의 최근 칼럼 이후로, 나의 삶은 수행의 결과가 되었다. 칼럼이 게재된 날, 나는 신문을 펼칠 수가 없었다. 마치 우리 두 사람에게 말하는 것 같은 일면 기사를 읽었다. '이스라엘-하마스.* 우리가 전쟁을 심판할 수 있는가?' 가자지구에서 휴전은 지켜지지 않았다. 전투가 재개되었고, 두 진영은 서로 국제법을 어겼다며 고소했다. 일면 기사는 내게 노출증이 있다고, 커플의 위기를 공공장소에서 노출시키고 싶어한다고 비난했다. 우리의 친구들, 사랑의 편지는 누구든 돌아오게 할 수 있다고 내게 말했던 바로 그 사람들이, 이번

---

*Hamas. 1987년에 창설된 팔레스타인의 정치, 종교, 군사 조직.

에는 아마도 내가 좀 지나쳤던 것 같다고 말하고자 내게 편지를 보내왔다. 익명의 네티즌들이 여러 언어로 번역한 이 기사가 4G 속도로 사이버 터미널들을 돌아다니고 있다. 심지어 나는 페이스리스Faceless인데도, 사회관계망에서 댓글들이 증가하고 있다. "하마터면 큰일 날 뻔" "쌤통이다."

나는 수행적인 발화로 고통받고 있다. 나는 사랑하는 것이 창피하다. 나는 사랑을 이루지 못한 것이 창피하다. 나는 내 글이 창피하다. 삶과 글의 일치가 창피하다. 또한 삶과 글 사이의 거리가 창피하다. 언어 앞에서 나는 취약하다. 나는 우리의 사랑 이야기가 우리의 것이 아니라는 사실을 이해했다. 나는 '결별'이라는 단어를 무슨 부적처럼, 폭우를 몰아내는 우산인 것처럼 발설했다. 나는 은연중에 우리 커플이 저 멋진 12퍼센트에 속하기를 바랐나보다. 위기를 극복하는 데 성공한 사람들 12퍼센트. 하지만 결별이라는 단어가 일단 발설되고, 신문 특유의 샤머니즘 의례에서처럼, 결별이 찾아왔다.

1900년에 테레사 드 로레티스Teresa de Lauretis가 창안한 펑크식 표현인 퀴어이론(비정상인들, 다시 말해 흔히 하는 말로 일탈자 이론으로, 건강에 대해 문명이 갖는 공포를 고발하기 위해 광인들이 만든 광기이론)은, 푸코의 『성의 역사』를 페미니즘 시각에서 읽은 결과일 뿐만 아니라, 젠더 정체성 생산에 관한 이해에서 '언어학적 전환'의 결과였다. 1954년에 언어학자 존 오스틴은 진술적 발화와 수행적 발화 사이에 차이가 있다고 주장했다. 진술적 발화는 현실을 기술하고, 수행적 발화는 현실을 변화시키려 한다.

수행적 발화와 더불어 언어는 행위가 된다. 단어는 말하는 바가 없고, 어떤 것을 행한다. "오늘 비가 와"는 사실을 가리키고, "나는 당신들이 아내와 남편이 되었음을 선언한다"는 현실에 어떤 효과를 불러일으킨다.

데리다는 오스틴의 합리적인 분류학을 불신하고, 수행적 발화의 성공은 ("빛이 있으라"라고 선언하는 신의 목소리 같은) 언어의 초월적 권력이 아니라, 오히려 권력이 정당화하고 그것의 역사적 성격을 숨긴 사회적 관례의 단순 반복에 달려 있다고 가정한다. 그것은 관례에 의해 말과 인물이 결정되는 일종의 연극무대 같은 것이다.

수행적 발화의 힘은, 관습의 변화가 초래할 사회적 권력관계의 재구성에 맞닥트리는 것을 피하고자 우리가 자연이라 부르기를 선호하는 규범을 폭력적으로 강제한 결과다. 만인을 위한 결혼 문제를 둘러싼 논쟁은 실제로 수행적 발화의 힘을 통제하기 위한 전쟁이었다. "당신에게 선언하건대……", 선언하는 자는 누구인가? 또 무엇을 하기 위해서? 이 끔찍한 수행적 발화를 누군가에게 적용시킬 수 있을지를 결정할 권한을 가진 자는 누구인가? 우리가 이런 말을 할 때, 우리는 어떤 폭력을 되풀이하는 것일까? 이 힘을 다른 방식으로 분배하고, 이런 폭력을 억제할 수 있을까?

여기서 훨씬 더 나아가 버틀러는 정체성(젠더뿐만 아니라, 성별, 인종, '남성' '여성' '동성애자' '흑인' 등)에 관한 진술을, 진술적 발화로 여겨지는 수행적 발화, 발화내재 행위로 여겨지는 발화매개적 발화, 기술記述된다고 가정되는 것을 생산하는 단어, 과학적 검증 형식을 취하는 심문, 민족지학적 묘사로 제시되는 명령이라 생각한다.

서발턴에게, 말을 한다는 것은 주도권을 쥔 수행적 발화의 폭력에 저항하는 것일 뿐만 아니라, 무엇보다 또다른 수행적 발화의 힘이 생산될 수 있는 저항의 무대를 상상한다는 것을 함축한다. 자크 랑시에르가 말했듯, 발화행위의 새로운 무대를 창안하기, 지배적인 수행적 발화에 의해 훼손된 주체성을 재구축하기 위해 탈동일시하기. 커플과 그들의 결별 사이에 무언가가, 어떤 공간이 있을까? 관습을 넘어서서 사랑하는 것이 가능할까? 위기를 극복하고 커플을 벗어나서 사랑하는 것은? 어떻게 대항-관례를 창조할 수 있을까? 위험을 무릅쓰고 다른 수행적인 발화를 시도하면서, 우리는 어떤 존재가 되어가는 걸까?

바르셀로나, 2014년 8월 30일

페미니즘은 휴머니즘이 아니다

 어느 '무한 토론'에서 한스 울리히 오브리스트*는 나에게 예술가들과 정치운동이 함께 대답해야 할 시급한 질문을 하나 던질 것을 요청했다. 나는 "어떻게 동물들과 공존할 것인가? 죽은 사람들과 어떻게 공존할 것인가?"라고 말했다. 다른 누군가가 물었다. "그리고 휴머니즘은? 또 페미니즘은?" 신사숙녀 그리고 그 외 여러분, 최종적으로 페미니즘은 휴머니즘이 아니다. 페미니즘은 애니멀리즘이다. 달리 말하면 애니멀리즘은 인간중심주의가 아닌, 확장된 페미니즘이다.
 산업혁명의 최초의 기계들은 증기기관, 인쇄기 또는 단두대⋯⋯가 아니라 대농장의 노예 일꾼, 성과 재생산 담당 여성 노동자 그리고 동물이었다. 산업혁명 최초의 기계는 살아 있는 기계들이었다. 그때 휴머니즘은 '휴먼'이라 부르는 또다른 신

---

* Hans Ulrich Obrist(1968~). 스위스의 미술 큐레이터, 비평가, 미술사학자로, 광범위한 주제로 토론을 진행하는 '인터뷰 프로젝트' 작가.

체, 희고 이성애적이고 건전하고 정액을 가진 주권적 신체를 창조했다. 기관들로 가득찬, 자본으로 가득찬, 여러 층으로 이루어진 신체, 그 동작들은 스톱워치로 측정되고, 그 욕망은 쾌락의 시신정치적 기술이 낳은 결과다. 자유, 평등, 박애. 애니멀리즘은 유럽 휴머니즘의 보편원칙이 지닌 식민주의적이고 가부장적인 뿌리를 폭로한다. 노예제도, 이어서 임금제도 체제가 근대적 '인간'의 자유의 토대로 보인다. 생명과 인식의 수용收用과 분할이 평등의 이면으로 보인다. 전쟁, 경쟁, 적대관계가 박애의 조작자로 보인다.

르네상스, 계몽주의, 산업혁명의 기적은 결국 노예와 여성을 동물의 지위로 격하시키고, 세 가지(노예, 여성, 동물)를 (재)생산 기계의 지위로 격하시킴으로써 토대를 마련했다. 동물이 어느 날 기계로 이해되고 취급받게 되었다면, 기계는 차츰차츰 테크노생명 동물들과 더불어 살아 있는 테크노동물이 되어가고 있다. 기계와 동물(이민자, 약리포르노 신체, 암양 돌리의 아이들, 전자디지털 뇌)은 미래의 애니멀리즘의 새로운 정치적 주체로 구성되고 있다. 기계와 동물은 우리의 양자역학적 이음동의어들이다.

휴머니즘적인 근대 전체가 죽음의 기술을 급증하게 만드는 방법밖에 몰랐던 이상, 애니멀리즘은 죽은 자들과 함께 살아가는 새로운 방법을 유도해나가야 할 것이다. 시체 같고 유령 같은 지구와 함께. 시신정치를 시신미학으로 변형시키기. 그때 애니멀리즘은 일종의 장례식이 된다. 애도식의 거행. 애니멀리즘은 장례의식, 출생이다. 휴머니즘 역사의 희생자들을 둘러싸고 있는 성대한 화초 다발들. 애니멀리즘은 일종의 이별이고 포옹이다. 퀴어 인디헤니스모,* 종과 성을 초월하는 지구적인 범성애, 종들 사이의 소통체계인 테크노샤머니즘은 애도의 장치들이다.

애니멀리즘은 자연주의가 아니다. 그것은 총체적인 의례체계다. 의식을 생산하는 일종의 대항-기술. 어떤 주권도 없는 생명 형태로의 전환. 어떤 위계질서도 없는. 애니멀리즘은 그 자신의 권리를 제정한다. 그 자신의 경제를. 애니멀리즘은 계약에 의한 도덕주의가 아니다. 그것은 자본주의의 미학을 반박하고, 자본주의가 (재산, 사고思考, 정보, 신체의) 소비를 통해 욕망을 포획하는 것을 반박한다. 그것은 교환이나 개인의 이익에 기초를 두지 않는다. 애니멀리즘은 한 종족의 다른 종족에 대한 보복이 아니다. 애니멀리즘은 이성애주의도 동성애주의도 트랜스섹슈얼리즘도 아니다. 애니멀리즘은 모던하지도 포스트 모던하지도 않다. 농담 아니고 나는 애니멀리즘은 올랑드적 방식은 아니라고 단언할 수 있다. 사르코지적 사고도 아니고 블루마린적 사고**도 아니다. 애니멀리즘은 아버지 나라에

---

* 라틴아메리카 선주민의 복권과 문화 부흥을 꾀하는 운동을 통틀어 이르는 말로, 16세기에 에스파냐의 침략과 더불어 일어나 현재까지 계속되고 있다.

** bleumarinisme. (극)우파가 주로 쓰는 색인 블루와 프랑스 극우파 정치인

대한 애국주의가 아니다. 어머니 나라에 대한 애국주의도 아니다. 애니멀리즘은 내셔널리즘이 아니다. 유럽통합주의도 아니다. 애니멀리즘은 자본주의도, 공산주의도 아니다. 애니멀리즘 경제는 투쟁적이지 않은 유형의 총체적 서비스다. 광합성적인 협력. 분자적인 즐거움. 애니멀리즘은 불어오는 바람이다. 그것은 원자 숲의 정령이 여전히 도둑들에게 영향력을 행사하는 방식이다. 가면 쓴 숲의 화신인 인류는 인간의 가면을 벗고 꿀벌의 지식으로 새롭게 가면을 써야 할 것이다.

필요한 변화가 너무 심층적이어서 불가능하다는 생각이 든다. 너무 깊어서 상상조차 불가하다고 여겨진다. 하지만 불가능한 것이 도래하고 있다. 상상할 수 없는 것에 대해 우리는 의무가 있다. 가장 불가능한 것, 가장 상상할 수 없는 것은 무엇일까, 노예제도? 아니면 노예제도의 종말? 애니멀리즘의 시간은 불가능한 것과 상상할 수 없는 것의 시간이다. 이것이 우리의 시간이다. 우리에게 남아 있는 유일한 시간.

파리, 2014년 9월 27일

마린 르펜의 '마린'을 합해 만든 표현.

'스너프' 주권

다에시*가 자행한 최근의 참수들 앞에서, '야만'이라며 비난하는 목소리가 여기저기서 들려왔다. 로마제국의 언어에서 '야만인barbare'이라는 단어는 라틴어로 말하지 않는 외국인들을 묘사하는 데 쓰였다. 야만성을 내세우면 범죄의 '원시적'이고 시대착오적인 차원이 강조된다. '야만'은 타자성을 조작한다. 우리는 아니라는 것이다. 하지만 이 참수들은 야만적이지 않다. 우리에게 말을 하고 있다. 그것은 우리의 언어로 코드화되었고, 우리가 볼 수 있도록 기획되었다. 그들의 재현 기술은 케케묵은 것이 아니라 오히려 최첨단이다. 그들은 코란을 들고 샘플링을 하는 웨스 크레이븐, 존 카펜터, 제임스 완**의 아이

---

* Daesh. 이슬람국가(IS)의 아랍식 명칭으로, 일부 아랍권 국가나 서방의 주요 정치가, 언론이 IS를 거부하는 명칭으로 사용한다.
** 모두 미국 할리우드의 공포영화 감독들로, '호러 킹'으로 불린 크레이븐은 〈언덕이 보고 있다〉 〈저주받은 축복〉 〈나이트메어〉 등을 찍었고, 카펜터는 〈분노의 13번가〉, 말레이시아 출신의 완은 〈쏘우〉로 유명하다.

들이다.

나의 목표는 지하디즘에 대한 비판적인 도상을 만드는 게 아니라, 우리가 어떻게 그리고 왜 약리포르노그래피적인 새로운 시관視觀 체제의 중심에 죽음의 연극화를 복구하고 있는지를 이해하는 것이다. 통치기술이 징벌과 죽음을 은폐하던 시대는 지나갔다. 정치적 주체성의 새로운 경영은 시청각 기술과 생화학 기술을 통해 공포와 공황의 감정을 생산할 것을 요구하고 있다. 트윈타워가 파괴되는 장면의 생중계는 우리를 텔레비전 스너프* 시대로 진입시켰다. 이 새로운 전쟁에서 매스커뮤니케이션 수단을 통한 시청각적 확산은 적의 죽음만큼이나 중요하다. 사람을 죽일 권력으로서의 전통적인 주권이 흐르는 피를 통해 유통되었다면, 주권의 새로운 형태는 이제 영상과 소리를 통해, 그다음에는 인터넷상에서 끊김 없는 디지털데이터의 흐름을 통해 전달된다.

중동전쟁의 시각적 상상세계 속에서 우리는 가미카제의 무력한 신체가 사형집행인의 초강력 신체로 이행하는 것을 보았다. 그 속에서 스너프 주권이라는 새로운 형식이 제작되고 있다. 가미카제의 경우, 개별 신체의 분할은 영토로서의 정치적 신체 파괴를 재현한다. 이어서 이 분열은 공격당한 자의 신체와 공격자의 죽음-신체를 구별하는 것이 불가능하도록 공간

---

* snuff. 살인, 강간, 고문 등 잔혹한 학대 장면을 실제로 촬영한 불법 촬영물.

속에 펼쳐진다. 여기서는 공격자와 공격당한 자 둘 다 동일한 정치의 희생물이다. 불가능한 국토의 구현으로서, 가미카제의 신체는 단순하게 분할되지 않는다. 그의 살은 영원히 적의 살과 뒤섞이기 때문이다. 이 뒤섞임은 전쟁중인 신체들(개별적인 것과 정치적인 것)의 화해할 수 없는 차이를 부인한다. 파괴를 통해서 가미카제의 사회적 의례는 지속적으로 위협받는, 흩어진 요소들이 살아 있는 단일한 신체 속에서는 화해될 수 없고 피 속에서만 결합되는 정치적 지리를 물질화한다.

반대편에서 지하디스트가 구축하고 있는 사형집행인 배우로서의 새로운 형상은 죽음의 의례를 과장해서 연극화하는 남성의 신체 속에 구현된, 초국가적인 국가경영의 상부구조를 가리킨다. 신정정치의 특성을 갖는 전통적인 남성적 주권이 피를 통해 신의 말씀을 흐르게 했던 곳에서, 지하디스트의 신新주권은 인터넷과 소셜 네트워크를 통해 신의 말씀을 전달한다. 앞으로는 신新주권을 가진 힘센 남성이 정치적 스너프 연출에서 한 배역을 담당할 것이다. 이런 전환에는 희생적 반전의 위험이 내포되어 있다. 가미카제는 일종의 순교였지만, 지금 순교는 서구의 희생이기 때문이다.

처형 장면이 시신정치의 새로운 의례를 제정하려 하고 있다. 거기서 인터넷 페이지는 글로벌 공공장소다. 볼거리로 주어지는 것은 주권을 가진 새로운 남성성을 널리 알리는 선전용 연극이다. 지하디즘은 개별성을 빼앗긴 두 남성의 신체를 둘러싸고 유기적으로 구성되는 신神적 사이버네틱스theocybernetics 형태의 스너프를 발명하고 있다. 한 신체는 이슬람 국가를 구현하고, 다른 신체는 제의에서 희생 대상, 과도적인 정치적 대상으로서, 죽을-신체로서 그곳에 배치된 희생자 배우의 역할이다. 영상은 희생자의 얼굴이 도면을 가득 채우는 장면까지 계속되다가 다시 닫힌다. 정치적 재현은 클로즈업, 음성, 마음속 말, 내러티브 동일시를 뒷받침할 수 있는 기호들을 필요로 한다. 여기서 스너프는 영화의 디에게시스*의 내면적인 주관화와 아울러 인물사진의 현대적인 기법들을 자본화한다. 사형집행인 배우는 희생자의 머리를 쳐들고 목을 자른다. 토브 후퍼**가 알카에다와 만난 것이다. 참수 이후 절단 영상에 뒤이어 깃발 장면이 나온다. 머리 자르기는 정치적 신체를 파괴하고 서구 권력의 합리성을 부인한다. 하지만 참수로는 충분치 않다. 동영상이 시신정치의 기술이 된 것이다. 더이상 이슬람에 대해 말하지 말자. 이런 형태의 남성적인 스너프 주권은 이제 자신의 권력을 초월적인 신이 아니라, 내재적이고 전능한 인터넷망으로부터 끌어내고 있다.

파리, 2014년 10월 25일

---

* diegesis. 서사이론에서 '외부 대상의 모방 내지 재현'을 의미하는 미메시스와 구분하여 '서술자에 의한 서술'을 의미하는 용어.
** 미국의 공포영화 감독으로, 저예산 공포영화 〈텍사스 전기톱 살인마〉에서 특수효과 없이 수공업적 방식만을 고집하여 화제가 되었다.

자기 자신이 될 용기[*]

오늘 여러분은 나에게, 어린 시절 내내 수치심과 배제라는 짐을 내게 안겨놓고는 이제 자기 자신이 될 '나의' 용기에 대해 언급할 특권을 주었다.

나 자신이 될 용기에 대해 말해달라는 요청을 받고, 나의 에고는 마치 누군가 자신이 대상이자 소비자가 될 광고 한 면을 '그에게 제안한 것처럼' 먼저 기분이 좋아서 콧소리를 냈다. 벌써 메달을 목에 걸고 영웅이 된 나를 상상하고 있었다…… 그러다 서발턴에 대한 기억이 급습했고 그것이 만족감을 싹 지워버렸다.

오늘 여러분은 나에게, 어린 시절 내내 수치심과 배제라는 짐을 내게 안겨놓고는 이제 자기 자신이 될 '나의' 용기에 대해 언급할 특권을 주었다. 자연과 국가의 이름으로 나의 기본권을

---

[*] 이 글은 베아트리스 프레시아도가 리옹에서 페스티벌 '사용설명서'가 기획한, 자기 자신이 될 용기에 관한 토론을 계기로 쓰였다.(원주)

부인하면서, 여러분의 망상적인 정치 경영을 위해 나의 세포와 신체기관들을 몰수하면서, 여러분은 마치 경변으로 고통스러워하는 환자에게 독주를 한잔 권하듯이 내게 이 특권을 제공했다. 여러분은, 단지 필요한 공식 서류가, 수염이 없다는 이유로 여전히 나를 남자 이름으로 부르기를 거부하면서 또는 내 이름에 여성형이 아닌 형용사 쓰기를 거부하면서, 마치 게임 중독자에게 동전 몇 개 남겨주듯이, 나에게 이 용기를 허락했다.

여러분은 지금, 자신의 쇠사슬을 길게 늘일 줄 알았던, 그렇지만 학위를 취득하고 주인의 언어로 말하기로 한 채 여전히 어느 정도는 협력자로 남아 있는 노예 그룹처럼 우리를 모으고 있다. 여러분 앞에서 우리는 모두, 태어날 때 여성으로 지정받은 신체들, 카트린 밀레, 세실 길베르, 엘렌 식수*이고 잡년이고 양성애자고 거친 목소리를 가진 여자고 알제리 여성이고 유대인 여성이고 인종화된 여성이고 남자 같은 여자고 남반구 여성으로 존재한다. 한데 언제쯤이면 여러분은 오락거리 앞에 있는 것처럼 우리의 '용기' 앞에 앉아 있는 것이 지겨워질까? 언제쯤이면 여러분은 당신 자신이 되기 위해 우리를 타자화하는 것이

---

* 프레시아도와 함께 리옹의 토론에 참가한 이들이다.(원주) 밀레는 세계적인 명성을 얻고 있는 프랑스의 현대미술 평론가이자 전위적인 미술잡지 『아트 프레스』의 편집장이다. 길베르는 프랑스의 에세이스트, 소설가, 문학비평가로, 『앤디 워홀 정신』(2008)으로 메디치상을 수상했다. 식수는 프랑스의 작가이자 극작가로 『제임스 조이스의 망명 또는 대리 예술』(1967)을 발표하여 이름을 알리고 『안으로』(1969)로 메디치상을 수상했다.

지겨워질까?

여러분이 내게 용기를 허락한 것은, 내 생각에, 내가 매춘부, 에이즈 환자, 장애인들 편에서 투쟁했고, 나의 책에서 딜도와 보철기구를 이용한 성적 실천을 말했고, 테스토스테론과 나의 관계를 이야기했기 때문이다. 이것이 내 세상의 전부다. 이것이 나의 삶이고, 나는 용기 없이도 열정적으로 커다란 기쁨을 느끼며 그 삶을 살아왔다. 하지만 여러분은 나의 기쁨에 대해 아무것도 알지 못한다. 여러분이 내게 연민을 갖기로 하고 내게 용기를 허락하는 것은, 우리의 성과 정치 체제에서, 지배적인 약리포르노적 자본주의에서, 성차를 부인하는 것이 중세시대에 예수의 현현을 부인하는 것과 마찬가지기 때문이다. 여러분이 내게 상당한 용기를 북돋우는 것은, 오늘날 유전학 이론과 행정 서류 앞에서 성차를 부정하는 것이 15세기에 왕의 면전에 침을 뱉는 것에 비견할 만한 일이기 때문이다.

여러분은 내게 이렇게 말한다. "너 자신이 되는 용기에 대해 우리에게 말해봐." 마치 종교재판관들이 큰 불을 피우기 위해 장작을 준비하면서 8년 동안 조르다노 브루노*에게 "지동설에 대해, 삼위일체의 불가능성에 대해 말해보시오."라고 말했던 것처럼. 실제로 조르다노 브루노처럼, 벌써 타오르는 불꽃을 보면서도, 나는 노선을 약간 변경하는 것으로는 충분치 못할 거

---

* 16세기 르네상스시대 이탈리아의 철학자로, 사제가 되었으나 가톨릭 교리에 회의를 품고 범신론적인 철학을 피력했다가 화형에 처해졌다.

라고 생각한다. 모든 것을 뒤집어야 할 것이다. 의미의 장과 실천의 영역을 터뜨려 해체시켜야 한다. 태양이 지구 주위를 돈다는 생각에서 빠져나와야 했던 것처럼, 성의 진실에 관한 집단적인 공상에서 빠져나와야 한다. 성, 젠더, 섹슈얼리티에 대해 말하기 위해서는 인식론적 단절, 범주에 대한 거부, 인지적 해방의 만물이 나오도록 개념의 기둥에 균열을 내는 데서부터 시작해야 한다. 성차와 성정체성에 관한 언어를(스피박*이 원하는 바대로 전략적인 정체성의 언어도, 로지 브라이도티**가 원하는 바대로 유목 정체성의 언어도) 완전히 버려야 한다. 성과 섹슈얼리티는 주체의 본질적인 속성이 아니라, 사회적이고 추론적인 다양한 기술의 산물, 진실과 생명을 관리하는 정치적 행위의 산물이다. 여러분의 용기의 산물이다. 성과 섹슈얼리티가 있는 것이 아니라, 자연적이라고 인정받거나 비정상이라고 제재받는 신체의 사용법이 있는 것이다. 여러분이 가진 초월적인 마지막 카드, 본질적인 차이로서의 모성을 꺼내들 필요는 없다. 모성은 신체의 여러 사용법 중 하나일 뿐, 성차의 보증

---

* '서발턴' 연구로 유명한 인도 출신의 철학자. 해체론, 마르크스주의, 페미니즘, 포스트식민주의, 문화론을 펼치는 한편, 방글라데시의 청소년 교육과 아동 노동 문제, 인도의 부족운동, 남반구의 문학과 언어 및 목소리에 큰 관심을 갖고 있다.

** '유목적 주체' 이론으로 유명한 포스트모던 페미니스트 철학자. 페미니즘을 정보화시대로 가져와 사이버스페이스, 인공기관, 차이의 물질성에 대한 관심을 결합하여, 젠더 차이에 대한 개념들이 어떻게 인간과 동물, 인간과 기계의 경계에 대한 우리의 인식에 영향을 미치는지 연구하고 있다.

도 여성성의 보증도 아니다.

그러니 여러분을 위해 용기를 간직하라. 여러분의 결혼과 여러분의 이혼을 위해, 여러분의 기만과 여러분의 거짓을 위해, 여러분의 가정과 여러분의 모성, 여러분의 아이들과 여러분의 손주들을 위해. 규범을 유지할 수 있도록 여러분에게 필요한 용기를 간직하라. 규칙적인 반복의 부단한 과정에 여러분의 신체를 빌려주는 냉정함을. 용기는 폭력과 침묵, 힘과 질서와 마찬가지로 여러분 편이다. 반대로, 나는 오늘 버지니아 울프와 클라우스 만, 오드리 로드와 에이드리언 리치, 앤절라 데이비스와 프레드 모튼, 캐시 애커와 애니 스프링클, 준 조던과 페드로 레메벨, 이브 코소프스키 세지윅과 그렉 보도위츠, 기욤 뒤스탕과 아멜리아 백스, 주디스 버틀러와 딘 스페이드, 잭 핼버스탬과 로렌자 뵈트너의 전설적인 용기 부족을 강력하게 내세우겠다.

하지만 나는 여러분을, 나와 대등한 용감한 여러분을 사랑하기에, 이번에는 여러분에게 용기가 없기를 소망한다. 더이상 규범을 반복할 힘을 갖지 않기를, 더이상 정체성을 만들어낼 에너지를 갖지 않기를, 여러분의 증명 서류들이 주장하는 것에 대한 믿음을 내려놓기를 소망한다. 기쁨에 겨워 느슨해진 여러분이 일단 모든 용기를 잃게 된다면, 여러분이 자신의 신체를 위한 새로운 사용법을 창안하기를 소망한다. 여러분을 사랑하기에, 나는 여러분이 약하고 비열하기를 원한다. 왜냐하면 연약함으로 인하여 혁명이 일어나기 때문이다.

리옹, 2014년 11월 22일

트랜스 카탈루냐

 프랑스의 한 해가 공격, 붕괴, 패전, 반反혁명, 애도와 함께, 또한 우리가 사랑하는 것을 조직화하고 그것을 보호하는 새로운 동맹들의 구축 가능성과 함께 시작되었다. 나로서는 가까운 내 친구들에게 또한 나를 알지 못하는 사람들에게도, 앞으로는 태어날 때 내게 지정된 여자 이름으로 부르지 말고 새 이름으로 나를 불러달라고 요청하면서 새해를 시작했다. 베아트리스는 폴이다. 해체, 혁명, 안전그물 없는 점프, 또다른 애도. 이 새로운 이름으로 바르셀로나의 라발지구를 걸으면서, 나는 오래전부터 내가 연루되어 있는, 규범적 젠더의 체계적인 제거와 삶의 새로운 형태의 발명을, 카탈루냐가 잠겨 있는 변모 과정과 비교해볼 수 있겠다는 생각을 한다.
 나는 이 모든 것이 또한 불쾌감의 결실인지—이 불쾌감 때문에 아란 계곡 또는 포녠 지역의 경계선 없는 풍경들과 나의 잘 변하는 해부학적 구조를 뒤섞게 된다—아니면 가능한 두 전환 사이의 공명에서 나온 논리적 결론인지 모르겠다. 나는 변신중인 트랜스 주체성과 변화중인 카탈루냐 사이에 형식적 정치적 유사성이 있다고 과감히 주장해보겠다. 여기 형성중이고 해체중인 두 개의 허구가 있다. 달리 말하면, 자유 카탈루냐의 설립 과정은, 권력과 기억과 미래와의 관계 양상에서, 트랜스 및 논바이너리의 미시정치에서 작동하는 젠더와 성의 자유를 발명해나가는 실천과 비슷할 수 있을 것이다.

국가 정체성을 넘어, 어떤 힘이 카탈루냐를 형성하는 데 가담하거나 가담할 수 있을까? 젠더 정체성을 넘어, 어떤 힘이 트랜스 되기 구성에 가담하거나 가담할 수 있을까? 나는 무엇을 아는가? 우리는 무엇을 아는가? 나는 무엇을 할 수 있는가? 우리는 무엇을 할 수 있는가? 나는 무엇을 할 것인가? 우리는 무엇을 할 것인가? 트랜스-되기의 경우에, 카탈루냐-되기의 경우와 마찬가지로, 예측 가능한 성전환 매뉴얼(병리학으로 여겨지는 우울증 진단, 문화적으로 식별 가능한 변화를 촉진할 수 있는 용량의 호르몬 처방, 성별 재지정 수술)을 따르든가, 아니면 반대로 새로운 형태의 삶을 창조하게 할 수 있는, 신체들을 지배하는 힘을 전복하는 일련의 행동을 개시해야 한다. 그것은 쾌활한 비판으로 폭력을 장례 치르고 새로운 관계성을 위한 장소를 마련하는 실존 형식이다. 중요한 건 규범의 관습에 반박하고 이 성性에서 다른 성으로 이행하는 것이다, 아니면 반대로 바깥을 창조할 수 있게 하는 변화의 움직임에 나설 수도 있다.

가장 중요한 것은 트랜스섹슈얼리티도 독립도 아니고, 변화가 활발히 일어나는 과정에 있는, 당시까지 규범에 사로잡혀 있던 관계들 전체다. 자유-카탈루냐-되기의 경우, 독립이 국가 정체성 확립과 권력 지형의 구체화를 지향하는 정치활동의 최종 목표가 되든지, 아니면 반대로 규범적인 모든 정체성(국가, 계급, 젠더, 성, 영토, 언어, 인종, 신체와 인지의 차이)에 대한 검토를 함축한 사회적이고 주체적인 실험 과정이 문제가 되든지 해야 한다. 남성성, 여성성, 국가, 경계선, 영토와 언어의 구분이 기존의 또는 앞으로 확립될 여러 종류의 가능한 관계가 지닌 무한성보다 우세하든가, 아니면 영원히 열려 있는 구성 과정을 지탱할 수 있는 실험적 열정을 우리가 함께 만들어나가야 한다.

트랜스가 된다는 것은 독립을 하는 것과 마찬가지로, 무엇보다 그리고 언제나 국가와 젠더에서 벗어나야 한다는 것을 의미한다. 운명으로서의 해부학적 구조에서, 교조적인 내용을 처방하는 사람으로서의 역사에서 벗어나는 것이다. 법으로서의 신체를, 피를, 땅을 포기하는 것이다. 국가 정체성과 젠더 정체성이 토대나 목적일 수는 없다. 젠더에서나 국가에서나, 우리는 소속이나 경계선을 최종 확정지을 수 있게 할 존재론적인 진실도 경험적인 필연도 찾아볼 수 없다. 그 안에서 검증해야 할 또는 증명해야 할 것은 아무것도 없다. 모든 것은 실험해보아야 한다. 젠더와 마찬가지로 국가는 집단적 관행의 바깥에 존재하는 게 아니며, 국가를 상상하고 그것을 구성하는 것은 바로 이 관행이다. 전투는 동일시가 아니라 탈동일시로부터, 불복종으로부터 시작된다. 지도에 줄을 그어 지우고 이름을 지우면서 다른 지도와 다른 이름을 제안하자. 집단이 상상해낸 그것의 허구적 조건이 부각될 수 있도록. 자유를 만들어낼 수 있게 해주는 허구들이.

바르셀로나, 2015년 1월 17일

페드로 레메벨,
너의 영혼은 절대 포기하지 않을 거야[*]

    빌어먹을 에이즈, 빌어먹을 후두암, 빌어먹을 독재와 빌어먹을 무늬만 민주주주의, 계속 정당이라 불리는 빌어먹을 마초 마피아, 빌어먹을 검열, 빌어먹을 커플과 빌어먹을 결별, 빌어먹을 페드로와 빌어먹을 파코, 빌어먹을 텔레비전, 빌어먹을 대안운동, 빌어먹을 사회주의, 빌어먹을 식민주의 교회, 빌어먹을 NGO들, 빌어먹을 다국적 제약기업, 빌어먹을 포스트-독

---

* Pedro Lemebel. 눈에 분장을 하고 하이힐을 신은 칠레의 작가이자 예술가로 2015년 1월 23일 사망했다. 글쓰기를 정치 고발 수단으로 삼은 반체제 정신으로 높이 평가받고 있다. 1952년 원주민 어머니의 아들로 태어난 그는 산티아고의 빈민구역에서 자랐다. 처음에는 조형예술 교사였지만 동성애 때문에 일찌감치 그만두고 글쓰기에 전념하기로 한다. 열성적인 좌파 투사인 페드로 레메벨은 1980년대 말에 반(反)문화의 진정한 신화, 시인 프란시스코 카사스 Francisco Casas와 '종말의 암말las Yeguas del Apocalipsis'이라는 듀엣을 결성하고, 문학의 익명성에서 예술 퍼포먼스로 옮겨간다. 바로크적이고 주변적이고 도시적인 칼럼니스트인 그는 칠레의 일상적 삶의 가장 어두운 면들을 특히 그의 글 모음집 『모퉁이는 내 마음La esquina es mi corazón』에서 묘사했다. 62세에 후두암으로 사망했다.(원주)

재 신자유주의 축제, 빌어먹을 코노 수르* 지도, 빌어먹을 톨레랑스, 빌어먹을 아트 비엔날레와 빌어먹을 동성애박물관. 빌어먹을 문화적 합의, 빌어먹을 관광, 빌어먹을 너와 빌어먹을 나. 빌어먹을 쓰러져버린 네 신체. 그리고 빌어먹을 절대 포기하지 않을 네 영혼.

무장한 한 사람 앞에 선 빌어먹을 수많은 소수자. 빌어먹을 암말과 마포초강.** 우리가 함께 산티아고에서 보낸 빌어먹을 날들과, 발파라이소***에서 보낸 빌어먹을 밤들. 빌어먹을 너의 키스와 너의 혀. 우리는 태평양을 바라보고 있었고, 나는 들뢰즈 말을 인용했어. "바다는 영화 같다, 움직이는 영상." 그러자 네가 이렇게 말했지. "아는 척 좀 그만해, 나의 귀염둥이. 움직이는 유일한 영상은 사랑이야."

네가 나를 일으켜세웠고, 나는 어린아이처럼 너에게서 빠져나왔어. 네가 지어낸, 너의 목소리로 만들어낸 수백 명의 아이들 중 하나. 너는 나의 어머니고, 나는 여자로 분장한 애인을 애도하듯이 너를 위해 울고 있어. 1회분 테스토스테론을 먹고 소리지르며. 너는 나의 어머니고, 누군가가 공산주의자 선주민

---

* Cono Sur. 남회귀선 아래, 남아메리카의 최남단 지역으로 구성된 지리적 영역을 가리키는 에스파냐어. 영국, 독일, 이탈리아로부터 이주해온 백인이 주민의 절대 다수를 이룬다.
** 칠레의 수도 산티아고에 흐르는 강 이름.
*** 산티아고 북서쪽에 위치한, 태평양에 면한 남아메리카 제1의 무역항. 안데스 산맥을 넘어 아르헨티나로 통하는 대륙횡단철도의 기점이기도 하다.

어머니 때문에 울듯이 나는 너 때문에 울고 있어. 얼굴에 낫과 망치를 그린 채. 너는 나의 어머니고, 누군가 아야와스카* 때문에 울듯이 나는 너를 위해 울어.

뉴욕의 거리들을 걷다가 너를 보러 가지 않았던 것에 대해 용서를 구하면서 나는 방사능 나무를 끌어안지. 고문의 기억이 두려워서, 배고파 죽어가는 개들과 안타파가스타**의 광산이 두려워서. 다이아몬드는 영원하고 포탄 또한 영원해. 에이즈의 언어는 영어야. 네가 "Darling, I must die"라고 하자, 에이즈는 네게 고통을 주지 않지. 암은 말을 하지 않아. 남부의 부자 연스레 꾸민, 가난하고 이가 들끓는 바비 인형처럼, 너는 말없이 죽어가. 너는 트랜스-안데스산맥의 여신처럼 썩지 않아. 그리고 그들이 와서는 네가 더이상 쓰지 못할 책들을 역사로부터 떼어내게 되겠지. 하지만 네 목소리는 아니야. 또다시 수천 명의 아이들이 부러진 날개를 달고 태어날 테고, 수천 명의 소녀들이 너의 이름을 지니게 될 거야. 페드로 레메벨. 수도 없이, 수천 개의 언어로.

뉴욕, 2015년 1월 28일

---

* '영혼의 줄기'라는 뜻을 가진 안데스 지역의 환각 성분 물질. 아마존 인디언들이 식물 줄기에서 추출한 이 물질로 종교적 의식에 수천 년간 사용해왔으며 국적, 지위, 성별에 상관없이 똑같은 환각을 일으킨다는 특성이 있다고 한다.

** 칠레 북부에 있는 안토파가스타주의 주도로, 1860년대에 초석광과 은광이 발견되면서 '북부의 진주'라고 불린다. 이 지역을 중심으로 볼리비아와 칠레 간에 광물자원을 놓고 갈등이 발생했다.

성 발렌타인은 쓰레기

나는 비밀을 하나 털어놓으며 2월 14일을 축하하고 싶다. 나의 밸런타인데이 선물이라고 해두자. 올해 여름에 나는 사랑을 믿지 못하게 되었다. 커플의 사랑을. 그것은 점진적인 변화가 아니었다. 마치 느닷없이 한 대 맞은 것처럼 그렇게 되었다. 생각의 배열이 와르르 쓰러졌고, 나의 욕망이 바뀌었다. 아니, 아마도 그 반대였을 것이다. 나는 문득 나도 모르게 내가 다른 방식으로 욕망하고 있음을 깨달았고, 생각이 그 자체의 무게에 짓눌려 폭발했다. 나는 무신론자이고 방법론적으로는 유명론자이지만, 그때까지만 해도 사랑은 의심의 해석학과 해체의 공격에 저항하고 있었다. 미덕과 관련해서도 사랑의 수사학은 내게 신플라톤주의의 잔재로 여겨졌다. 나 역시 분명 가톨릭교도가 결혼식에서 읽는 성 바오로의—격려의 말인지 던져진 운명이라는 건지 알 수 없는—허세("사랑보다 더 위대한 사랑")의 영향 아래 있었던 것 같다. 성 바오로에게서 충분히 벗어나지 못한 우리는 게이, 레즈비언, 트랜스 정책에서 '사랑할 권리'에 대해 말하는 데 익숙해 있었다. 이렇게 사랑의 규범적인 액체가 성-젠더 체계의 최하층민인 우리에게도 흐르고 있었다. 내가 영원히 함께할 거라 상상했던 사람과 헤어졌을 때, 모든 것이 시작되었다—나는 그녀와 함께 사랑의 이데올로기의 마지막 결론까지 가보았고, 그 추론적 논리에서 나온 부차적인 결과들까지 모두 파악했다. 하지만 나는 이 결별이 초래한 고통의 장場이 나의 아침시간을 망가뜨리는 데 쓰일 검증 도구로 바뀔 줄은 상상도 못하고 있었을 것이다.

더군다나 파탄의 느낌이 유토피아를 키웠을 수도 있을 것이다. 하지만 사랑의 가설을 무너뜨리도록 나를 이끈 것은 나와 가까우면서도 또 아주 가깝지는 않은 친구들과 나눈 대화였다. 수집된 경험적 자료들은 파이어아벤트*식으로, 사랑을 증명해주기보다는 사랑을 부인할 수 있게 하는 현장연구 자료들에 비교될 법했다. 그들과 함께 나의 결별에 대해 이야기 나누는 동안, 많은 친구가 헤어지고 싶은 자신의 숨은 열망과 동시에 그렇게 할 용기가 부족하다고 털어놨다. 그들은 오래전부터 더이상 키스하지 않는다고, 자신에게 숨은 애인이 있다고 말했다. 그들이 사랑한다고 가정했던 사람을 언급하면서, 그들은 마치

---

* Paul Karl Feyerabend(1924~1994). 오스트리아의 과학철학자. 저서 『방법에 반대한다』에서 방법론적 단일주의에 반대하고, 과학적 지식에는 다른 종류의 지식과 구분할 수 있는 어떤 특성도 존재하지 않는다고 주장했다.

그들 커플이 권태와 욕구불만의 무한한 보고였던 것처럼, 끝없이 원한을 표출했다. 그들의 말을 들으면서 나는 혼란스러웠다. 그들은 헤어지는 편이 나을 거라고, 반대로 우리는 함께했어야 한다고 생각했다. 하지만 우리는 헤어졌고 그들은 계속 부부로 남아 있었다. 그들은 죽음충동으로 사랑을 선택했다. 우리는 부부 제도로부터 사랑을 구하고자 이런 사랑을 믿지 않기로 결정했다. 우리는 사랑 대신 자유를 선택했다. 플라톤은 사기꾼이었고 성 밸런타인은 쓰레기였고 성 바오로는 광고쟁이였다. 반으로 나뉜 하나의 영혼이 다시 서로를 찾아내고 재결합한다고? 영혼이 똑같이 나뉘지 않고 크기가 다른 두 조각으로 나눠졌다면? 만약 영혼이 12568개의 미세한 조각들로 나뉘어졌다면? 영혼이 분리될 수 없다면? 영혼이 존재하지 않는다면?

그후에 6월의 어느 아침, 나는 머릿속에 한 가지 생각만 한 채 잠자리에서 일어났다. 사랑은 드론이다. 이미 내 이름을 폴로 바꿀 생각을 하면서, 나는 『고린도 전서』를 펑크스타일로 샘플링 작업을 하고 있었다. 마치 외국인의 말을 다시 베껴쓰듯이, 여기 6월 그날의 메모장을 직접 베껴보겠다. "사랑은 잔인하다. 사랑은 이기적이다. 사랑은 타인의 고통을 이해하지 못한다. 사랑은 언제나 다른 뺨을 친다. 사랑은 부서진다. 사랑은 거칠다. 전지가위가 사랑이다. 사랑은 기만적이다. 사랑은 헛되다. 사랑은 탐욕스럽다. 은행가가 사랑이다. 사랑은 게으르다. 사랑은 질투심이 강하다. 사랑은 전부를 원한다. 추출펌프가 사랑이다. 사랑은 게걸스럽다. 사랑은 관념적이다. 알고리즘이 사랑이다. 사랑은 쩨쩨하다. 송곳니가 사랑이다. 레비아탄이 사랑이다. 사랑은 교만하다. 사랑은 불타오르는 것이다. 생물병기가 사랑이다. 사랑은 공격적이다. 사랑은 때린다. 집속탄*이 사랑이다. 채찍이 사랑이다. 사랑은 변덕스럽다. 사랑은 참을성이 없다. 사랑은 절제를 알지 못한다. 사랑은 허영심이 많다. 사랑은 드론이다. 성 밸런타인은 화면을 향해 총을 쏘며 즐기는 GI다." 사랑은 감정이 아니다. 그것은 신체를 통치하는 기술이고, 욕망을 관리하는 정치다. 그것의 목표는 두 생명 기계가 행동하고 즐기는 힘을 포착해 사회의 재생산에 복무하도록 하는 것이다. 사랑은 발에 불을 붙이지 않고서는 벗어나지 못할 불타는 숲이다. 검게 탄 피부와 불은 성 밸런타인의 약속이다. 그걸 들고 튀어라. 불안정하긴 하나 우리는 주체성을 생산하는 다른 기술들을 고안하려 노력하고 있다. 역설적이게도 더이상 사랑을 믿지 않는 지금, 나는 처음으로 사랑할 준비가 되어 있다. 우연적이고 유한하며 내재적이고 비정상적인 방식으로. 나는 내가 죽는 법을 배우기 시작했다고 느낀다. 즐거운 밸런타인데이를!

뉴욕, 2015년 2월 14일

---

* 한 폭탄 속에 작은 폭탄들이 들어 있어 터지면 작은 폭탄이 사방으로 날아가서 또 터지는 폭탄.

신자유주의 미술관

지금 뉴욕에 있다면, MoMA에서 하는 비요크*전에 대한 쇄도하는 미디어 광고를 피해가긴 어려울 것이다. 마치 파리에 있으면서 퐁피두센터의 제프 쿤스** 전시회에 관한 대대적인 광고를 비켜가기 어려워 보이는 것처럼. 비요크의 목소리는 나에게 언제나 식물성 사랑에 대한 장엄한 찬가였고, 나체로 치치올리나와 키스하는 자기 사진을 찍고 나처럼 푸들을 열렬히 사랑하는 그런 괴짜에게 내가 느낄 수 있는 것은 공감뿐이다. 비요크와 쿤스는 제쳐두자(그들은 여기서 그저 단순한 도구일 뿐이다). 이 두 전시회는 신자유주의 시대에 근현대 미술관의 행보를 보여주는 신호들이다.

---

* 티베트 독립 자선 공연에 참여하는 등 '혁신의 아이콘'이라 불리는 아이슬란드의 싱어송라이터.

** '포스트모던 키치의 왕'으로 불리는 미국의 현대미술가로. 헝가리 태생의 포르노 스타이자 이탈리아 하원의원에 당선되기도 한 치치올리나(본명 일로나 스탈러)와 재혼했다가 이혼했다.

이 두 전시회가 증명하는 것은 성장과 마케팅 전략이 이 공간들 속으로 손쉽게 침투했다는 점이다. 단기간에 미술관을 공적 영역에 새로운 가치를 부여하는 민주적인 실험실로 변형시키는 게 가능했을 수도 있겠지만, 이 생각은 단 하나의 논거에도 무너져버린다. 즉 '위기' 상황에서는 공공지원금에 대한 의존성을 극복해야 하니, 장소를 수익성 있는 상점으로 만들 때가 되었다는 것이다.

사람들은 이 새로운 미술관이 준기업으로 바뀌어야 한다고 말한다. 이와 같은 기준에 따라 우리—우리, 현대미술관에 고용된 소식통들—에게 전시를 기획하라고 한다. 미술관은 무엇보다 관광객을 대상으로 하기 때문에, 우리는 특수 전시회를 위해 즉각 알아볼 수 있는 거장들의 이름, '빅 네임' 체제를 따를 수밖에 없다. 바로 이것이 신자유주의 미술관의 한 특징이다. 현지 방문객까지 세계화된 자본주의 역사의 관광객으로 바꿔버리는 것.

MoMA의 전시 공간들의 건축구조를 설명해주는 것도 바로 이것이다. 그곳은 1993년 타임스퀘어 공연을 필름에 담은 비요크의 비디오 〈빅 타임 센슈얼리티〉를 모든 전시실에서 볼 수 있는 유동성 공간이다. 그런가 하면 우리는 반 고흐의 〈별이 빛나는 밤〉과 피카소의 〈아비뇽의 여인들〉, 재스퍼 존스의 깃발 또는 앤디 워홀의 캠벨 수프가 나란히 걸려 있는 미로 속으로 들어간다. 관람객은, 그가 모르거나 타셴 출판사가 선정한 100대

예술가 목록에서 여태 발견하지 못한 이름은 하나도 보지 못할 것이다. 기호 기계로서, 이 새로운 바로크-금융 박물관은 역사 없는 시니피앙, 감각적이고 동질적이며 연속적이고 매끈매끈한 제품을 생산해낸다. 그 안에서 비요크, 피카소, 타임스퀘어는 얼마든지 호환이 가능하다.

오늘날 훌륭한 미술관장은 돈벌이가 되는 글로벌 업무를 개발하기에 적합한 영업부장이 되어야 한다. 공공 프로그램의 수장은 문화시장 분석, '멀티채널' 프로그래밍, 신규 고객 모집, '빅 데이터'와 역동적인 가격 결정(MoMA의 전체관람 입장료가 '역동적인' 금액 25달러로 책정된 것을 떠올려보자) 관리에서 전문가가 되어야 한다. 큐레이터들(이들은 시간이 지나면서 예술가보다 점점 더 중요해지고 있다)은 이처럼 전시의 흥행화 과정에서 새로운 주인공들이다. 전시회는 제품이고, '미술사'는 인지적-재정적 단순 축적이 된다. 그때 미술관은 사유화된 추상적 공간으로, 미디어-상업적인 거대한 지렁이, MOMA POMPIDOUTATEGUGGENHEIMABUDHABI······ 로 변한다. 여기가 어디인지, 어디로 입장했고 퇴장했는지 말할 수 없는 공간으로.

식별 가능한 기호로서 작품들의 이러한 증식은 현대 자본주의에서 가치가 추상화되고 비물질화되는 일반적인 과정의 일부다. 바로크-금융 미술관의 영역에서, 작품들은 더이상 우리가 지각하고 인식하는 익숙한 방식에 의문을 제기하는 작품의 역량으로서가 아니라 작품의 무한한 교환 가능성으로 고려 대상이 될 것이다. 예술은 이제 경험이나 주관성이 아니라, 식별 가능한 기호와 돈으로 교환된다. 여기서 소비될 수 있는 기호, 그것의 경제적이고 미디어적인 가치는 예술작품에서 해방되어, 그것을 소유하고 비워내고 집어삼켜서, 벤야민식으로 말해 보면, 그것을 파괴한다. 이는 미술, 공적 공간, 비판적 행위주체로서의 대중이 모두 사망한 미술관이다. 이제 그것을 미술관이라 부르지 말고 '시신미술관'이라 부르자. 우리 자신의 총체적인 파괴를 기록한 저장소.

만약 우리가 미술관을 구하고 싶다면, 아마도 우리는 사적인 수익성에 대항하여 공공의 몰락을 선택해야 할 것이다. 그것이 가능하지 않다면, 아마도 집단적으로 미술관을 점령하고 그 부채를 청산하고 거기에 의미의 바리케이드를 쌓아올려야 할 때가 온 것이다. 미술관이, 홍행 가능성은 전혀 없이 또다른 감성 집회로 기능할 수 있도록 그곳의 불을 꺼야 할 때가.

뉴욕, 2015년 3월 14일

시신모더니티[*]

　시신경제, 시신진실, 시신정보, 시신진단, 시신존재론, 시신이성애, 시신동성애, 시신정동, 시신이미지, 시신사랑, 시신텔레비전, 시신병원, 시신휴머니즘, 시신정부, 시신도시공학, 시신진보, 시신문학, 시신부성, 시신여행, 시신유럽, 시신개인, 시신건축, 시신프랑스, 시신국가, 시신오락, 시신평화, 시신다양성, 시신정치, 시신영토, 시신국경, 시신과학, 시신남성성, 시신여성성, 시신커플, 시신신앙, 시신언어, 시신투표, 시신학교, 시신가족, 시신포르노그래피, 시신의회, 시신의학, 시신미美, 시신문화, 시신집, 시신예술, 시신권위, 시신응답, 시신전시, 시신탐구, 시신저널리즘, 시신영화, 시신디자인, 시신관광, 시신역사, 시신풍경, 시신정보과학, 시신감정, 시신피, 시신요리, 시신이미지, 시신실용주의, 시신건강, 시신농업, 시신

---

[*] 이 글의 조어들에서 접두어 '네크로necro-'는 죽음, 시체 등을 뜻한다.

욕망, 시신유행, 시신이성, 시신로봇공학, 시신법, 시신자극, 시신교육, 시신커뮤니케이션, 시신세대, 시신재능, 시신테스트, 시신행위, 시신섹슈얼리티, 시신가치, 시신광고, 시신정체성, 시신환대, 시신면책특권, 시신산업, 시신공동체, 시신오르가슴, 시신자유, 시신미술관, 시신도청盜聽, 시신아메리카, 시신지푸라기, 시신만족, 시신평등, 시신영혼, 시신우정, 시신모성, 시신공감, 시신속도, 시신가소성可塑性, 시신양심, 시신이야기, 시신기쁨, 시신운송, 시신연극, 시신여가, 시신노동, 시신돈, 시신재정, 시신식량, 시신그리스도교, 시신이슬람교, 시신유대교, 시신문명, 시신청춘, 시신부채, 시신실례, 시신신용, 시신신체, 시신공모, 시신우유, 시신에로틱, 시신석유, 시신설탕, 시신정자, 시신신화학, 시신노년, 시신이타성, 시신강연, 시신행복, 시신치료, 시신동물원, 시신도덕, 시신인내, 시신유통, 시신인종, 시신사생활, 시신넷, 시신공공, 시신주체성, 시신주권, 시신중독, 시신축적, 시신통치, 시신춤, 시신계약, 시신자만, 시신지휘, 시신기억, 시신글쓰기, 시신지중해, 시신유년, 시신성공, 시신섹스, 시신과거, 시신꿈, 시신수련, 시신이데올로기, 시신영웅, 시신권력, 시신출산, 시신지식, 시신흥분, 시신공기, 시신장관, 시신명예, 시신숨, 시신미래, 시신하인, 시신디즈니, 시신의례, 시신성실성, 시신경력, 시신실습, 시신선거, 시신사회, 시신철학, 시신독극물/음료, 시신생식, 시신의지, 시신수정, 시신시간, 시신보살핌, 시신음식, 시신정의, 시신위기, 시신소개, 시신아프리카, 시신탄성에너지, 시신존엄, 시신결혼, 시신자기존중, 시신토피아, 시신교배, 시신발기, 시신기아, 시신지성, 시신안전, 시신권리, 시신우주, 시신결정, 시신은행, 시신민주주의, 시신애틀랜틱, 시신심리학, 시신고문서, 시신몬산토,* 시신미학, 시신소프트웨어, 시신하드웨어, 시신현실, 시신수익성, 시신아마존, 시신마케팅, 시신협상, 시신각성, 시신유연성, 시신세계화, 시신스포츠, 시신생명, 시신어리석음, 시신대화, 시신갈증, 시신규율, 시신람페두사섬,** 시신성장, 시신충성, 시신위생, 시신외과의학, 시신공화국, 시신페이스북, 시신사진, 시신정확성, 시신상업, 시신존경, 시신공유, 시신자율성, 시신변화, 시신메트로폴리스, 시신인내, 시신박학, 시신원조, 시신장난감, 시신드라마, 시신온정, 시신축제, 시신경험, 시신행성, 시신소유, 시신구글, 시신감시, 시신안정성, 시신추도, 시신칼럼, 시신식욕, 시신열정, 시신개량, 시신자아, 시신너, 시신우리……

금융자본주의는 다른 뭔가를 생산할 수 있을까? 우리는 아직

---

* Monsanto, 종자 개발, 생명공학기술 개발 등의 농업 솔루션을 제공하는 다국적 농업기업으로, 1901년에 설립되어 2018년에 독일의 다국적 종합 화학기업 바이엘에 인수 합병되었다.
** 이탈리아 남부, 지중해의 몰타섬과 튀니지 사이에 있는 큰 섬으로, 2021년 현재 이탈리아의 작은 섬에 2000명이 넘는 이주민들이 일시에 몰려들면서 당국이 이들의 관리 문제로 고심하고 있다.

살아 있는가? 우리가 아직 행동하기를 원하고 있는가?

                                          2015년 4월 11일

초혼招魂 'ajayus'

 며칠 전 바르셀로나에 잠시 체류중이던 예술가이자 볼리비아의 샤먼에 가까운 액티비스트 마리아 갈린도*가 나의 '아하유ajayu'를 부르러 내가 오랫동안 일했던 미술관 문 앞까지 왔었다고 내게 말했다. 아하유는 아이마라족**에게 영혼과 같다고 마리아는 내게 설명해주었다. 종교적인 영혼이 아니라 정치적인 영혼, 즉 우리 각자를 독특한 힘으로 만드는 주관적 구조. 그녀는 누군가가 상처를 입는 곳에, 그의 꿈이 깨져버린 곳에는, 방향도 없이 길을 떠도는 그의 아하유가 남아 있다는 이야기를 내게 해주었다. 나의 아하유는 분명 미술관 통로를 걷고

---

* María Galindo Neder(1964~). 무정부주의 성향의 페미니스트이자 심리학자. 레즈비언이라고 공개적으로 선언한 뒤 1992년에, 남성우월주의와 동성애 혐오에 반대하는 여성들의 연합인 무정부주의 단체(Mujeres Creando1,2,3,4)를 창설했다.

** 남아메리카의 안데스산맥과 알티플라노고원 지역의 민족으로, 볼리비아와 페루, 칠레 등에 약 200만 명이 있다.

있음이 틀림없다. 그녀는 그것을 계속 불러냈고 끈기 있게 기다렸다. 왜냐하면 아하유는 수정보다 더 깨지기 쉽고 도자기보다 더 섬세하기 때문이라고 그녀가 말했다. 그리고 만약 네가 그것을 잃어버린다면, 그건 네가 죽은 것이나 마찬가지라고.

그러는 동안 나는 나의 아하유 없이, 볼티모어에서 프레디 그레이*의 살해에 항의하고자 모여든 시위대를 해산시키면서 수천 명이 넘는 경찰 중대를 지켜보고 있는 헬리콥터들의 요란한 소음에 휩싸인 채, 뉴욕의 거리를 거닐고 있었다. 그레이의 아하유를 찾고 있을지도 모를 드론 하나가 내 머리 위로 지나간다. 밤의 어둠 속에서 붉은색과 초록색 조명만 간헐적으로 눈에 띈다. 나는 드론의 시대가 왔다고 생각한다. 휴대전화를 켜고, 스포츠 경력—그리고 카다시안 자매의 전 의붓아버지—때문에 세계적으로 유명해진 올림픽 전 챔피언 케이틀린이 ABC 방송의 스타 앵커 다이앤 소여와 자신의 성전환에 관해 나눈 대담이 트렌딩 토픽으로 뽑힌 것을 발견한다. 매와 비둘기의 시대가 있었고, 이후 지금 우리는 드론과 트위트 시대에 와 있다. 성간星間 감시와 미디어 자체 감시의 시대. 나는 내가 샤를리인지 아닌지는 모르겠지만, 나의 '아하유' 없이 떠도는 방랑자, 반은 살아 있고 반은 죽은 내가 프레디 그레이와

---

* 경찰을 보고 도망치다 의식불명으로 연행-구금되었다가 일주일 뒤 2015년 4월 19일 숨진 25세의 미국 아프리카계 청년. 2011년 이후 볼티모어에서만 경찰에 의해 사망한 111번째 사례로, 당해 볼티모어 사태의 불씨가 되었다.

케이틀린 제너 사이에 있는 불가능한 교차점이라는 것은 알고 있다.

  파파라치들은 며칠 전부터 케이틀린 제너가 원피스를 입고 화장을 한 채 말리부에 있는 자기 집 입구에 모습을 나타내기를 기다리고 있었다. 그들은 마치 경찰이 발포할 수 있게 비백인 시체가 한 손을 들어올리기를 기다리는 것처럼 그녀를 기다리고 있다. 그들은 그녀가 목젖을 제거했는지, 가슴이 솟았는지 검증하고 싶어한다. 지구에서 가장 위대한 신자유주의적 민주주의는 성차, 인종 차이, 또는 젠더 차이라는 이분법적인 시각적 인식론을 기준으로 정치적 시민으로 간주될 기회, 그렇게 살 기회를 배분한다. 초록색 줄무늬 드레스가 45구경 권총이라도 되는 듯, 트위터가 뜨겁게 달아올랐다. 실제로 북아메리카의 32개 주에서 케이틀린은 45구경 권총을 드레스보다 훨씬 더 쉽게 몸에 지닐 수 있었을 것이다. 이어서 텔레비전 대담이 있었고, 케이틀린은 "나는 여자입니다"라고 선언했다.

  그녀는 스스로 지정한 체육 단련을 통해 지배적인 공적 영역 속에서 인정을 얻으려고 필사적으로 노력했다. 하지만 그녀는 재빨리 사과했다. 그녀를 계속해서 '그'라고 지칭해도 되고, 그녀 자신은 아무에게도 상처를 주기를 원하지 않으며, 가장 중요한 건 자신의 아이들이고 이들이 훌륭한 애국자가 되는 것이라고 하면서. 규범화 없이는 인정도 없다. 아이마라족이라면 그녀가 자신의 아하유를 강탈당했다고 말할 것이다. 느닷없이 텔레비전 스튜디오, ABC 채널에 접속된 어느 집의 응접실, 아무개 컴퓨터, 나의 휴대전화가 성별 재지정 과정이 펼쳐지는 수술실로 바뀌고 있다. 다이앤 소여와 나누는 친밀한 글로벌 대화가 그전에 프릭쇼, 진료소 또는 법정용으로 마련된 공간을 점유한다. 대담에는 고백, 진단, 의학적 평가, 공적 처벌, 체제 순응 같은 모든 수사법이 압축되어 있다. 현전의 형이상학을 다시 문제삼으려는 모든 시도가 화면에 부딪혀 박살나버렸다. 트랜스젠더의 삶의 조건이 개선되는 것과 미디어 내에서 그들의 가시성이 증대되는 것 사이에 선형 관계란 없다. 제너가 구글 검색에서 1위에 오른다는 사실은 정치적 변화의 패러디에 불과하다. 즉 다른 형태의 삶을 인정하기 위한 전략적 운동인 동시에, 미디어를 통한 젠더 통제와 감시 과정이다. 우리의 젠더는 관습과 규범이라는 협소한 공간 내부에서 끊임없이 제조되고 있으며, 그 안에서 재검토될 수 있다. 실패했건 자연화했건, 젠더는 사회적 정치적 재현 과정의 결과로서만 존재한다. 아하유는 젠더가 없다. 그렇다면 제너의 아하유는 어디에 있을까? 나는 그걸 부르고 있다, 내가 지금 있는 곳에서.

뉴욕, 2015년 5월 9일

화학적 콘돔

만약 네가 다른 남자들과 성관계를 갖는 남자가 아니라면, 트루바다라는 단어에서 너는 아무것도 떠올릴 수 없을 것이다. 반대로 만약 뭔가를 네가 떠올린다면, 그 단어가 너의 성 생태학을 변화시키고 있기 때문이다. 어디서, 언제, 어떻게 그리고 누구와 함께하느냐 하는 문제 말이다. 트루바다는 길리어드사이언스사社가 생산하는, HIV 바이러스 감염 방지 노출 전 예방요법으로서 시판되고 있는 항레트로바이러스 의약품이다. 트루바다는 처음에 HIV 양성자 치료용으로 제조되었지만, 2013년 미식품의약국FDA에 의해 위험인자를 보유한 사람—이를테면 역학 매핑에서 '수동적 동성애자', 다시 말해 항문으로 삽입과 사정을 받는 사람—에게 에이즈 예방약으로 승인받았다. 트루바다는 2012년 이후로 유럽에서 테스트중이다. 에이즈협회도 프랑스 학술위원회도 2016년에는 이용 권장 의약품으로서 접근 가능 조건을 확대할 것을 요청하고 있다. 미국에서 트루바다(일반의약품이 아니어서 월간 비용이 1200달러에 달한다)는 첫해에만 30억 달러 정도의 수익을 창출했다. 미국인 100만 명이 HIV 양성자용 항레트로바이러스 의약품 소비자가 되느니 트루바다 소비자가 되리라는 계산을 한 것이다.

경구용 피임약과 트루바다의 기능 방식은 동일하다. 이 약들은 성관계 동안 '위험'을 예방하기 위해 고안된 화학적 콘돔들로, 원하지 않는 임신이든 HIV 감염이든 그 위험이 무엇인지는 중요하지 않다.

경구용 피임약과 마찬가지로 트루바다는 '딱딱한' 외부화된 처벌장치들(격리하고 감금하는 구조물, 정조대, 콘돔 등)이 통제하던 섹슈얼리티가 약리포르노그래피적인 장치들, 다시 말해 생체분자와 디지털식 '소프트' 기술에 의해 매개되는 섹슈얼리티로 이행했음을 가리킨다. 현대의 섹슈얼리티는 약리산업에 의해 상업화된 분자들, 소셜 네트워크와 미디어를 통해 유통되는 비물질적 재현으로 구성된다.

라텍스 콘돔에서 화학적 콘돔으로의 이행은 결정적인 일련의 변화를 야기하고 있다. 첫번째 변화는 기술이 적용되는 신체와 관련이 있다. 피임기구 콘돔과 달리 화학적 예방조치는 더이상 주도권을 쥐고 있는 신체(이성애 조합이든 게이 조합이든 체위상 남성적 '능동형', 삽입하고 사정하는 쪽)와 관련이 없고, 성적으로 하위주체의 몸들, 바이러스 감염과 임신이라는 '위험'에 노출된, 정자의 잠재적인 수용체인 삽입할 수 있는 질이나 항문을 가진 신체들과 관련이 있다. 한편으로 화학적 콘돔이 나오면서, 사용 결정은 더이상 성행위를 하는 동안이 아니라 사전에 미리 이루어지며, 그 결과 알약을 삼킴으로써 미래로 투사되는 순간적인 관계 속에서 그 자신의 주체성이 확립된다. 문제는 약 복용을 통해 그 자신의 재현, 작용과 상호작용의 가능성에 대한 인지와 함께, 그의 삶의 시간과 신체 전체가 바뀐다는 것이다. 트루바다는 단순한 약제도 백신도 아니고(그것은 단 한 번의 복용으로는 아무것도 치료하지 못하고 아무것도 피하지 못한다), 그보다는 오히려 피임약과 마찬가지로 사회적 기구다. 개인의 신체에 적용되지만, 욕망과 정동, 관계의 새로운 형식들을 생산함으로써 궁극적으로는 사회적 신체 전체에 작용을 가하는 일종의 생화학적 장치다. 따라서 1970년대에 피임약과 트루바다가 정치적으로 또 약리학적으로 거둔 성공은, 실데나필 분자(비아그라)에 의해 보완되는 화학적 피임약이 절대권을 가진 '자연스러운' 남성적 섹슈얼리티라는 허구를 만들어낼 수 있게 한다는 데 있다. 이 허구의 실행—발기, 삽입, 정자의 무한한 유포로 여겨지는 이 실행—은 더이상 물리적 제약들에 제한받지 않는다는 것이다.

만약 베어백킹barebacking(에이즈 바이러스를 보유한 게이들이 콘돔 없이 하는 섹스)이 1990년대에 일종의 성적 테러리즘으로 여겨졌다면(작가 기욤 뒤스탕과 Act Up 행동주의자들이 서로 대립했던 베어백 논쟁을 떠올려보자), 오늘날 책임감 있고 '안전한' 섹스는 트루바다와 함께하는 베어백킹이다. 약리학적으로 위생적이며 성적으로는 남성적인. 역설적이게도 이 약품의 능력은 성적 자유와 자율성의 느낌을 산출하는 것이다. 가시적인 매개물 없이도, 라텍스 콘돔 없이도, 삽입하는 남성의 신체는 성적으로 완전한 주권을 행사하고 있다는 느낌을 얻는다. 실제로는 모든 정액 방울이 극도로 복합적인 약리포르노그래피적 기술로 매개되고 있는 것이지만. 그의 자유로운 사정은 오로지 경구용 피임약, 트루바다, 비아그라, 포르노그래피 영상 덕에 가능해졌다.

트루바다의 목표는, 경구용 피임약과 마찬가지로 소비자들의 삶을 개선시키는 것도, 규범적 남성성의 지배적인 성정치적 입장을 재확인하는 동시에 자유와 해방이라는 그들의 허구를 보존함으로써 그들의 손쉬운 활용과 분자적 예속을 최적화시키는 것도 아니다. 의약품과의 관계는 자유롭지만 사회적 예속관계다. 자유롭게 섹스하자, 즉 의약품과 함께 섹스하자.

분자적 예속이라는 표현으로, 이성애와 동성애 사이의 차이는 지워지는 것 같다. 게이 섹슈얼리티는 주변부 하위문화 상태에서 신자유주의적 자본주의 언어로 코드화되고 규제된 공간 상태로 넘어갔다. 이성애-동성애라는 측면에서의 대립적 사유를 멈추고 우리 모두가, 절대적으로 모두가 직면해 있는 섹슈얼리티 생산기술의 규범적 사용과 저항적 사용 사이의 긴장이라는 측면에서 숙고를 시작해나갈 때다.

뉴욕, 2015년 6월 12일

여행은 나의 연인*

여행할 때 나는 늘 책을 한 권 가지고 다니면서, 매일 저녁마다 잠을 청하며 그 책을 펼쳐든다. 책은 읽으면서 잠드는 언어침대 같다. 자베스E. Jabès와 셈프룬J. Semprún은 언어가 그들의 유일한 조국이라고 말하곤 했다. 나 역시 겨드랑이 밑에 소형 책자를 낀 외국인이다. 책은 휴대용 피라미드다. 유대인이 이집트를 떠나면서 건축물을 수송할 수 있도록 그것을 파피루스로 변형시켰던 것과 관련하여 데리다가 썼던 말이다. 이렇게 해서 버지니아 울프의 작품은 내가 여행하는 동안 나의 종이침실이 되었다. 그녀와 나의 관계는 양면적이어서(때로 그녀는 동성애를 혐오하고, 종종 계급주의적이며, 꾸준히 잘난 척하고

---

* 영어판 제목은 '길 위의 올랜도'다. 울프의 『올랜도』에서 영향받아 만든 다큐 〈올랜도, 나의 정치적 자서전〉과 공명하는 제목이다. 이 영화로 프레시아도는 2023년 베를린영화제를 비롯해 수많은 국제 영화제-전시에서 큰 호응을 이끌어냈다.

무례하지만, 나는 그녀를 사랑한다) 나에게 그녀의 글은 푸대접하는 집이다.

   나는 버지니아 울프가 『올랜도』를 집필하는 동안 썼던 일기를 읽는다. 그녀가 『올랜도』의 서사를 어떻게 구성했는지 이해하는 일은 내가 폴을 만들어낼 생각을 하는 데 도움을 준다. 한 인생의 이야기에서 주인공의 성을 전환시키는 것이 가능하다면, 무슨 일이 일어날까? 버지니아는 이 글쓰기가 그녀에게 야기하는 효과를 '황홀경'이라고 불렀다. 나도 이따금씩 비슷한 감정을 느낀다. 버지니아는 『올랜도』를 전기라고 과감히 부른다. 그것은 비인간적이고 전前개인적인, 공간과 시간 속에 파편화된 전기, 즉 여행이다. 나는 뜻하지 않게, 영국을 뒤흔들고 있는 광부들의 파업보다 자기 모자의 펠트와 드레스의 레이스에 더 사로잡혀 있는, 철도 노동자들을 해산시키는 런던 경찰의 폭력보다 『댈러웨이 부인』의 판매 부수(당시 250부는 상당한 베스트셀러였다)에 더 관심을 갖는 버지니아를 발견한다. 그녀는 비타 색빌웨스트가 자기한테 아름답지 않다고 말해서 우울했고, 자신의 죽음에 집착했고, 결정적으로 처음에는 경제전이었다가 다음에는 정치전이 되어 몇 년 뒤 서구를 휩쓸어버릴 전쟁을 상상할 능력이 없었다. 그녀의 영혼은, 자신이 노예 취급하는 가정부 넬리를 지켜볼 때보다 런던의 동물원에 있는 들소들을 바라볼 때 더 다정다감하다.

   일어나고 있는 일을 대면하는 일 또한 왜 이리 어려울까? 그녀는 "고독은 나의 피앙세"라고 썼다. 내 대답은 "여행은 나의 연인"이다. 여행은 울프의 고독을 치유하는 해독제, 매 순간 현재 일어나고 있는 일에서 멀어지라고 우리를 몰아세우는 길들여진 몽상의 해독제다. 죽은 자들(버지니아, 비타……)에 둘러싸여, 나는 살아 있다는 힘겨움을 의식하게 된다. 이번에는 내가 잘못 생각할 수 있고, 주체의 변화보다 테스토스테론의 용량에, 지구의 시신정치적인 변화보다 내 책의 번역에 더 많은 주의를 기울일 수도 있을 것이다.

나는 『올랜도』를 겨드랑이에 낀 채 팔레르모에 착륙한다. 공항에서 대학으로 가기 위해 이치아르와 나는 시칠리아 마피아가 1992년에 팔코네 판사를 살해했던 고속도로를 이용한다. 마피아는 그의 자동차가 지금 내가 달리고 있는 이 도로를 지나갈 때 아스팔트 아래 묻어둔 600킬로그램의 폭발물을 터트려 그를 살해했다. 그의 회고록에 실린 자동차 잔해 사진은 유럽의 민주주의 제도를 집약적으로 보여주는 영상이다. 훗날 나는 팔레르모 시내에서, 폐허가 된 궁궐과 노점 생선가게들 사이를 걸어가면서, 로베르토 사비아노*가 묘사한 도시처럼, 공식적인 지도 아래 숨겨진 한 도시가 존재한다는 것을 직감하게 된다. 그것은 마피아가 피로, 정자로, 코카인으로, 돈으로 그린 지도다. 또하나의 자본주의.

---

* 이탈리아 남부 마피아 조직을 잠입 취재해 쓴 『고모라』로 유명한 나폴리 출신의 소설가이자 저널리스트.

며칠 뒤 부에노스아이레스의 라보카지구에서 또한 코리엔테스거리에서도,* 나는 그 지대가 우리가 자본주의라 부르던 생산방식에 여전히 속해 있다고 생각하기가 힘들다. 1달러가 은행에서는 8페소로, 미크로센트로** 거리에서는 12페소, 라보카에서는 18페소, 또는 짐승이나 인간의 머리 하나로 바뀐다. 시장은 러시안룰렛이다. 자본은 이제 노동과 재화의 등가성을 지시하는 추상적 지시대상이 아니라, 위험과 범죄, 몰수와 폭력으로 기능하게 되었다. 나는 아르헨티나에서 바르셀로나를 거쳐 그리스로 여행한다. 그곳에서는 거의 예상치 못하게 주민들과 분노한 자들Indignados의 운동이, 아다 콜라우***의 손에서부터, 투표함을 통해 도시를 관리하는 제도권까지 올라가는 데 성공했다. 다음날 엑사르키아에서 주민들은 부채에 관한 정보를 교환하고자 아테네 무정부주의 구역에 모여들었다. 거리는 공개 대학이 되었다. 일주일 뒤 그들은 'oxi(반대)'의 가능성을, 그와 더불어 윤리적-미적으로 새로운 반란의 패러다임을, 신체와 인지가 협력하는 미시정치를 확립하게 된다. 팔레르모

---

* 라보카지구는 외곽에 있는 노동자계급 중심 지구고, 코리엔테스거리는 극장들이 몰려 있는 문화 중심지다.
** 부에노스아이레스의 공식 도시구역은 아니지만 중심 업무 지구, 주요 상업 중심지.
*** 2008년 세계 금융위기 이후 주택대출금을 갚지 못해 쫓겨난 시민들과 함께 '주택담보대출 피해자를 위한 플랫폼(PAH)'을 만든 시민활동가 출신으로, 2015년 6월 바르셀로나 시장에 당선되었다.

거리에서, 아테네 거리에서, 부에노스아이레스 거리에서, 냉전 시대의 지정학을 계승한 국민국가들이 붕괴하고 금융 마피아가 관리하는 테크노가부장적인 초국가적 새로운 통치기술이 확산되는 그곳에서, 지식과 생산을 공유화하는 실험적 행위들이 수면 위로 떠오르고 있다. 이런 식으로 이름 없는 전쟁의 한가운데서, 후기자본주의적인 삶의 사회적 정치적 토대가 우리 눈앞에서 창출되고 있다.

부에노스아이레스, 2015년 7월 10일

떠돌이 민중

　내가 그를 처음 보았을 때, 그는 이스탄불 베요글루지구의 경사진 길을 올라가고 있었다. 그의 털은 검고 더러웠으며, 목에는 상처가 있었다. 나는 그를 따라갔지만, 그는 나를 피하며 멈추지 않고 아무도 아무것도 바라보지 않은 채 계속 앞으로 나아갔다. 그는 피루자가까지 올라갔다. 한 상인이 거기에 양탄자를 펼쳐놔서 길이 완전히 덮여 있었다. 그 위로 보행자와 자동차들이 지나갈 수도 있는데, 이 때문에 그들이 방해받는 것 같지는 않았다. 거리는 노천 살롱이다. 파리의 아케이드들이 발터 벤야민에게는 부르주아적인 실내로서 스스로 닫힌 외적 공간이었다면, 지금 여기서 일어나고 있는 일은 정확히 그 반대다. 양탄자는 아스팔트 위에 펼쳐진, 임시적인 만큼 강렬한 환대를 마련한 이차원적인 집이다. 하지만 누구를 위한 용도인가? 그 가정에서 환대받을 권리를 가진 민중은 어떤 민중인가? domos(집)를 넘어서, demos(민중)를 어떻게 다시 정의할까?

  너무 많이 걸어서 피로한 나는 걸으면서 잠을 자고, 이 양탄자가 나의 집이고 이 낯선 피조물이 나의 개라는 꿈을 꾼다. 우리는 함께 몸을 펴고 눕고 나는 그를 쓰다듬으며 하루를 보낼 수도 있을 것이다. 하지만 그는 멈춰 서지를 않는다. 그는 귀에 노란 플라스틱 고리를 끼고 있다, 05801호. 거세된 떠돌이 동물로 식별되었다는 것을 말해주는 자취추적 가능성의 표시다. 나는 탁심광장 건너편에서 그들을 따라가고, 우리는 타르라바시와 메테로 접어든다. 100미터 남짓 갔을까, 여인들이 차도르를 쓰고 있는 산책로를 지나 벌거벗은 트랜스섹슈얼 노동자들이 매춘을 하는 좁은 길로 들어섰다. 여성으로서 이들의 지위는 비록 서로 대립된 것처럼 보이지만, 신자유주의적인 자본주의에서는 두 가지 생존방식(모방적인 저항과 전복적인 종속)이 있을 뿐이다. 여기서 남성 주권에 대한 신학적 정의와, 욕망과 섹슈얼리티의 약리포르노그래피적인 생산 사이에 뜻밖의 동맹이 이루어진다. 예술가이자 활동가인 닐바 귀레쉬Nilbar Güreş가 내게 말하기를, 매달 적어도 트랜스섹슈얼 여성 한 명이 살해당하는데 경찰은 최소한의 조사도 하지 않는다고 한다.

  탁심의 군중과 자동차들 사이에서, 나는 그 떠돌이의 발자취를 잃고 혼자 계속해서 이스탄불 미술 비엔날레를 위해 예정된 미술관과 화랑들을 둘러본다. 비엔날레 조직이 카바타스항에서 뷔위카다섬까지 배로 우리를 이송시켜준다. 이 섬은 프린스

제도 중 하나로, 고대 그리스의 유배지였으나 오늘날에는 튀르키예 부유층을 위한 피서지로 용도가 바뀌었다. 나는 세계 심장의 대동맥 속으로 침투하는 것 같은 느낌을 받으며 보스포루스해협을 항해했다. 도시의 박동이 지구의 수축과 이완이 된다. 습한 열기가 안개로 바뀌더니, 1600만 주민이 사는 도시의 끝나지 않는 해안의 윤곽을 지운다.

캐롤린 크리스토프바카르기예프Carolyn Christov-Bakargiev가 올해 감독한 이스탄불 비엔날레의 안내서에는 여성정책과 환경보호정책을 지지한다는 공약이 발표되어 있다. 그렇지만 우리가 섬에 내리자, 가장 놀라운 것은 여행자들을 수도원과 전망대까지 실어나르는 복고풍 키치 스타일의 짐수레에 매인 수백 마리 말들의 굶주린 상태다. 튀르키예의 공공시설 관리인이자 활동가 아드난 일디즈Adnan Yildiz가 내게 설명하기를, 해마다 겨울철에 말들이 섬의 빈 건물들 속에서 기아로 죽거나 헐값에 처분된다고 한다—비수기에 말들을 먹여 살리는 것이 수익성이 없다는 이유에서.

조금 뒤에 또다른 배가 뷔위카다의 수집가와 위원 몇 명을 프랑스 미술가 피에르 위그Pierre Huyghe가 자신의 설치작품을 전시한 작은 섬 시브리아다까지 실어나른다. 이곳에 우리의 떠돌이 개의 조상들의 유해가 묻혀 있다. 1910년에 이스탄불이 근대화되는 과정에서 5만 마리 이상의 개가 포획되어 그곳에 버려졌다. 물도 먹이도 없이 개들은 죽기 전에 어쩔 수 없이 서로 잡아먹을 수밖에 없었다. 사람들 말로는 몇 주에 걸쳐 울부짖는 소리가 가득했다고 한다. 나를 가장 놀라게 한 것은 개들이 강제 추방당했다는 사실이 아니라(배척은 대대로 내려오는 시신정치의 한 기법이다), 그들의 신음소리를 들으면서 아무도 그들을 구조하러 갈 수 없었다는 사실이다.

정말 신기하게도 우연히, 나를 탁심광장까지 태워준 공용 택시에서 내리면서 나는 상처 입은 바로 그 개 '05801'과 다시 마주쳤다. 나는 그 개를 또 따라가기 시작한다. 이번에 그는 나를 게지공원까지 데려간다. 그곳에서 자기처럼 표식을 단 다른 개들과 재회한다. 불임수술을 받은 유랑자 민족. 그들 각자가 생존의 오랜 역사에서 마지막이다. 훗날 예술가 바누 세네토글루Banu Cennetoğlu는 매일 밤 공원이 잠을 자려고 그곳으로 오는 개들처럼 수천 명의 인간 난민들로 가득찬다는 말을 내게 들려준다. 대략 150만 명의 난민이 유럽으로 향하는 길에 이스탄불을 경유한다. 에르도안*은 처음에 그중 몇 명을 임시 노동력으로 유치한 뒤 표를 대가로 은신처를 제공하면서 그들을 선거용 인질로 전환시킬 계획을 구상했다. 그러나 인구압이 지나치다고 여겨지자, 이후로 튀르키예는 보스포루스해협에 놓인 거대한, 하지만 신속한 가교 역할만 하고자 한다. 이 거대한 아케이드 속에서, 난민은 아시아에서 유럽으로 가는 이 기착지를 떠도

---

* 2014년 튀르키예 최초 직접선거로 당선되어 현재까지 통치하고 있는 보수주의 정당 출신의 대통령.

는 개가 되어 시민의 모든 정치적 조건을 상실한다.

게지공원에서 서구 정치의 토대가 되는 개념들(주권, 화폐, 국가)이 의미를 잃고, 플라톤과 그의 공화국에 맞서 견유학파 디오게네스가, 정치-세계의 새로운 형상이, 개들의 철학자가 몸을 일으킨다. 알렉산드로스가 디오게네스에게 어느 도시 출신인지를 물었을 때, 고대 그리스의 행정적 분류를 불신하던 그는 이렇게 대답했다. "나는 세계시민이오kosmopolitês." 도시 아테네의 권력보다, 벌거벗은 채 항아리 속에서 잠을 자는 디오게네스는, 개들의 의회를 선택했다. 가장 강한 자의 법보다는 웃음의 힘을 선택했다. 전쟁에 대한 시민권에 맞서 게으름과 자위를 내세웠다. 헤겔의 유럽 중심적 공동체주의와 칸트의 휴머니즘적 세계식민주의와는 달리, 디오게네스는 신체로서의 생명체(인간이든 개든)가 언제나 글로벌 시민권의 주체가 되는, 유물론적이고 비엄숙주의적이며 물활론적인 세계시민주의로 우리를 초대한다.

글로벌 이주운동의 강도와 네오내셔널리즘 정치의 폭력성은, 오늘날 영토-자본-시민권이 지배하는 국민-국가들의 법률에 반대하고 그것을 위반할 새로운 양탄자-신체-시민권으로의 이행을 시급히 요구하고 있다. 이러한 법적 신분 규정의 변화는 인도주의적 지원 형식이나 성격과는 아무런 관련이 없다. 신자유주의가 경제적 국경을 파괴했다면, 앞으로 필요한 것은 정치를 전복시키는 것이다. 이런 변화가 없다면, 유럽의 경제공동체는 난민들에게, 정치적 승인도 물질적 뒷받침도 없이 죽기 전 서로를 잡아먹을 수밖에 없도록 강요받는 새로운 시브리아다섬이 될 것이다.

이스탄불, 2015년 9월 26일

로디나 마트*의 품에서

지금 나는 이스탄불에서 키예프를 향해 날아가고 있다. 비행기에는 12명의 케이트 모스와 소수의 대니얼 크레이그, 무엇보다 머리를 숙인 채 우크라이나어도 러시아어도 튀르키예어도 하지 못하는 사람들이 타고 있다. 그들은 어디서 오는 걸까? 또 어디로 가는 걸까? 그들이 만약 내가 프랑스어로 책을 읽고 에스파냐어로 글을 쓰고 영어로 말하는 것을 본다면, 그들도 동일한 의문을 품을 것이다. 국경을 넘어가는 이주민들의 영상은 우리 모두를 재분류하는 보편적인 시니피앙이 되었다. 나는 누구인가, 나는 여기서 무엇을 하고 있는가? 나는 어떤 전쟁을 피해 달아나고 있는가? 내가 밀수입하는 물질은 무엇인가? 나의 피난처는 어디인가? 우리 시대를 위해 타로점을 쳐본다면 사형수, 광대, 은둔자 카드가 나올 것이다. 박탈, 이동, 극심한 수

---

* Rodina Mat. 키예프에 있는 모국을 지키는 여신상.

런. 결과는 세상이다. 우리에겐 선택지가 없다. 우리가 현실을 생산하는 우리의 방식을 바꾸거나, 아니면 종으로서 존재하기를 그만두어야 할 것이다. 비행기가 저공비행을 한다. 우리는 흑해 위를 날아 지금도 전쟁을 치르고 있는 동부를 피하면서, 키예프에 도착하기 위해 오데사를 통과한다. 처음으로 나는 우크라이나가 에스파냐, 프랑스, 이탈리아, 튀르키예처럼 지중해 안쪽으로 깊숙이 연결되어 있는 해안임을 깨닫는다.

목적지에 다다랐다. 12일마다 주입하는 테스토스테론 250그램으로, 젠더 불일치는 이제 정치이론이 아니라 구현 양식이 되었다. 하지만 이 사실을, 나의 여권을 유심히 살펴보는 세관원에게 설명할 필요가 없기를 바란다. 내가 보기에 우크라이나의 국경은 트랜스 정치 워크숍을 열기에 이상적인 장소가 아닌 것 같다. 나와 마주 선 군인은 어린아이다. 먹을 것이 필요해서 우는 아기처럼 아직도 나약하다. 어쨌든 그에게는 도네츠크 참호보다 그곳이, 개찰구 뒤가 낫다. 군대는 아무때나 병사를 모집하고, 군대를 조직한다는 구실하에 소년들은 여러 달 동안 언제 다시 돌아올지도 모를 장소로 보내진다고 한다. 내 수염처럼 그의 수염도 삐죽 자라기 시작했고, 나처럼 그도 여드름으로 고생한다. 하지만 이 세관을 통과하고자, 혈중 테스토스테론 용량의 미세한 증가가 우리 사이에 형성할 수 있을 암묵적인 공조를 기대할 순 없다. 국경은 모든 신체가 잠재적인 적으로 인지되는 일종의 면역학적 극장이고, 우리 둘은 모두 동일성과 차이를 두고 연기를 하기 위해 이 문턱 양쪽으로 배치되어 있다.

무대가 시작되었다. 그의 두꺼운 손이 갑자기 행정적인 동작을 취하더니, 내 여권을 뒤적거리며 검사한다. 내가 애써 미소를 지어 보이는 동안, 그는 완전 새 옷인 녹색의 위장군복이 갖게 해준 거만함 덕에 여드름이 주는 수치심을 극복한다. 흔히 사람들은 미소가 여성적인 몸짓의 한 표식이라고 한다. 3년 전의 내 사진을 보면서 그는 나에게 이것이 나의 여권이 맞는지, 나의 이름이 무엇인지 묻는다. 테스토스테론이 성대에 미치는 영향이 커서, 최근 나의 목소리는 거칠어졌다. 아직 목소리를 잘 관리할 줄 몰라, 나는 폐렴으로 고생하는 하바나산 담배 흡연자 같다. 말을 할 때 노력하지 않으면, 마치 감기 걸린 플라시도 도밍고가 몽세라 카바예처럼 노래하고 싶어하는 것 같다. 하지만 젊은 세관원 앞에서 나는 삑사리가 나지 않게 두성을 쓰려고 애쓴다. 나는 적법하기 위해서 '베아트리스'라 대답하며, 앞으로 내게 낯설어질 이름을 발설한다. 9개월 전부터 나는 폴이라고 말하는 데, 폴의 이름으로 대답하는 데, 이 이름을 부르는 소리를 들으면 뒤돌아보는 데 익숙해져 있었다. 하지만 지금으로서는 그 이름을 잊는 편이 나을 것이다. 군인이 확대경으로 나의 여권을 관찰하는 동안, 나는 진땀을 흘리기 시작한다. 그가 내게 말한다. "This is not you, this is a woman." 내가 대답한다. "Yes, it is me, I am a woman." 불과 몇 시간

전에 나의 옛 정체성으로 나를 알고 있는 법정 후견인들이 여성형으로 내게 말을 걸었을 때 나는 "I am a man"이라고 말한 것을 기억하고 있다. 지금 이 두 진술은 언어학적 의미로 상황적이고 화용론적인 것 같다. 그것의 시니피앙은 그것을 구조화하는 정치적 관례와 발화의 맥락에 달려 있다. 의심 많은 젊은 세관원이 나를 뚫어져라 쳐다본다. 그는 내 몸을 뒤지도록 여군을 부른다. 그녀는 롤핑 마사지를 하듯 능숙하게 내 몸을 만진다―마치 그녀의 손이 내 몸에서 근막筋膜을 벗겨내려는 것 같다. 그녀는 마침내 내 바지 깊숙이 팔을 찔러넣더니 다리 사이를 만져본다. 그러고는 다시 그 군인과 만나 그에게 우크라이나어로, 몸짓을 보고 판단컨대, 그녀가 내 여권의 법적 지위와 일치하는 해부학적 증거들을 확인했다고 설명한다. 그들은 내게 내 서류들을 돌려주고 나를 통과시키면서, 위험한 동물인 양, 전염될까 두려운 환자인 양 나를 놓아준다.

 세관을 벗어나서 나는 짐을 찾는다. 택시가 '폴'이라고 쓴 종이를 흔들면서 나를 기다리고 있다. 또다시 무대의 발화가 바뀐다. "Bonsoir, monsieur." 움직이는 차로부터, 내가 도시에서 받은 첫 인상은 풀밭 가운데 세워진 저임금 고층빌딩의 방벽들, 호수들 사이로 숨은 러시아의 합리주의적인 건물들 등…… 도시의 기념비적 성격과 불균형이다. 하지만 라브라언덕에 우뚝 선, 가르강튀아* 같은 한 여인의 입상만큼 인상적인 것도 없다. 상당히 위협적인 그녀는 한 손으로는 검을 휘두르고 있고 다른 한 손으로는 방패를 들고 있다. 나중에 미술가 안나 다우치코바**는 그것이 모국의 여신상, 로디나 마트라고 내게 설명해주었다. 높이 62미터, 무게 520톤의 스테인리스로 된 소련의 메데이아가 뉴욕의 경관 속 어느 마천루보다 더 과격하게 시야를 가르고 있다. 그것은 건물이 아니라 신체이기 때문이다. (오늘날 잘게 나뉘어 나약해진) 러시아 국민의 신체. 세관에서 불안에 떨었던 터라 로디나 마트의 모습은 몽환적으로 보였다. 그녀는 국민 정체성의 가능 조건으로서 성차의 필연성을 공표하는 젠더 법의 구현처럼 내 앞에 서 있다. 그것은 내 여권에 M(남성) 또는 F(여성)라 표시할 것을 요구하는 행정 규범이 도시 풍경 속에 세운 명판이다. 국가는 일종의 생체 생산 공장으로, 그곳에서 여성성은 전쟁터에 내보낼 남성의 신체를 수태해야 하는 것이다. 그때 아마도 환각상태에 빠진 듯 내 눈에는 로디나 마트가 내 이름들, 베아트리스-방패와 폴-칼을 양손에 하나씩 들고 흔들며 "오라, 내 품으로 오라"라고 말하는 것처럼 보였다.

키예프, 2015년 10월 9일

---

* 프랑스의 작가 라블레가 1534년에 간행한 풍자소설(전 5권)의 제1권 『가르강튀아와 팡타그뤼엘』에 등장하는, 체력과 식욕, 지식욕이 뛰어난 거인 가르강튀아를 말한다.

** Anna Daučíková(1950~). 자신을 퀴어라고 밝힌 최초의 슬로바키아 예술가 중 한 명으로 페미니즘 운동에 참여하고 있다.

다른 목소리

나는 나의 새로운 목소리에 익숙해지고 있다. 스스로 처방한 테스토스테론이 성대를 더 크고 굵어지게 해서 더 무거운 음색을 만들어낸다. 마치 몸 내부에서 공기 마스크를 통해 나오는 것처럼 목소리가 나온다. 마치 이상한 확성기를 통해 바뀐 목소리가 내 입을 거쳐나오는 녹음인 것처럼, 나는 내 목구멍에서 퍼지는 떨림을 느낀다. 내가 낯설다. 하지만 지금 이 문장에서 '나'는 무엇을 의미하는가? "서발턴은 말할 수 있는가?" 가야트리 C. 스피박이 식민지 국민의 복잡한 발화상황에 대해 사유하기 위하여 던진 이 질문은, 앞으로는 다른 의미를 갖게 된다. 만약 서발턴 역시 우리 자신의 주체화 과정에 언제나 이미 속해 있는 가능성이라면? 우리의 트랜스 서발턴이 말하게 하려면 어떻게 해야 할까? 어떤 목소리로? 주체의 주권의 존재론적-신학적 방증인 자신의 목소리를 잃는 것이 서발턴이 말하게 하는 첫번째 조건이라면?

다른 사람들 역시 테스토스테론이 만들어내고 있는 이 목소리를 식별하지 못하는 것 같다. 전화는 충실한 밀사 노릇을 그만두고 배신자가 되었다. 엄마에게 전화를 걸면 그녀는 "누구세요? 전화하신 분은 누구신가요?"라고 대답한다. 이처럼 이제 알아듣지 못한다는 사실이 늘 존재했던 거리를 또렷이 확인시켜준다. 나는 그들에게 말했는데 그들은 나를 알아보지 못했다. 검증해야 할 필요성은 혈통도 시험한다. 나는 정말로 그녀의 자식인가? 언젠가 내가 정말 그녀의 자식이었던 적이 있었던가? 나는 말을 하지 못할까 두려워서 전화를 끊는 일도 있다. 또 어떤 때는 "나야"라고 말하고는, 승인 대신 의심이나 불안이 끼어들지 않게 하려는 듯 곧바로 "나 잘 지내"라고 덧붙인다.

그때까지 내 것이 아니었던 어떤 목소리가 내 몸에서 피난처를 찾고, 나는 그 목소리에 몸을 내준다. 나는 계속 여행중이다. 이스탄불에서 1주일, 키예프에서 1주일, 바르셀로나, 아테네, 베를린, 카셀, 헬싱키, 프랑크푸르트, 슈투트가르트……에서 1주일. 여행은 변화의 과정을 나타낸다. 마치 외적인 표류가 내면의 노마디즘을 이야기하려고 애쓰고 있는 것처럼. 내가 같은 침대에서…… 아니 같은 신체로 두 번 잠을 깨는 경우는 드물다. 동일성과 차이 사이, 국경과 경계 없음 사이, 남아 있을 수 있는 사람과 떠나야만 하는 사람 사이, 죽음과 욕망 사이에서, 영원과 변화가 벌이고 있는 전투의 시끄러운 소음이 사방에서 들려온다.

명백한 남자 목소리가 나의 신체를 다시 코드화하여, 신체를 해부학적 검증으로부터 면제시켜준다. 성과 젠더 이분법의 인식적 폭력은 이 새로운 목소리의 철저한 이질성을 남성성으로 귀결시킨다. 목소리는 진실의 정부情婦다. 그때 'testimónium(증언)'과 'testículus(고환)'의 라틴어 공통 어근 'testis(고환)'가 머리에 떠오른다. 로마법에서는 고환을 가진 자만이 법 앞에서 말을 할 수 있다. 경구용 피임약이 이성애와 재생산 사이의 기술적 분리를 유도하는 것과 같은 방식으로, 내가 스스로 근육에 주사하는 테스토스테론인 시클로펜틸프로피오네이트는 호르몬 생산과 고환 사이의 분리를 유도한다. 다르게 말해보면 '나의' 고환—이를테면 테스토스테론 생산기관—은 무기물이고 외적이고 집단적이며, 일부는 제약산업에 일부는 나를 분자에 접근하게 해주는 법률이 정한 보건제도에 종속되어 있다. '나의' 고환은 내 배낭 속에서 굴러다니는 테스토스테론 250밀리그램 용량의 작은 병이다. 문제는 '나의' 고환이 내 신체 외부에 있다는 것이 아니다. 그보다는 '나의' 신체가 '나의' 피부 저쪽에, 단순히 나의 것이라 생각될 수 없는 어떤 장소에 있다는 것이다. 신체는 소유물이 아니라 관계다. 정체성(성, 젠더, 국민, 또는 인종)은 본질이 아니라 관계다.

나의 고환은 우리가 집단적으로 발명해낸, 사회적 남성성의 다양한 의도적 형태를 생산할 수 있게 하는 정치적 기관器官이다. 그 일련의 구현 양식을 우리는 문화적 관례에 따라 남성적인 것으로 인정한다. 나의 혈액과 뒤섞이면서 인공합성 테스토스테론은 이전의 뇌하수체와 시상하부를 자극하여 난소가 더이상 난자를 만들지 못하게 한다. 그렇지만 내 몸에는 세르톨리 세포도 정자관도 없기 때문에 정자가 생산되지도 않는다. 나는 3D프린터가 나의 DNA로부터 그것들을 착상해낼 날이 그리 멀지 않다고 생각한다. 하지만 당장은 우리의 언어-석유-자본의 에피스테메 내에서, 나의 트랜스 정체성은 훨씬 더 저차원적 기술의 브리콜라주로 제조되어야 한다. 만약 우리가 석유를 추출하고 변형시키는 데 할애한 만큼의 에너지를 나무와의 소통방법을 연구하는 데 쏟았더라면, 아마도 광합성으로 도시를 밝히거나 우리의 혈관 속에서 식물의 수액이 흐르는 것을 느낄 수 있을지도 모르지만, 서구 문명은 협동과 변화가 아니라 자본과 지배, 분류학과 동일시에서 전문화되었다. 다른 에피스테메에서라면 나의 새 목소리는 고래의 소리 또는 썰매의 소리일 수 있겠지만, 여기서는 그저 남성의 목소리일 뿐이다.

  매일 아침 내가 발설하는 첫 단어의 음색은 수수께끼다. 내 몸을 통해서 말을 하는 목소리는 자기 자신을 기억하지 못한다. 변하고 있는 얼굴 역시 목소리가 자기를 동일시할 영역을 찾을 수 있는 안정적인 장소가 되어줄 수 없다. 반대로 목소리는 주체성을 복수로 변화시킨다. 목소리는 "나는" 대신 "우리는 여행중이다"라고 말한다. 이것이 어쩌면 서구의 '나'한테서, 개인의 자율성에 대한 부조리한 이 주장에서 살아남은 것이리

라. 데리다라면 이렇게 말했을 것이다. 목소리가 만들어지고 해체되는 장소, 음성-로고스-남근-중심주의의 해체가 이루어지는 장소라고. 주체의 진실로서의 목소리를 빼앗긴 나, 고환이 언제나 사회적 인공장기라는 것을 알고 있는 나는, 자신이 데리다적인 연구의 코믹한 한 케이스로 느껴져서 스스로를 비웃는다. 웃으면서 나는 내 목소리가 목구멍 안에서 삐걱대고 있음을 느낀다.

아테네, 2015년 10월 24일

네 의자가 짜릿해

 근대의 지배적인 성적 상상력이 희고 건전하고 건강하고 마르고 적극적이고 자율적이고 재생산력을 가진 신체를 재현하는 동안, 장애를 가진 신체는 흔히 무성적이고 성욕을 일으키지 않는 신체로 재현된다. '장애 퀴어' 운동은 신체들의 차이를 병리화하기를 거부한다.

 여러분은 틀림없이 서구 시민의 성생활이 (그의 성적 지향과 상관없이) 담론적인 소재 90퍼센트(육체적 매체에 또는 정신의 단순 발현에 토대를 둔 이미지 또는 이야기), 그리고 (운이 좋다면) 사건 10퍼센트로 구성되어 있다는 내 말에 동의할 것이다(이번에는 이벤트의 질 문제는 제쳐두자). 게다가 페미니스트가 아닌 기 드보르Guy Debord가 증명했다시피, 스펙터클 사회에서 담론적인 소재는 기하급수적으로 늘어나서, 사건을 그 자체로 점점 더 일시적이고 덧없는 것으로 만든다. '성 해방'을 위한 투쟁에는 이중의 작업이 내포되어 있다. 즉 실천적 해방뿐만 아니라 담론의 해방. 성혁명은 언제나 욕망을 동원하는 상상, 이미지 그리고 이야기의 변형이다.

그래서 이전 세기의 성정치적 전투는 우리가 가진 성-담론적 무기(또는 이런 표현이 더 좋다면, 후기구조주의적인 은어로 '장치dispositif')의 재정의라는 주제 주위로 집중되었다. 언어의 변화, 재현과 포르노그래피에서 나타난 변화는 욕망하고 사랑하는 우리의 방식을 바꾸었다. 페미니즘과 동성애 운동이 근대의 지배적인 성적 상상력을 재검토하긴 했지만, 그것이 재현하는 희고 건전하고 건강하고 마르고 적극적이고 자율적이고 재생산력을 가진 신체는 다른 형태의 성적 억압을 일시적으로 가리는 데 기여했다.

예를 들어 성과 장애는 미디어 및 의학 이야기들에서 여전히 상반되는 개념이다. 장애를 가진 신체는 무성적이고 성적 욕구를 일으키지 않는 것으로 표현되었고, 그의 섹슈얼리티에 관한 모든 표현은 병리화되든지 억압되었다. 그러나 최근 몇 년 동안 소수자 해방정책의 중요한 자원과, 퀴어 및 포스트포르노 운동의 즐거움과 가시성을 생산하는 전략을 혼합한 '장애 퀴어' 운동이 등장했다. 안토니오 센테노와 라울 데라모레나가 연출한 다큐 영화 〈그래 우리는 섹스한다!Yes we fuck!〉[*]는 이런 새로운 적극적 운동의 소산이다. 이 영화는 얼마 전 2015년 베

---

[*] https://vimeo.com/yeswefuck (원주)

를린포르노영화제에서 다큐 부문 최우수상을 받았다. 이 영화는 2013년 바르셀로나에서 성사된, (유르코와 마조로 구성된) 포스트포르노 활동가 그룹인 PostOp(수술 후 관리)와 Vida Independiente(독립적인 삶) 운동가들의 만남과 공동 작업에 관한 이야기다. 기능적으로 다양한 사람들의 섹슈얼리티 풍경은, 보철기구를 이용해 성적 흥분을 느끼고 발기 없이 쾌락을 느끼며, 성의 위계와 무관하게 모든 피부가 에로틱한 표면으로 전환되는 신체들로 구성된다.

페미니즘 운동처럼 또는 성소수자 및 소수인종 운동처럼, 1960년대에 '독립적인 삶' 운동은 인식론적 단절, 신체의 정치화와 유사한 과정을 거쳐 전개되었다. 여기서 중심인물은 환자-연구자-활동가로, 이 인물은 의사와 사회학자, 생활환경조사원의 패권주의적인 지식을 이동시켜서, 장애인으로 진단받고 치료받은 공동 경험에서 출발하여 지식을 생산하고 집단화할 것을 요청한다. 1978년에 출간된 책 『침묵하는 몸 The Body Silent』에서 저자 로버트 머피는 자신을 마비시키고 있는 척추 속 종양과 함께 살아가는 경험을 정치화했다. 그는 "나의 종양은 나의 아마존이다"라고 썼다. 머피의 목표는 환자의 관점에서 질병을 기술하는 것도, 장애인으로 간주된 신체에 강요되는 침묵과 차별과 소외 과정에 저항할 수 있을 신체적 차이에 대한 비판적 지식을 구축하는 것도 아니었다. 같은 시기에 유럽과 미국의 여러 곳에서 장애인 판정을 받은 주체들의 탈의료화, 탈병리화, 탈제도화를 위해 투쟁하는 '독립적인 삶 센터'들이 문을 열었다.

'퀴어' 운동이 동성애와 트랜스섹슈얼리티를 정신질환으로 규정하기를 거부하는 것과 마찬가지로, '독립적인 삶' 운동도 신체적 또는 신경적 차이를 병리화하기를 거부한다. 퀴어 운동 또는 흑인 운동이 성, 젠더 또는 인종의 억압 관계를 생산하고 확립하는 사회적 문화적 과정을 분석하고 해체하는 바로 그 지점에서, 기능적 다양성을 위한 운동은 장애가 자연적인 조건이 아니라, '장애화-하기' 또는 '(정자의) 수정능력 제거 décapacitation'라는 사회적이고 정치적인 과정의 결과임을 보여준다. 소리 있는 세상이 소리 없는 세상보다 더 나을 것이 없다. 이리저리 움직일 수 있는 이족 보행의 삶도 그것을 가능하게 하는 구조물 없이는 더 나은 삶도 아니다.

이 운동들은 종의 생산과 재생산을 절대적 요청으로 삼던 산업적인 근대성 내부에서 전개되는 신체와 섹슈얼리티의 규범화 과정을 비판한다. 더 나은 장애분류학을 세우는 것이나, 장애를 가진 신체의 더 나은 기능적 동화를 요청하는 것이 문제가 아니다. 다른 신체들과 비교해 일부 신체를 더 취약한 것으로 규정하는 신체의 규범화 과정을 분석하고 비판하는 것이 중요하다. 우리에게 필요한 건 더 나은 장애 산업이 아니라, 장벽 없는 구조물과 거기에 권한을 부여하는 집단적 구조다.

가장 최근에 한 작업 "나는 자위한다 Yo Me Masturbo"에서, '독립적인 삶' 집단은 다양한 운동기능을 가진 사람들을 위해서, 자위를 할 수 있도록 또는 다른 신체와 성관계를 가질 수 있도록, 자기 신체에 대한 접근 가능성 조건으로서 성적 자원에 대한 권리를 요청하고 있다. 안토니오 센테노는 이렇게 선언했다. "그들은 우리 자신의 신체로부터 우리를 내쫓았다. 우리는 그것을 되찾아야 한다. 우리가 즐거움을 위해 이를 요청하는 것은 더 전복적이고 더 많은 변화를 이끌어낼 수 있어서다."

〈그래 우리는 섹스한다!〉와 "나는 자위한다"는 이제 정체성의 논리가 아니라, 들뢰즈-가타리의 용어로 아상블라주*의 논리라 부를 수 있을 것에 따라서 기능하는, 횡적인 신체정치적 이견들의 동맹 네트워크를 창출한 사례들이다. 규범을 거부하는 신체의 동맹.

바르셀로나, 2015년 11월 7일

---

* '아상블라주assemblage'는 프랑스어로 집합, 집적을 의미한다. 종이나 베의 조각 등을 화면에 붙이는 큐비즘의 콜라주에서 비롯되었지만, 콜라주가 평면적인 데 비하여 아상블라주는 3차원적이다. 들뢰즈는 이 용어를 '삶의 접속과 상호작용 과정'이라는 개념으로 사용한다.

베이루트 내 사랑

11월 12일 목요일에 나는 아테나를 떠나 베이루트로 향했다. 펠로폰네소스반도의 손가락들이 넓게 펼쳐져서 레바논의 해변을 건드릴 듯하다. 한 시간 좀 못 되게 비행하면서 나는 유럽의 경계와 가자지구가 가깝다는 것을 실감한다. 시리아가 저기, 안티레바논산맥 바로 뒤에 있다. 땅보다는 물이 지리적 단위라면, 지중해는 유럽, 아시아, 아프리카의 정치적 언어적 경계들을 해체시킬 수 있는 새로운 유동적 영토일 것이다. 알렉산드리아, 트리폴리, 오랑, 마르세유, 리예카, 레스보스, 팔레르모, 아테네, 베이루트…… 와 잇닿아 있는, 튀르키예인들이 흑해나 '홍해'와 대비해서 부르는 백해, 과거에는 먼 곳으로 묘사되던 곳이 이제는 가까워졌다.

나는 아시칼 알완*이 기획한 열흘 동안의 문화 실천 포럼

---

* Ashkal Alwan. 레바논 전쟁 이후 1994년 만들어진 레바논 조형예술협회로, 현재는 국제적인 전시 기획과 예술교육 위주의 활동 플랫폼이 되었다.

'Home Works 7' 개막식 참석차 베이루트로 가고 있다. 거기로 전 지역의 예술가와 운동가 그리고 비평가들이 모인다. 나는 2017년에 아테네와 카셀에서 개최될 다큐멘터리 전시회를 기획하기 위해 한창 조사에 몰두하고 있던 터라, 최근 상당수의 비엔날레를 방문하고 전 세계 예술가들과 교류할 기회가 꽤 많았다. 단언컨대 'Home Works'만큼 깊이 있는 창의성과 엄격한 기획력을 보여준 포럼은 없었을 것이다.

길 한복판에 작은 건물 두 채가 저항하듯이 버티고 서 있었는데, 그 길들은 전쟁 때문에 부동산 투기 대상으로 도로와 참호가 개발되지 못했던 것이다. 두 건물 중 한 곳의 지붕에서, 마르완 레치마우이Marwan Rechmaoui는 베이루트 여러 동네의 깃발을 바느질로 엮어서 거대한 캔버스를 만들었다. 이런 방식으로 그는 정치적 종교적 분열 이전에 그 동네들이 꽃과 동물 또는 식물의 이름을 가지고 있었던 사실을 환기시켰다. 어느 고속도로 뒤편에 쌓인, 가혹하면서도 무른 땅에서 썩어가고 있는 쓰레기 산을 관찰하려면, 그 지붕 위로 올라가야 한다. 이따금씩 역겨운 냄새에 숨을 쉴 수가 없다. 활동가들은 나에게 부패한 정부와 지역 마피아의 결탁을 규탄하는 캠페인 'Tu pues(네게서 악취가 나)'를 준비하고 있다고 말했다. 쓰레기에서 나는 (강렬하고 확산적이며 통제할 수 없고 물리적인) 냄새가 예술처럼 작용한다. 냄새는 만약 그것이 없다면 가려진 채 있었을 것을 지각할 수 있게 해준다.

전시회 주위에서 매일 300명 이상의 사람들이 세미나와 학회, 아틀리에, 퍼포먼스에서 서로 만난다. 라샤 살티Rasha Salti, 조아나 하지토마스Joana Hadjithomas, 칼릴 조레이지Khalil Joreige, 왈리드 라아드Walid Raad, 나타샤 사드르 하기기안Natascha Sadr Haghighian, 바삼 엘 바로니Bassam El Baroni, 로렌스 아부 함단Lawrence Abu Hamdan, 아메드 바르디Ahmed Badry, 왈리드 사데크Walid Sadek, 크리스틴 톰Christine Tohme, 마르완 함단Marwan Hamdam, 아크람 자타리Akram Zaatari, 아흐메드 고세인Ahmad Ghossein, 린 하심Leen Hashem, 하이탐 엘 와르다니Haytham el-Wardany, 아이만 날러Ayman Nahle, 아르주나 네우만Arjuna Neuman, 라비 므루에Rabih Mroué, 마날 카데르Manal Khader, 리나 마잘라니Lina Majdalanie, 마르와 아르사니오스Marwa Arsanios, 부크라 퀴즈구엔Bouchra Ouizguen, 날라 차할Nahla Chahal······ 중동의 예술부흥. 이 만남 중 최소 하나만 보더라도 어떤 전시가 됐건 뉴욕의 모든 전시회가 신인들의 무도회로 보일 것이다.

베르니사주*가 열리는 동안, 베이루트 남부 교외의 시아파 구역인 부르즈 엘바라즈네에 폭탄 두 개가 터졌다는 소식이 날아들었다. 이슬람 국가는 헤즈볼라와 동맹을 맺었다고 알려진 지구를 공격했다. 이곳은 락 콘서트 장이 아니라, 이슬람 사원

---

* 전시회 오픈 전날의 특별 초대전을 가리키는 프랑스어.

의 출구다. 적어도 40명의 사망자와 100여 명의 부상자가 발생했다고 한다. 참석한 예술가들은 적어도 2년 동안은 베이루트에서 이런 일이 일어나지 않았다고 했다. 모든 얼굴에서 공포가 아니라 비탄을 읽을 수 있었다. 하지만 개막식은 중단되지 않았다. 음악과 포옹은 계속 살아갈 수 있는 피난처를 만들어준다. 조아나 하지토마스는 폭탄 소식이 그들에게 신체적 충격을 안겨주었다고 내게 말한다. "도시에서 폭탄이 터졌지만, 네 몸속에서 터진 것과 마찬가지야. 폭파된 건 네 기억의 한 장소인 거야." 라샤 살티는 상황이 달라질 수 있을 것이라 믿었는데, 그뒤로 오늘날 남은 것은 슬픔, '우리의 피부가 되어버린 슬픔'을 빼면 모든 것을 잃었다는 확신뿐이라고 했다.

금요일에 그리스도교 지구의 한 식당에서 저녁식사를 하던 중, 파리에서 들려온 소식을 받았다. 우리 중 많은 사람은, 우리 아랍인과 유럽인은 파리에 가족이나 친구들이 있다. 우리는 그 거리들, 심지어 바타클랑극장*까지 잘 알고 있으며 그곳들을 사랑한다. 어떻게 파리에서 베이루트에 폭탄이 터졌다는 소식을 들을까? 어떻게 베이루트에서 파리에 발포된 총성이 울려퍼지는가? 지금 우리는 종교가 아니라 석유에 대해 말하고 있다.

그들은 이슬람 국가가 이슬람교와 아무 연관이 없으며, 그것

---

* 2015년 11월 13일 벌어진 IS테러사건으로, 이 극장에 있던 120여 명이 총격으로 죽었다.

은 서구의 영향을 받은 자본주의적인 글로벌 기구라고 말한다. 그들이 준거로 삼는 것은 아마도 코란이겠지만, 행동 모델은 할리우드적이며, 내 주변 사람들은 그들이 심지어 아랍어를 말할 줄도 읽을 줄도 모른다고 했다. 전투, 이것은 바로 전투다. 엑손 모빌, 셰브론, BP, 셸. 유전, 송유관이 통과하는 영토, 경로의 안전, 이것들을 통제하는 건 중요하다. 그것은 석유를 피로 전환시키는 정치다.

    아테네로 돌아왔다. 베이루트에서 맡은 냄새가 여전히 나를 쫓아와서 음식을 먹을 수가 없다. 현기증이 난다. 세상은 뒤집어져 있다. 필로파포스언덕에 있는 내 집에 도착했을 때, 나는 모니카 셰브치크가 나를 위해 남겨둔 미술 카탈로그를 발견했다. 그것은 베오그라드의 예술가인 이카 크네제비치의 카탈로그다. 제목은 세르비아크로아티아 속담이다. "희망은 가장 아름다운 매춘부Hope is the greatest whore." 나는 이 매춘부가 나와 함께 밤을 보내기를 열망하고 있다. 그녀를 쓰다듬고 그녀와 함께 잠들기를 원한다. 이 매춘부와 함께 잠자리에 들기를 원한다. 그녀 옆에 앉아서 그녀의 발을 씻겨주고 싶다. 이 매춘부가 우리에게 남은 전부이기 때문에, 그녀가 최선이기 때문에.

베이루트, 2015년 11월 21일

도시 사랑하기

사는 동안 나는 네 가지 유형의 사랑의 격정을 맛보았다. 인간이 빚어내는 사랑, 동물이 불러일으키는 사랑, 정신의 역사적 산물(책, 예술작품, 음악, 나아가 제도까지)이 일궈내는 사랑, 그리고 도시가 촉발시키는 사랑. 나는 몇몇 인간과 다섯 마리 동물, 백 편의 책과 작품, 하나의 미술관과 세 도시와 사랑에 빠졌다. 도시든, 인간이든, 동물이든, 심지어 정신의 장치든, 그 어느 경우든 행복과 사랑은 정비례하지 않는다. 반드시 사랑에 빠지지 않고도, (인간이든 동물이든) 누군가와 만족스러운 관계를 맺거나, 어떤 작품과 도구적 또는 교육적 관계를 맺는 것이 가능한 것과 마찬가지로, 어떤 도시에서 행복해지는 것도 가능하다. 도시와의 사랑의 가능성을 결정짓는 것은, 기원도 지나간 시간도 거주도 아니다. 사랑하는 도시는 유산과도, 혈통, 땅, 성공, 이익과도 일치하지 않는다. 예를 들어 내가 태어난 도시는 내 맘속에 다양한 감정을 일으키지만, 그중 어떤 것도 욕망의 형태로 구체화되진 않는다. 다른 한편, 내가 인생에서 가장 중요한 8년을 보낸 뉴욕은 내게 구성요소와도 같은 도시였지만, 결코 그 도시와 사랑에 빠진 적은 없다. 한순간 때로는 친구로 또 때로는 적으로 가까워지기는 했어도, 결코 열정적으로 사랑에 빠지지는 않았다.

  도시와의 사랑에서 첫 단계는 지도의 단계다. 사랑은 어떤 다른 지도를 봐도 네가 좋아하는 도시의 지도가 겹쳐 보인다고 느낄 때 생겨난다. 한 도시와 사랑에 빠진다는 것은 도시를 돌아다니면서 네 몸과 거리 사이의 물질적인 경계가 희미해짐을 느끼는 것이고, 그때 지도는 해부학이 된다. 두번째 단계는 글쓰기 단계다. 도시는 가능한 모든 기호 형태로 증식하여, 처음에는 산문으로 다음에는 시로 만들어지고 최종적으로 복음이 된다.

  나는 새로운 천년의 첫 겨울에 내가 파리와 어떻게 사랑에 빠지게 되었는지 기억하고 있다. 뉴욕에서 도착한 나는 사회과학고등연구원에서 열리는 자크 데리다의 세미나 참석차 이동하고 있었다. 그 무렵 나는 페미니즘과 퀴어이론 그리고 프랑스 후기구조주의 사이의 관계에 관한 연구를 진행하고 있었다. 나는 곧장, 뉴욕 문학계에 있는 친구 몇몇이 참가하고 있던 낭트의 '뉴욕 세기말' 페스티벌로 갔다. 루소, 푸코, 데리다를 읽으면서 프랑스어를 배웠고, 그 언어를 실제로 사용해본 적이 없던 내가 대화에 참여한다는 것은 라틴어로 대화를 해야만 하는 것만큼 복잡한 것으로 보였다. 아직 이해할 수 없는 언어의 첫 리셉션이 뇌에 일으킨 이 언어적 성운星雲에 갇혀, 나는 디자이너 브뤼노 리샤르Bruno Richard와 몇 마디 말을 주고받았다. 이것이 통사론적으로나 의미론적으로나 어떻게 가능한지 더는 모르겠지만, 우리 얘기는 결국 딜도와 성기 보철기구 얘기로 끝이 났다. 'oui(예)'와 'merci(감사)'가 주로 오간 합의 속에서, 나는 그 도시에서의 첫 일주일을 보내기 위해 파리에 있는 브뤼노 리샤르의 아파트 열쇠를 받아들게 되었다. 내가 이해한 바로는 그는 자기 집에 없을 터였다.

아파트에 들어선 순간, 나의 입장은 아르젠토D. Argento 감독 영화에서 끌어낸 한 장면이라 할 만했다. 문을 열었을 때 나는 사지가 절단된 피 묻은 신체로 가득찬 스튜디오를 발견했다. 공포에 떨며 긴 5분을 보내고서야 나는 그것이 마네킹이고 피는 붉은색 페인트라는 것을 이해했다. 브뤼노 리샤르가 우리가 낭트에서 이야기를 나누었던 보철기구의 존재론을 시험하면서 내게 농담을 했던 것이다. 당연히 나는 그 아파트에 계속 머무를 수 없었다. 하지만 이 최초의 장면이 내가 도시와 맺은 관계에 영원히 각인되었음이 틀림없다. 파리는 살아 있는 기관인 동시에 극장인 보철기구-도시다. 그 이후로 파리는 내가 결코 가져본 적 없는 가정의 보철기구가 되었다.

나는 브뤼노 리샤르의 극장-아파트를 떠나, 내가 알고 있던 유일한 사람 알렌카 주판치치Alenka Zupančič에게 전화를 했다.

그녀는 슬라보예 지젝과 믈라덴 돌라르 학파의 일원인 슬로베니아의 철학자로, 나는 그녀를 뉴욕의 뉴스쿨(사회과학대학원)에서 만났었다. 마침내 나는 그녀의 집으로 거처를 정했다. 그곳은 우리가 슬로베니아어와 세르비아크로아티아어로 말하고, 독일어로 니체를, 프랑스어로 라캉을, 러시아어로 플레하노프를 인용하며, 숙취를 달래기 위해 아침식사 때 보드카를 마실 수 있는 장소였다. 바로 그곳이 내가 파리와 사랑에 빠진 곳이다. 다국어 번역가와 유목민을 위해 만들어진 언어-파리였다.

몇 년 뒤에 나는 바르셀로나를 사랑했다. 이번에는 차츰차츰 불륜에 빠져드는 사람처럼 약간 그 사랑을 숨겼다. 문화적으로 황폐하고 관광객의 소비를 위해 상품-도시로 변해버린, 카탈루냐 내셔널리즘과 에스파냐 특유의 기질 사이, 무정부주의 역사와 프티부르주아적인 유산 사이, 역동적인 사회운동과 단일한 제도적 구조로서 지속되는 부패 사이의 긴장 때문에 분열된 바르셀로나, 그 도시에 첫눈에 반한 것은 아니었다. 파리는 나의 아내였지만, 바르셀로나는 차차 조금씩 나의 정부가 되었다.

인생은 나를 이 두 도시로부터 멀어지게 하고, 10여 개의 다른 도시들로 나를 이끌었다. 오늘 나는, 예측도 못했지만, 아테네를 사랑하고 있다. 베이루트 또는 더블린에서 아테네를 생각하면, 내 가슴에 새로운 박동이 기록된다. 집도, 아무 재산도, 개 한 마리도 없는 지금, 나는 가장 큰 특권이 내게 주어졌다는 사실을 깨닫는다. 신체를 가지고 있고, 어떤 도시와 또다시 사랑에 빠질 수 있다는 특권이.

아테네, 2015년 12월 5일

그리스의 부채는 누구의 몸을 덥혀주는가?

아테네에 추위가 닥쳤다. 추위는 항구의 버려진 조선소들 사이로 슬그머니 스며들어와서는 피레오스거리를 거슬러올라가, 오모니아광장을 안고 돌아 리카베투스와 필로파포스 언덕을 내려와 엑사르키아거리를 점령한다. 아테네에서 추위는 가난의 촉매처럼 작동한다. 포토샵 필터처럼 모든 것을 위장하는 태양이 없다면, 도시는 끝없이 중첩된 폐허들로 이루어진 거대한 낡은 양피지 같아 보인다. 그리스, 로마, 비잔틴, 오스만제국의 폐허들, 영국과 독일의 제국주의 파편들, 근대주의적인 폐허들, 산업혁명의 잔재들, 전기 시대의 찌꺼기, 글로벌 자본주의 디아스포라의 폐기물, 무정부주의자들이 몰두한 불의 바쿠스제祭 이후 버려진 전소된 자동차의 골조들…… 그후로 이 모든 지층 위에 유럽의 추락이 살포한 신자유주의의 새로운 폐허가 세워지고 있다. 의회와 국립도서관 건물 맞은편에 떠돌이 개들이 시민권이 정지된 영혼처럼 움직이지 않고 몸을 웅크린 채 누워 있다. 그리스의 부채는 누구의 몸을 덥혀주는가?

집안의 기온이 떨어진다는 것은 그 집 거주자들의 불안정함을 알리는 신호로 변한다. 대부분의 중앙난방식 건물에서는 돈을 절약하기 위해 난방기를 끈다. 전기 난방기를 켜는 것은 선택 사항이 아니다. 전기료 청구서를 통해 재산에서 세금을 공제하기로 한 정책 결정의 결과, 전기 사용료가 최근 몇 년 동안 30퍼센트나 인상되었는데, 이는 독일이나 프랑스에 비해 훨씬 더 비싸다. 아테네 가정의 응접실은 스텝으로 바뀌고, 복도는 외투를 입어야만 뭘 할 수 있는 얼어붙은 고갯마루가 되어버린다. 극지방의 풍경 속에 있을 법한 피난처 같은 가장 작은 방 하나만 집에서 난로 덕에 계속 따뜻하게 남아 있다. 침대는 더 이상 섹스 장소가 아니라, 둘 또는 그 이상의 사람이 이불을 덮은 채 이런저런 얘기를 나누는 정숙한 소파로 변한다. 그리스의 부채는 누구의 몸을 덥혀주는가?

마리나 포키디스*의 아파트는 난방이 되는 방과 집의 나머지 부분 사이의 온도 차이 때문에 바퀴벌레가 들끓었다. 우리는 해충방역회사에 전화를 걸었다. 판매직원은 단호하다. "그리스 집들을 공략하는 것은 '메르켈리타스', 즉 황금빛 바퀴벌레입니다. 내일부터 방역팀을 보내드릴게요. 비용은 살균제 포함 50유로입니다." 방역을 시행한 뒤 바닥에는 수십 마리의 죽

---

* Marina Fokidis. 아테네에 기반을 두고 베니스비엔날레 등 국제적으로 활동하는 큐레이터이자 작가.

은 메르켈리타스가 나뒹굴었다. 그리스의 부채는 누구의 몸을 덥혀주는가?

온도 쇼크는 공공건물에도 영향을 미친다. 얼어붙은 조용한 빈 방들, 작은 전기난로의 단조로운 바람으로 덥혀지고 있는 사무실들이 수선스럽고 숨이 막힌다. 한 사무실에서 누군가가 스포츠센터에서부터 도시의 외곽 엘리니코에 위치한 옛 공항을 향해 이동하고 있는 4만 명의 난민에 대해 거론한다. "이 추위에 그들이 공원에 머무를 수는 없습니다. 그래서 우리가 그들을 국경 내로 떠맡는다는 조건으로 독일이 부채 상환 조건을 개선할 것을 약속했습니다." 그리고 이렇게 덧붙인다. "그들은 먹을 것과 지붕을 제공받을 테고, 그 대가로 무상 노동을 제공해야 할 겁니다." 그리스의 부채는 누구의 몸을 덥혀주는가?

아테네의 미술관과 공공 기관들은 얼어붙었다. 그들이 받는 돈은 임금과 체납된 납입금을 지불하고, 진 빚을 해소하는 데 온전히 할애되기 때문에, 그들은 가까스로 새로운 내용의 프로그램을 짤 수 있었다. 뛰어난 문화기획 책임자는 공적 자금과 사적 자금, 추위와 더위에 대해 말하면서 성정치적으로 자명한 사실에 속해 보이는 것에 기반을 둔 가설을 구상하는 데 겁내지 않는다. "그리스에서 미술관을 경영하고 싶어하는 사람은 아무도 없다. 누군가 당신에게 여기서 미술관을 경영하라고 제안한다면, 그것은 마치 이미 두 번이나 강간당한 여성과 결혼하라고 제안하는 것이나 마찬가지일 것이다." 이것은 새로운 기술-금융-가부장적 정치다. 예산, 경영인, 강간범, 남편이 지배하는 정치. 그리스의 부채는 누구의 몸을 덥혀주는가?

그리스의 건축가 안드레아스 안젤리다키스Andreas Angelidakis가 창작한, 일어나 걸어가는 아테네의 근대주의적 건축물 영상이 떠오른다. 북유럽 신화에서 영감을 얻은 안젤리다키스는 1960년에 건축가 스파노스와 파파도풀로스가 건립한 차라(Chara, 환희) 건물이 거인 요정으로 변신하여 콘크리트 밑동을 잘라내고 땅에서 빠져나와 독성이 퍼진 도시로부터 멀어지는 상상을 했다. 안젤리다키스는 폐허들이 그것을 억압하는 정치적 경제적 맥락에서 벗어날 수 있기를, 그래서 생기를 되찾기를 꿈꾼다. 그래서 이번에는 내가 안젤리다키스와 함께 폐허들의 총체적 봉기를, 더이상 경영인도 예산도 아버지도 남편도 통솔자도 찾지 않고 신자유주의적인 도시를 탈피할 능욕당한-폐허-미술관의 부상浮上을 열망한다.

아테네, 2015년 12월 19일

알란을 위한 학교

바르셀로나에서 성탄절 다음날에 알란이 죽었다. 17세 트랜스 소년. 그는 에스파냐 정부가 발급하는 신분증에 개명 허가를 받은 최초의 트랜스 성소수자 중 한 명이었다. 하지만 증명서는 편견에 맞서 할 수 있는 것이 아무것도 없었다. 이름의 합법성은 그 이름 사용을 거부한 사람들의 힘에 맞서 할 수 있는 게 아무것도 없었다. 법이 규범에 맞서 할 수 있는 건 아무것도 없었다. 그가 다녔던 두 학교에서 3년 동안 그가 시달렸던 학교 폭력과 협박의 장면들은, 끝내 그가 가졌던 살 수 있다는 믿음을 없애버렸고 그를 자살로 이끌었다.

알란의 죽음을 극적인 사고라고 생각할 수도 있을 것이다. 그것은 사실이 아니다. 트랜스와 동성애자 청소년들의 절반 이상이 중학교에서 물리적 정신적 공격 대상이 되었다고 고백했다. 자살 중 가장 많은 수가 이 청소년들 사이에서 집계된다. 어떻게 고등학교가 알란을 지킬 능력이 없었을 수 있단 말인가? 대답은 간단하다. 학교는 젠더와 섹슈얼리티 폭력의 첫 배움터다. 고등학교는 알란을 지키지 못했을 뿐만 아니라, 사회적 암살이 가능한 여건을 조성했다.

학교는 아이들이 여린 신체와 백지 같은 미래를 유일한 무기로 소지한 채 보내지는 일종의 전투장이고, 과거와 희망의 결투가 벌어지는 활동 무대다. 학교는 어린 마초와 퀴어를, 예쁜 여자아이와 뚱뚱한 여자아이를, 영리한 아이아이와 뒤처지는 아이들을 만들어내는 공장이다. 학교는 내전이 벌어지는 첫 전선이다. 즉 우리 소년은 그들 소녀와 같지 않다고 말하는 것을 배우는 장소다. 승자와 패자가 결국 얼굴이 되어 하나의 표지판을 장식하는 곳이다. 학교는 피와 잉크가 뒤섞이는 링이자, 그것을 흘리게 하는 법을 아는 자에게 보상을 해주는 일종의 링이다. 말해지는 유일한 언어는 규범의 은밀하고도 소리 없는 폭력적인 언어다. 그중 알란처럼 아마도 뛰어났을 어떤 이들은 그곳에서 살아남지 못할 것이다. 그들은 이 전쟁에 참여할 수도 없을 것이다. 학교는 그저 지식의 내용을 학습하는 장소가 아니다. 그것은 주체화의 공장이다. 젠더와 섹슈얼리티의 규범화가 목표인 규율기관이다.

그곳에서 모든 학생은 최종적인 단 하나의 젠더를 표현해야만 한다. 태어날 때 그가 할당받은 젠더를. 그것은 해부학적 구조에 일치하는 젠더다. 고등학교는 남성의 주권과 여성의 복종이라는 코드를 관례적으로 극화하기를 부추기고 거기에 가치를 부여한다. 동시에 신체와 그의 동작을 감시하고 모든 형태의 불일치를 처벌하고 병리화한다. 알란의 동무들은 그에게 가슴이 없다는 것을 증명하려면 입고 있던 스웨터를 걷어올려보라고 요구했다. 그들은 알란을 모욕했고, 그를 더러운 레즈비언으로 취급했으며, 그를 알란이라고 부르기를 거부했다. 사고는 없었지만, 불일치에 처벌을 가하기 위한 계획과 합의가 있었다. 젠더에 관한 그들의 인식론에 문제를 제기하는 자들에게 달군 쇠로 낙인을 찍는 제도의 의무가 완수된 것이다.

지식의 권력 구조이자 위계적 재생산 구조로서 근대의 학교는 여전히 남성적 주권의 가부장적 정의가 지배하고 있다. 마침내 여성, 성소수자와 젠더소수자, 기능적으로 다양한 비백인 주체들이 학교에 다닐 수 있게 된 지는 불과 얼마 전이다. 여성의 경우를 생각해보면 100년, 인종 분리로 말하자면 50년 하고도 20년, 기능적 다양성의 경우를 생각한다면 겨우 10여 년이다. 국민의 남성다움을 제조하는 첫 임무에, 여성의 섹슈얼리티를 틀에 맞춰 형성시키고 인종적 계급적 종교적 기능적 또는 사회적 차이를 표식화하는 임무가 더 부과된다. 젠더 차이에 관한 인식론과 함께(중세에 그리스도의 신성에 관한 교리가 차지했던 위치를 오늘날 우리의 제도 속에서는 이 인식론이 차지하고 있다), 학교는 본질주의 인류학에 따라 운영된다. 그 바보는 그냥 바보고, 그 동성애자는 그냥 동성애자다. 학교는 이성애 공장들 중 가장 인정사정없고 꼭두각시 같은 곳이다. 겉보기에 무성애적인 고등학교는 이성애적 욕망에, 규범적인 이성애 코드의 신체적 언어적 연극화에 가치를 부여하고 또 그것을 조장한다. 학교기관에서 가르치는 과목들 명칭이 '남성중심주의의 원칙들' '강간 입문' '동성애 혐오와 트랜스 혐오의 실습장'이 될 수도 있을 것이다. 프랑스에서 추진된 최근의 한 연구에 따르면 학생들이 가장 모욕적이라 생각하고 가장 많이 사용하는 욕이, 남자아이들의 경우에는 'pédé(호모)', 여자아이들의 경우에는 'salope(잡년)'이라고 밝혀졌다.

살인자 학교에 종지부를 찍으려면, 모든 학교기관에서 젠더와 성에 대한 배척과 폭력을 예방하는 새 매뉴얼을 확립하는 게 필수적이다. 나는 종합학교(그리고 이 학교의 표어 "우리는 차이를 허용한다, 우리는 아픈 사람도 적응할 수 있도록 그를 허용한다")의 휴머니즘적 환상을 생각하고 있는 게 아니다. 반대로 학교의 위계를 해체하고 탈규범화하고, 이질성과 창의성을 도입해야 한다. 문제는 트랜스섹슈얼리티가 아니라 교육, 폭력, 정상성 사이의 구성적인 관계다. 아픈 사람은 알란이 아니었다. 그를 구하기 위해서는 불확실성, 이질성과 더불어 공부할 수 있는 '퀴어' 교육, 성과 젠더 주체성을 닫힌 정체성이 아니라 열린 과정으로 이해할 수 있는 '퀴어' 교육이 필요했을 것이다.

살인-학교 앞에, 달아날 중학교 조직망을, 자신의 학교에서 배척되고 괴롭힘당하는 상황에 처한 소수자들뿐만 아니라 규범보다 실험을 좋아하는 모든 아이를 받아들이는 트랜스-페미니스트-퀴어 학교들의 조직을 설립하는 것이 필요하다. 비록 언제나 불충분하지만 이 공간들은 그들이 제도의 폭력으로부터 보호받고 기력을 회복할 수 있는 섬이 되어줄 것이다. 예를 들어 뉴욕에는 하비밀크고등학교(샌프란시스코에서 1978년에 암살당한 게이 활동가를 기리기 위해 설립)가 2002년 이후 문을 열었다. 이 학교는 이전에 다닌 학교에서 배척과 괴롭힘을 당한 피해자 110명의 퀴어와 트랜스 학생을 수용한다.

나는 규범을 지키는 것보다 학생의 특이성에 더 주의를 기울이는 교육기관을 상상하고 싶다. 특이한 주체화 과정의 다양체에 도움을 줄 수 있는 미시-혁명적인 학교. 알란이 계속 살아남을 수 있었을 그런 학교를 상상하고 싶다.

카셀, 2016년 1월 23일

특별하다는 생각 잊어버리기

 나는 가끔 세상이 인간 배우의 수가 73억 조금 넘는 극단 같다는 상상을 한다. 우리 모두가 하나 예외 없이 소속되어 있는, 유일한 한 편의 작품을 연기하고 있을 극단.
 인터넷에서 최면에 걸린 듯 나는 World Population Clock, 세계인구시계가 돌아가는 것을 주시하고 있다. 7,381,108,786. 이 숫자를 쓰는 동안에도 세계인구시계에 기록되는 수치는 이미 바뀌었다. 이 시간은 또한 내 인생의 시간이다. 그 시간 속에 나 자신의 파티션이 쓰이고 지워진다. 1초마다 새로운 두 명의 배우가 무대에 등장한다. 그러는 동안 또다른 배우가 5초마다 무대를 떠난다. 오늘 272,000명의 새로운 배우들이 무대에 오를 것이다. 그리고 113,900명이 퇴장할 것이다.
 이 기묘한 연극작품에서, 무대는 다른 쪽에서 입장하는 배우들이 같은 극단의 일원으로 인정받지 못하도록 넘을 수 없는 경계선으로 분할이 되어 있다. 이주민 배우는 매 27초마다 세상 무대의 경계선을 하나 넘으려고 시도한다. 그렇게 애쓰다가 8명 중 1명은 목숨을 잃을 것이다.

나는 우리가 어떻게 이런 말도 안 되는 시나리오 연출에 맹목적으로 끼어들 결심을 할 수 있었는지 의아한 생각이 든다. 어떻게 무슨 이유로 우리는 각자가 맡은 역할에 복종하는 지경에 이르렀을까? 어떤 사람들은 우리에게 할당된 이 연출을 수락한 것을 신앙 또는 신의 계획에 대한 동의라 부르고, 또다른 사람들은 사회적 결정론 또는 인간의 본성을 내세우기도 하며, 신자유주의는 마치 기상정보를 다루듯이 자유 시장을 언급한다. 또한 자아의 심리학은 정체성을 수량화할 수 있는 대상으로 만들어, 배우 각자가 무대장치 속에서 자신의 역할을 진실하고 진정하고 대체 불가한 것이라고 주장하도록 만든다. 더 터무니없는 점이 있다. 배우가 자신의 무대 입장 조건을 정할 권한도 없고, 자신의 역할을 개작할 가능성에도 접근할 수 없다면, 어째서 그를 시민이라고 불러야 한단 말인가?

그런데 이 지정받은 역할의 안정성은 누구에게 이득이 되는 걸까? 역할은 어떻게 배분되는가? 왜 끊임없이 같은 대본이 반복되는가? 왜 역사를 구성하는 문단들 전체는 없는 걸까? 막幕을 추가할 수도 무대장치를 바꿀 수도 없다는 것이 어떻게 가능한가?

먼저 스피노자가, 이어서 니체가 문제를 알아챘다. 우리는 우리가 바로 이 시나리오를 쓴다는(그리고 반복한다는) 사실을 인정하기를 거부한다는 것을. 우리는 이 재난 많은 연출의 책임자가 되기보다는 복종을 선택한다.

1막 인식의 해방은, 이 파라오 시대적인 자연화된 작품 속에서, 누구라도 다른 사람의 역할을 대신할 수 있다는 것을 깨닫는 데 있다. 세계 시계의 수치가 어떻게 움직이고 있는지 보라, 그리고 특별하다는 생각을 잊어버려라. 신체는 아무개 신체다. 영혼은 아무개 영혼이다. 국적, 성, 젠더, 성적 지향, 인종, 종교, 민족…… 시나리오의 저 많은 아바타. 우간다 군주의 저항군에서 군인과 성노예 역할을 하는 배우가 밀라노 교외의 한 작은 빌라에서 중산층 이성애자 가정주부 역할을 할 수도 있을 것이다. 벌채하는 큰 칼 마체테를 다리미판과 바꾸고 파네토네 빵 굽는 법을 배울 것이다. 어느 날 이탈리아산 아스티 스푸만테 와인 한 잔에 파네토네 빵조각을 음미하다가 그가 예전에 맡았던 역할의 몇몇 이미지가 머리에 떠오를 수도 있을 것이다. 또 그녀는 수단 난민캠프에서의 대학살 장면을 기억할지도 모른다. 난민캠프를 탈출하여 굴루시市를 향해 걷고 있는 아이-배우 집단과 밤길의 이미지들을 되찾아낼 수도 있을 것이다. 그녀는 못미더워하면서도 자신이 저지른 강간을 기억할지도 모른다. 그녀는 그를, 강간당했을 때 명백히 남성의 성을 가졌던 그를 떠올릴 수도 있을 것이다.

오늘 밀라노 여성이라는 자신의 역할에 완전히 적응한 그녀는 약을 넣어둔 붙박이장에서 이부프로펜과 근육 이완제를 찾아들고, 이어서 기억들이 꿈을 꾼 것처럼 희미해지기를 기다리면서 응접실 소파에 몸을 눕힐 것이다. 몬타나에 있는 감옥 깊은 곳 사형수 감방에서 죽음을 기다리는 역할을 완벽하게 한 또다른 배우는 자기 역할을 버리고, 프랑스퀼튀르 방송에서 프랑스의 국민성에 관해 한창 토론중인 알랭 핑켈크로트*의 격렬한 입장에 처해 있을 수도 있을 것이다. 멜리야의 국경에서 통제를 벗어나려고 애쓰는 또다른 배우가 주머니에 유럽 여권을 지닌 채 어느 토요일, 공항에서 일간지를 읽고 있는 독자가 될 수도 있다.

비밀은 없다. 당신이 역할을 바꾸기를 거절한다면 그 때문에 다른 누군가가 자기 역할을 바꾸지 못하게 된다. 1초마다 새로운 배우가 무대에 등장하고 있긴 하나, 그러나 그동안 시나리오를 바꾸는 것, 우리에게 지정된 역할을 원하지 않는 것, 대본을 바꾸고 1막을 뛰어넘는 일은 가능하다. 혁명은 태양 아래 행군에서 시작되지 않는다. 한 번의 단절, 한 번의 멈춤, 어떤 미세한 이동, 즉흥극과 겉모습 역할로부터 벗어나는 한 번의 일탈로 시작된다.

인터넷 디지털시계의 페이지로 끌려들어간 나는 Death-clock. org에서 다시 나를 발견한다. 자신이 태어난 날짜와 장소, 몸무게, 신장에 따라 죽는 날을 계산할 수 있게 해주는 장치다. 나

---

* 프랑스의 철학자, 작가, 프랑스 학술원 회원. 1985년부터 프랑스 퀼튀르 방송에서 '반박'이라는 프로그램을 제작하고 있다.

는 낙관적 비관적 중립적 또는 자살 우려, 이 항목들 중에서 내 기질을 고른다. 이 연극에도 불구하고, 나는 의심할 여지 없이 낙관주의자다. 그리고 나는 이 시나리오에서 피할 수 없는 요청에 맞닥뜨린다. 남성인가요 아니면 여성인가요? 나는 둘 다 시도해본다.

여자로서 내 죽음의 시계는 나의 무대 퇴장 날짜로 2063년 7월 22일 일요일을 지정하고 내가 92년 8개월 13일을 살 것이라고 알려준다. 남자로서는 86년 2개월 11일을. 사망 예측 날짜, 2057년 1월 20일. 나는 이 연극작품 속에서 트랜스 배우를 위한 역할은 없다고 생각한다. 하지만 시나리오 다시 쓰기는 이미 시작되었다.

베를린, 2016년 2월 6일

어원

아테네에서 생활하며 현대 그리스어를 배우기 시작하면서 나는 어원에 더 민감해졌다. 아니 좀더 니체식으로 말해보면, 언어의 역사성에, 또 소리 하나, 철자 하나가 일련의 동작을 품고 있는 방식, 일련의 사회적 의례를 포함하는 방식에 더 민감해졌다. 각각의 글자는 공중에 선을 그리는 손의 움직임이고, 모래에 그려진 어떤 표식, 어떤 터치다. 단어는 사물의 '재현'이 아니다. 그것은 역사의 한 조각이다. 그 사용과 인용들의 끝없는 사슬. 단어는 무엇보다 행위였다. 확인과 놀라움의 결과, 또는 투쟁의 결과이자 승리의 인장이었으며, 이것은 훨씬 나중에야 기호로 전환되었다. 어렸을 때 말을 배우는 경험은 언어의 자연화 과정을 유발하여, 이 때문에 우리는 역사의 소리가 우리 자신의 혀를 통해 울릴 때도 그 소리를 듣지 못하게 된다. 우리는 키릴 알파벳이 어떻게 일련의 임의적인 표식들을 구성하는지 더이상 지각조차 할 수 없다. 역설적이게도, 화용론 용어로 말해보자면, 한 언어의 화자가 된다는 것은 그 언어가 오늘날 그리고 지금 울리는 대로 그것을 진술하고 들을 수 있게 하려고 차츰차츰 그 언어 속에서 진동하는 역사에 귀기울이지 않는다는 것을 의미한다. 이렇듯 단어를 사용하는 것은 그 의미를 만들어낸 사회적 반복과 정치적 지배 과정은 무시된다는 조건하에 거기에 내포된 역사성을 반복하는 일이다.

어린 시절, 예술, 정치적 행동주의, 샤머니즘, 광기⋯⋯는 언어에 대한 지각과 개입의 강도를 나타내는 양상들로 생각될 수 있다. 만약 우리가 알파벳을 일련의 절단으로 지각한다면, 우리는 글을 읽을 수 없을 것이다. 만약 우리가 끊임없이 각 단어에서 언어의 역사를 듣는다면, 우리는 말을 할 수 없을 것이다. 즉 그 정동精動은, 아르토A. Artaud의 작품에서처럼, 수백만 화자들의 사슬을 가로지르고 신체를 관통하여 입으로 튀어나온 광선과 비슷할 것이다. 다른 한편으로 주관적이든 사회적이든 모든 혁명은 목소리의 추방을, 동작의 멈춤을, 발화의 단절을, 막혔던 어원적 계열과의 재접속을, 또는 차이(차연différance)와 '공간 내기espacement'를 살아 있는 언어 속에 도입할 수 있도록 언어 내의 단호한 절단을, 또는 데리다가 말한 것처럼 '즉흥적인 무정부 상태'를 요청한다.

아테네에서 보낸 최근 몇 달 동안, 그리스어 앞에서 나는 젠더를 마주하고 있을 때와 동일한 곳에, 즉 그 앞 층계에 있다. 나의 운동능력은 여전히 제한적인데, 극대화된 역사의식이 관통하는 그런 장소. 나는 모든 것을 놀라워하며 바라본다. 나의 옛 언어와 새로운 언어. 처음으로 나는 언어의 역사를 듣는다, 알파벳 도안의 기묘함을 느낀다. 나는 어원들이 범퍼카처럼 서로 싸우는 소리를 듣는다. 내게 지정되었던 여성 젠더와, 내 안에서 미세하게 나타나고 있지만 어떤 경우에도 남성으로 귀결될 수 없는 새로운 젠더 사이에, 통과를 위한 공간이 열린다. 이전의 신체와 매일매일 만들어지고 있는 신체. 그리고 이 모두를 관통하는, 목소리의 새로움.

나는 엑사르키아광장에서 햇살을 받으며 커피를 마신다. 이삿짐 화물차들이 지나가는 게 보인다. 처음으로 그리스 알파벳으로 쓰인 광고문구 '은유métaphores'의 의미가 내 눈으로 들어온다. 수송transport. 은유는 한 장소에서 다른 장소로 의미를 수송하는 것이다. 오늘 저 화물차가 통과중인 어느 인생의 물질적 잔해를 새로운 운명을 향해 수송하듯이. 이번주 내내 나는 인정받지 못하리라는 두려움, 또 한 번 버려질지도 모른다는 공포심과 싸우고 있다. 젠더 이행의 과정에서, 변화를 열망하는 것이 변화가 일어났을 때 그 변화를 감당할 준비가 되어 있다는 것을 전제하지는 않는다. 변화는 결코 우리가 원하던 변화가 아니다. 비웃으며 악마가 말한다. 변화changement는 C-H-A-N-G-E-M-E-N-T라고. 모든 것은 은유다. 나는 최근 마지막으로 받은 혈액검사에 대해, 담당 여의사로부터 테스토스테론을 몇 달 동안 투약한 뒤 예상한 대로 내 헤마토크리트 수치가 올라갔다는 설명을 들었다. "요컨대 예전보다 혈액 양이 0.5리터 늘었어요." 그후로 나는 혈관 속에 흐르고 있는 0.5리터의 피를 생각하고, 그 피가 위협적인 강력한 음악처럼 나의 상반신에 포격을 가하는 것을 느낀다. 사회적 관례와 의학적 조절이 '남성성 지향'이라고 명명하는 이 전환, 나는 직감적으로 그것이 사실 동물이 되는 과정, 말이 되는 과정에 더욱더 가깝다는 것을 느낀다. 나는 이 0.5리터 더 많은 혈액으로 앞으로 무엇을 할 수 있을까?

아테네, 2016년 2월 20일

미지의 유모에게 경의를

　이치아르는 그녀가 아기였을 때 자신을 돌봐주었던, 한 번도 본 적 없는 여자 에스테르를 만나러 마드리드에 간다. 그녀는 신경이 곤두서 있다. 모든 것을 촬영하고 모든 것을 녹음해두기를 원한다. 마치 작은 삽으로 마지막 한 톨까지 해변의 모래를 쓸어모으겠다고 작정한 어린아이 같다. 그녀와 동행하기 위해 나는 아테네서부터 여행을 하고 있다. 나는 그녀가 자기 주머니 속에 들이지 못한 모래를 담아둘 수 있는 양동이가 되어줄 것이다.

　그녀는 수년 전부터 에스테르를 찾았지만 찾지 못하고 있었다. 자신의 유모였을 때의 그 이름으로만 그녀를 알고 있었고, 당시 에스테르는 불과 스무 살이었다. 처음에 그녀는 당시 자기가 살던 갈리시아 지방의 마을에서 에스테르를 수소문했다. 하지만 사람은 흘러가고 변하는, 그래서 아무도 같은 물에 두 번 몸을 담글 수 없는 그런 강과도 같다. 거의 50년이 흘러 스무 살의 어린 소녀는 중년 여성이 되었고, 이름과 집과 도시를 바꾸었다. 결혼을 했고, 이혼도 했고, 무르시아 지방의 사막 한 가운데에 뜨거운 벽돌로 건립한 분양받은 조립식 집으로 이사도 했다. 에스테르는 훗날 그 집은 죽은 것 같았다고, 주변 수 킬로미터에 아무것도 없었다고, 하지만 새 한 마리가 매일 아침 창문으로 그녀를 보러 와줘서 그녀는 그곳에서 행복했었다고 내게 말했다.

그녀들은 아메리카 거리의 한 호텔에서 만날 약속을 주고받았다. 마치 출생을 축하하는 듯이 둘 다 흰색 옷을 입고 있었다. 두 사람이 서로 다시 만났을 때, 그들의 포옹에 호텔 지면이 일렁이고 그녀 둘을 제외한 모든 건 포옹한 두 사람 밖으로 물러나 있는 것 같았다. "우리 아기, 너는 나의 아기고 인형이야. 내가 너를 씻기고 옷을 입히고 먹을 걸 주고 재우곤 했지. 너를 낳지만 않았지 모든 걸 다 했어." 에스테르는 배에서 다리까지 몸짓을 해가며 말했다. 에스테르의 생물학적인 아이들과 나는 좀 떨어져 이 만남을 지켜보면서 그 자기장 밖에 남아 있었다. 이 포옹에는 시위의 힘이 있다. 그것은 사회적으로도 법적으로도 인정받지 못하는 관계가 있다는 사실을 선언하고 있었다. 이 포옹은 미지의 유모를 추억하는, 살아 있는 기념이다.

19세기 이후 가족 내 생물학적인 어머니라는 사회적 형상이 만들어지고 그 어머니와의 관계를 합법적으로 설정된 유일한 관계로 규정함으로써, 우리는 어쩔 수 없이 다른 관계들의 중요성을 지울 수밖에 없었다. 어머니와의 관계를 자연화하고 신성시하면서 어머니를 가정과 결부시켰다. 하지만 근대적인 어머니의 형상은 가면에 불과한 것으로, 그 뒤에 있던 다른 어머니들은 자신을 숨겼고 사람들은 그녀들의 관계를 인정하지 않았다. 가정을 내팽개쳤다는 죄책감에 끊임없이 고통받는 생물학적 어머니는, 자신이 없을 때 대체 인물을 집에 들여 밤낮없이 아이들을 돌봐야 하는 의무와, 감정적으로나 정치적으로나 이 대체 인력의 존재를 지워내야 하는 의무를 동시에 지게 된다.

아르헨티나의 인류학자 리타 라우라 세가토Rita Laura Segato는 『흑인 오이디푸스, 유모와 어머니』에서 딸과 어머니 사이에, 그뿐만 아니라 유모와 그녀가 돌보는 아기 사이에 확립된 정치적이고 심리적인 관계를, 그리고 어머니와 함께 자란 아이와 유모가 유지했던 관계를 연구했다. 미국에서는 식민지 시대에, 오늘날의 신식민지 사회에서처럼, 유모와의 관계에서 어머니와 유모를 갈라놓은 계급과 인종 탄압이 동반되었다. 그럴 때 아기는 애정과 폭력이 혼재된, 계급투쟁과 인종투쟁 그리고 돌봄 사이에, 반대 감정이 양립하는 그 공간에 있게 된다. 비록 소극적인 애정 관계로 표현되기는 하지만, 생물학적 어머니는 유일한 어머니가 되기 위해, 유모를 길들이고 복종시키기 위해, 또한 유모와 아기의 관계를 단절시키기 위해, 계급적 인종적 폭력을 행사해야만 했다.

프랑코가 죽기 몇 해 전, 카탈루냐의 한 프티부르주아지 좌파 지식인 가족이 갈리시아 지방에 정착하고 아이들을 돌봐줄 젊은 여성을 구하고 있었다. 생물학적 어머니는 농촌지역의 선거 행위에 관한 정치학 박사 논문을 쓰고 있었다. 이후 그녀는 에스파냐의 공립대학에서 첫 여성 학장이 된다. 유모는 대학 교육을 받지 못했고 자기 마을을 벗어난 적도 없었다. 가족이 바르셀로나로 돌아왔을 때, 당시 단순 노동력으로, 감정적-정치적 관계를 확립해서는 안 되는 돌봄을 베푸는 도구로 여겨졌던 유모는, 뒤로 물러난 채 영원히 잊혀야만 했을 것이다. 하지만 이번에는 생물학적 어머니가 에스테르의 존재를 불러냈고, 그녀의 딸 이치아르에게 그녀를 찾아보라고 부추겼다. 그녀를 되찾는 데만 40년 이상이 걸렸다.

우리에게 어머니가 한 분만 있다고 말하는 것은 거짓말이다. 사회적 신체는 많은 사람의 품속으로 받아들여진다. 그렇지 않았다면 우리는 살아남을 수 없었을 것이다. 모든 부르주아 아이에게는 눈에 보이지 않는 또다른 어머니가 있다. 카탈루냐의 부르주아에 속하는 아이라면 갈리시아의, 안달루시아의, 필리핀 또는 세네갈 출신의 숨은 또다른 어머니가 누구에게나 있다. 미국에서 인종차별 시기에 자란 백인 아이에게 어둠에 가려진 흑인 엄마가 있는 것과 마찬가지다. 인종적 또는 국민적 정체성에서 영속성이라는 허구는 사생아 그리고 혼혈아 혈통을 없앴다는 조건 아래서만 구성될 수 있다.

우리의 어머니들을 식민지에서 해방시키고, 우리를 키우고 현재 살아 있게 해준 이질적인 많은 관계를 존중해야 할 시간이 왔다. 에스테르와 이치아르는 지금부터 벌써 탈식민화 작업에 돌입했다.

마드리드, 2016년 3월 5일

침대 끝으로의 여행*

 최근 몇 달 동안 나는 잠에서 깰 때마다 『변신』의 주인공 그레고르 잠자로 변해 있었다. 이런 자각 탓에 내면과 외면 사이의 관계들이 지닌 영속성에 대해 많은 의심이 생겨나고 있다. 어디지? 어떤 몸이지? 신체를 피부에 싸인 공간으로 환원할 수 없는 것과 마찬가지로, '어디'라는 질문이 오로지 외적 콘텍스트에 관한 게 아니라는 확신을 항상 수반하는 이상, 이 두 질문은 정확히 카프카적인 질문이 된다. 침대는, 건축가이자 사진작가인 카를로 몰리노Carlo Molino가 자신의 은밀한 토리노 연구를 위해, 지옥을 가로질러 영혼을 인도하는 작은 배 모양으로 만들었던 것을 본뜬 형태다. 침대가 형이상학적인 플랫폼으로 변신하고, 각성 상태에서 꿈으로 가는 이행이 여행 과정을 촉발하여, 잠자는 사람은 잠재적으로 변신한 채 그 과정에서

---

* 1932년 발표한 루이페르디낭 셀린 『밤 끝으로의 여행』 제목의 패러디.

다시 빠져나오게 된다.

  수첩을 보니 최근 6개월 동안 내가 같은 침대에서 연이어 열흘 이상 자지 않았다는 계산이 나온다. 자그마치 최대 33개의 변신 플랫폼을 방문했다. 도시 침대, 시골 침대, 다리나 머리를 들어올려주는 모터 달린 플라스틱 덮개가 있고 매트리스가 깔린 병원 침대, 완전무결하게 정돈된 호텔 침대, 부드러운 베개에 꽃무늬 시트가 씌인 에어비앤비 침대가 있었다. 비좁은 비행기 좌석들, 침대로 여겨졌던 역 대합실의 딱딱한 의자들, 접이식 침대와 소파 겸용 침대, 모기장 달린 침대와 이중 솜이불 침대, 대륙 침대와 섬나라 침대, 북부와 남부 침대, 너무 높은 침대와 지면에 놓인 매트리스, 동부와 서부의 침대, 신자유주의 침대와 포스트공산주의 침대, 병상과 최고가 침대. 그 이후로는 일정하게 안마 침대.

  더블린의 남서쪽 구역에 있는 침대 옆에서, 나는 땅을 침대로 전환시킨 위대한 전문가 간디의 전기를 발견했다. 간디는 자신의 소박한 삶을 인류를 변화시키기 위한 실험장으로 사용하겠다고 말했다. 그는 음식과 교육, 독서와 글쓰기, 꿈과 깨어있음, 걷기와 춤, 나체와 옷 입기, 침묵과 대화, 어둠과 빛, 공포와 용기를 가지고 실험했다. 나는 나의 트랜스 과정과 여행을 모두 주체성에 관한 실험으로 생각한다. 내게 일어나고 있는 일에서 어떤 것도 예외적인 건 없다. 나는 글로벌 변신의 일부다. 모든 것을 재발견해야 할 시기가 왔다. 우리는 전 지구적인 층위에서 그레고르 잠자 문명이다. 자발적이든 강제적이든 이동과 변신이 종의 보편적 조건으로 바뀌었다.

아테네의 중심에 있는 빅토리아광장에서 나는 100여 명의 난민들이 풀 한 포기 없는 정원에서 두꺼운 판지와 덮을 것으로 즉석 침대를 만드는 방법을 지켜보았다. 우리는 나날이 몰려오는 더 많은 사람과 화물로 거대 도시이주 계획을 준비하는 새로운 형태의 시신정치 노마디즘을 야기하고 있다. 6000만 명 이상의 사람들이 아제르바이잔, 캐시미르, 코트디부아르, 시리아, 아프가니스탄, 팔레스타인 등지에서 오고 있다. 그들은 배고픔이나 전쟁을 피하기 위해 그들의 침대를 버려야만 했다. 지구 전체에 충격을 주고 있는 자본주의 전쟁의 결과들 중 하나다.

익명의 호텔방에서, 나는 마드리드의 레이나소피아미술관에서 열리고 있는 네덜란드 건축가이자 미술가 콘스탄트Constant의 전시회에서 며칠 전 관람했던 이미지들을 꿈에서 다시 보았다. 유럽에서 집시 공동체가 살아가는 방식에서 영감받은 콘스탄트는 1956년부터 1974년 사이에 '뉴 바빌론' 기획을 구상한 바 있다. 콘스탄트에게서 뉴 바빌론 건축은 전후 사회의 노마드적 변화에 부응해야 했고, 물리적 이동을 통해 주관적이고 정치적인 변화 가능성을 강화시키도록 할 생각이었다. 이것이 콘스탄트가 뉴 바빌론에는 전통적인 의미의 '공공건물'은 없고, 다수의 삶의 형식을 지탱해주는, 이동의 자유와 상호연결을 가능하게 해주면서도 동시에 변신 가능한 광대한 방벽 아래 그들을 덮어 보호해주는, 단 하나의 거대한 지붕이 있다고 선언했던 이유다. 콘스탄트는 전쟁 이후 새로운 삶의 형태를 고안해야 하는 외상 후 문명을 위해 만들어진 그레고르 잠자 건축물을 상상했던 것이다.

1958년에 콘스탄트는 이미 사회를 변화시키는 힘으로서 노동의 자동화와 게임의 일반화를 믿었다. 1970년대에 콘스탄트는 페미니스트 운동의 종말, 성혁명과 노동 혁명의 종말과 함께 그리고 공산주의 유토피아의 소멸과 함께 자신의 기획을 실현하겠다는 모든 희망을 내려놓는다. 그리고 "도시건축가의 관심이 깨어나는 것을 보게 될 더 유리한 시대에 대한 희망을 품고" 어느 미술관에 그의 기획이 잠들도록 내버려두었다. 신자유주의의 절정, 채굴 기술과 생태 파괴적 생산의 확대, 일반화된 전쟁…… 이것들이 그 뒤를 따를 것이다.

콘스탄트가 미술관에서 나와 또다른 바빌론을 발명할 순간이 도래했다. 나는 변신하는 지붕 아래 또다른 사회를 창조하는 빅토리아광장의 난민들을 상상해본다. 열기와 목소리가 퍼져나가고 수천 개의 대화가 메아리치며 울리는 것을 상상하고, 이 또다른 바빌론의 침대에서 잠들 수 있기를 진심으로 바라고 있다. 그리고 생각해본다, 거기서 침대는 무엇과 비슷해질까?

이드라섬, 2016년 3월 19일

잠들지 못하는 밤

당신은 레퓌블리크광장에서 선 채로 밤을 지새우고, 나는 아테네에서 잠들지 않은 채 당신과 함께 밤을 보내고 있다. 이곳은 한 시간 일찍 해가 져서, 붉은 하늘이 파르테논신전 뒤로, 뒤이어 파리에 깔리게 될 배경화면처럼 휘어져 있다. 혁명(당신의 혁명, 우리의 혁명)은 언제나 밤 한가운데 깨어 있기를 요구한다. 즉 의식이 꺼져야 할 바로 그때 의식을 활성화시켜야 하는 것이다. 혁명(당신의 혁명, 우리의 혁명)은 언제나 트랜스되기다. 문제는, 기존의 사물의 상태를 동원하여 오직 욕망만이 알고 있는 다른 상태로 이끌어가는 것이다.

당신이 레퓌블리크광장에서 선 채로 밤을 지새우는 동안, 한 무리의 난민이 사일런트대학으로 올라가기 위해 아테네 엑사르키아의 한 집을 점령하고 거기로 모여들었다.

방에서 사람들은 거의 사람 수만큼이나 많은 언어로 말을 했다. 번역에 번역을 거쳐, 2012년 미술가 아흐메트 오구트Ahmet

Öğüt가 런던에 설립한 뒤 스톡홀름, 함부르크, 암만에도 설립한 이 대학의 기능이 설명되었다. "모두가 가르칠 권리가 있다"는 문장이 우르두어, 이란어, 아랍어, 프랑스어, 쿠르드어, 영어, 에스파냐어, 그리스어로 십여 차례 울려 퍼졌다. 이민자들 사이에서 자율적인 지식교환 플랫폼으로 여겨지는 이 대학은, 학술적 인증이나 제도가 인정하는 학위, 사용하는 언어, 거주지나 국적을 획득하는 과정과는 무관하게 무언가를 알고 있는 사람들과 그것을 배우고 싶어하는 사람들이 서로 만날 수 있게 해주는 곳이다. 누군가 이렇게 말했다. "망명 신청을 한 뒤로 나는 이제 아무것도 가진 게 없다. 내가 가진 유일한 것은 시간이며, 그 시간 동안 나는 배우고 가르치는 일을 할 수 있을 것이다."

망명한 미술가 히와 케이Hiwa K가 영국에서 파코 페냐Paco Peña의 수업을 들으며 클래식 기타 연주를 배운 것도 바로 행정 처리를 기다리는 이 죽은 시간 동안이었다. 국적 취득에 대한 영국 정부의 대답은 결코 듣지 못했지만, 히와 케이는 코르도바에서 태어난 것처럼 플라멩코를 연주했다. 사일런트대학에 제안된 강의 제목들은 다음과 같다. 이라크의 역사, 쿠르드 문학, 헤로도토스와 메데이아 문명, 1951년 협약에 따른 난민 피보호권의 기초, 어떻게 창업할 수 있는가?, 시각예술을 통해 본 음식의 역사, 아랍의 캘리그래피…… 그에게서 정치 시민의 지위를 빼앗음으로써, 망명중인 난민은 수동성과 '침묵'에 처해진다. 사일런트대학은 새로운 세계시민권을 활성화시킬 궁리를 하고 있다.

당신은 레퓌블리크광장에 선 채로 밤을 지새우고, 시리아의 익명의 영화인 단체 아보우나다라Abounaddara는 시리아 혁명이 시작된 때부터 매주 금요일, 그리스도교적인 서구와 이슬람 세계의 미디어 재현을 벗어나서, 시리아 국민의 삶을—다큐멘터리 또는 허구라는 간접적인 수단을 통해—이야기하는 영상을 내보내고 있다. 이미지는 어떻게 생산되고 확산되는가? 알레프의 학살당한 시체들이 신문의 1면을 장식할 때, 왜 9월 11일의 희생자는 아무도 보지 못했는가? 레로스 해변에 도착한, 죽은 아이의 몸을 부둥켜안은 이민자의 사진을 찍을 권리는 누구에게 있는가?

이미지를 미디어와 행정이 끌어다 쓰는 행위에 대응하여 아보우나다라는 초상권을 기본으로 인정했을 세계인권선언에 수정안을 덧붙일 것을 제안한다.

당신은 암만, 다마스, 아테네에서 다른 사람들이 깨어나 있는 동안, 레퓌블리크광장에서 선 채로 밤을 지새우고 있다. 전문가가 진단을 들고 올 것이고, 역사학자가 논문을 들고 올 것이고, 교수가 학위를 들고 올 것이고, 정치인들이 정당과 함께 올 것이다. 그리고 그들은 당신에게 뭐가 뭔지 모르는 사람들이 가르친다는 것은 불가능하다고 말할 것이다. 그들은 당신에게 모든 기자는 정보와 관련된 자기 일을 할 권리가 있다고 말할 것이다. 그들은 당신에게 이미 일은 일어났고, 그건 아무 소용없었다고 말할 것이다. 그들은 당신에게 중요한 것은 투표소에서 지위의 힘을 표현하는 것이라고 말할 것이다. 하지만 혁명은 그것이 실험하고 있는 변화 과정 이외에는 어떤 궁극적인 목표도 갖고 있지 않다. 프랑코 '비포' 베라르디Franco 'Bifo' Berardi가 말한 것처럼, 필요한 것은 일상의 삶에 에로티시즘을 부여하는 것이고, 자본과 국가 또는 전쟁에 사로잡혀 있는 욕망을 이동시켜 그 욕망이 모든 것을 가로지르고 우리 모두를 가로지르도록 시간과 공간 속에 그것을 재배치하는 것이다.

 마치 하루종일 밤인 것처럼, 우리는 낮 동안 깨어 있다. 우리는 가르치도록 허가받지 못한 사람들에게서 배우고 있다. 마치 도시 전체가 레퓌블리크광장인 것처럼 우리는 도시 전체를 점령하고 있다.

아테네, 2016년 4월 16일

소아시아의 새로운 재앙

 현재의 금융위기 관리와 제2차세계대전 발발 이전 시기의 유사성에 관해 많은 말이 있었다. 2008년 글로벌 시대의 시계는 불가사의하게도 1929년의 시계에 맞춰 조정되었을 가능성이 있다. 그러나 가장 흥미로운 점은 그 이후로 우리가 1930년대를 향해 나아가지 않고, 마치 유럽이 최후의 우울한 망상 속에서 독립 과정 이전 시대로 되돌아가 식민주의적 과거를 되살리기를 열망하고 있는 것처럼, 20세기 초로 차츰차츰 후퇴하고 있다는 사실이다.

 정치-경제적 위기를 파악하면서 우리가 습관적으로 저지르는 오류는, 유럽 국민국가들의 시공간적 관점에서, 미국과 맺고 있는 관계 안에서 이 위기를 바라본다는 사실이다. 우리는 '유럽'이라는 허구의 지금 여기를 넘어서는 시공간을 우리의 시야에서 배제하고 있다. 남쪽에서 동쪽까지, 유럽의 역사 그리고 —마이클 허츠펠드*의 용어로 말해보면—유럽의 '잠재적 식민지cryptocolonial' 상태인 현재와 관련되어 있는 허구를.

그리스 난민의 위기에 대한 현재의 관리를 이해할 수 있으려면, 유럽의 국민국가들이 만들어진 역사와 그들의 식민지 과거를 되돌아보아야만 한다. 3월 18일, 유럽연합과 튀르키예는 대규모 난민 강제 이주 협정에 서명했다. 이 협약은 근본적으로 이질적인 세 가지 변수 즉 인간의 신체(최상의 경우 살아는 있는), 영토, 그리고 돈을 두고 비대칭적인 두 실체 사이에 정치적 맞교환 관계로 맺어진 것이다. 한편 이 협약은 그날부터 "그리스로 밀입국한 이민자와 난민들은 모두 즉시 튀르키예로 추방되어야 하며, 튀르키예는 돈을 받는 대가로 그들을 수용하기로 약속한다"는 규정이었다. 다른 한편 "유럽인들은 현재 튀르키예에 있는 시리아 난민들을 최대 72,000명까지 그들의 영토에 거주시키기로 약속한다"는 것이었다. 그리스에 있는 난민들을 강제하지 않는 한 그들이 튀르키예로 가진 않으리라는 사실을 이해하려면 난민들과 몇 분만 얘기해봐도 충분하다.

필연적으로, 이러한 강제 이주와 '인구 교환'이라는 대대적인 과정의 시행 조건으로 기능하는 작동 요인은 폭력이다. 그것은 민주적이라 전제되는 국가 및 초국가적 실체들의 관계 범

---

* Michael Herzfeld, 사회인류학자로서 하버드대 인류학과 교수로 재직중이다. 유럽 중심 연구에서 최근 동남아시아로 연구를 확장해 비교문화 분석에 치중하고 있다. 저서로 『문화적 친밀성』 『인류학』 등이 있다.

위 내에서, '안보군'이라는 명칭을 얻는 제도적 폭력이다. 3억 유로의 비용이 드는 이 협정에는 회원국들과 유럽안보기구인 Frontex(국경관리기구) 및 Easo(유럽연합 망명지원사무소) 소속 관리 4000명의 개입, 독일과 프랑스부터 그리스까지 군대와 정보부대 파견, 또한 그리스 정부관계자들의 튀르키예 주둔과 튀르키예 정부관계자들의 그리스 주둔이 포함되어 있다. 이 폭력적인 경찰 배치는 "그리스에 대한 기술적 원조"로, "귀환 절차"에 필요한 지원이라고 표현되었다. 이처럼 인구, 감금, 유죄 그리고 추방 표식의 부착을 적법한 것으로 이해할 수 있게 하는 유일한 정치적 배경은 전쟁이다. 하지만 그렇다면 유럽과 튀르키예는 누구에 맞서 전쟁을 치르고 있는가?

이 협정은 규모(최소한 200만 명의 인원)로 보나 교환 요소들(살아 있는 인간 신체)로 보나 두 국가 사이의 실제 계약이라기보다 〈왕좌의 게임〉에 더 가까워 보이지만, 그리스 가정이라면 잘 알고 있는 역사적 선례가 존재한다. 즉 그리스-튀르키예 전쟁 동안 그리고 전쟁 이후(1922~1923년) 발생했던 '대재앙'이 그것이다.

1830년에, 400년에 걸친 오스만의 지배와 패배한 독립을 위한 전쟁 이후로 우리가 아는 그리스 영토는 여전히 튀르키예에 예속되어 있었다. 제1차세계대전 이후 오스만제국의 몰락은 모든 '비잔틴' 영토의 재통합이라는 그리스 내셔널리즘의 꿈(그들이 '위대한 이상Megali idea'이라 부르는 꿈)을 일깨웠다. 1922년에 튀르키예가 승리하면서 그리스의 이 확장 계획은 좌초되었다.

튀르키예와 마찬가지로 그리스도 국민국가들의 새로운 허구를 구축하기 위해, 그 당시 영토를 분할하는 것만이 아니라, 특히 삶과 기억이 역사와 언어의 혼합으로 이루어진 신체들을 국민으로 다시 코드화하는 것이 필요했다. 1923년, 그리스와 튀르키예 사이에 "인구 교환" 협약이 체결되었다. 관련된 사람은 200만 명이었다. 아나톨리아 땅에 살고 있던 '그리스인' 150만 명과 그때까지 그리스 땅에서 살았던 '튀르키예인' 50만 명. 이어서 예상 '국적'은 종교로 한정되어, 동방정교회 그리스도교도들은 그리스로, 무슬림들은 튀르키예로 송환되었다. 이 '난민들' 중 많은 이가 몰살당했고, 또다른 사람들은 비위생적인 난민촌으로 들어가 그곳에서 임시 시민의 신분으로 20년 동안 머물렀다.

거의 백 년이 지난 지금 이 국민국가들은 과거 그들을 구성하던 전쟁, 인구 인정과 배제에 관한 의정서를 다시 살려내어 새로운 내셔널리즘의 건설 과정을 기획하고 있는 것처럼 보인다. 국경을 넘을 수 있는 이주민 인구에 대한 유럽과 튀르키예의 선전포고. 아테네 거리들을 돌아다니면서 우리가 받는 인상이 바로 그렇다. 또다른 전쟁을 피해 탈출한 뒤 살아남기 위해 애쓰는 사람들과 벌이는 내전.

레스보스섬, 2016년 5월 14일

이동중인 정체성

　한 사람이 공항 탑승구에 또는 국경에, 호텔 접수계에, 자동차 대리점의 계산대……에 나타난다. 그가 자기 여권을 보여주면, 승무원 또는 판매자, 안내원, 관리자, 세관원은 그것을 살펴보고 이어서 자기 앞에 서 있는 신체를 주시한다. 그리고 이렇게 선고한다. "이건 당신이 아닙니다!" 그때 살아 있는 정치적 허구를 구성하는 모든 법적 행정적 관례에 균열이 생겨난다. 그때 정체성을 생산하는 사회적 기구는 슬로모션처럼 서서히 무너지고, 그 기술들(사진, 증명서류, 진술……)도, 눈부신 'game over' 신호가 깜빡이는 비디오게임 화면처럼, 하나씩 무너진다. 한순간 얼어붙은, 비트겐슈타인적인 침묵*이 지배한다. 언어의 오프사이드에 서 있는 느낌, 사회적 이해가능성의 한계를 넘어섰다는 공포, 우리를 주체로 구성하는 장치를 한

---

* "말할 수 없는 것에 관해서는 우리는 침묵해야만 한다"는 비트겐슈타인의 『논리철학논고』의 마지막 구절을 연상시키는 표현.

순간일지라도 외부에서, 더 정확히 문턱에서부터 관찰해낼 수 있다는 유혹.

파타피지크*적 허구가 절정에 달한 순간, 또는 악몽에서 끌어낸 한 장면이라 할 수도 있겠다. 그렇지만 이는 법적 성별 변경을 기다리는 트랜스인의 일상에서는 흔히 있는 일이다. "이건 당신이 아닙니다!"라는 외침에 나는 때때로 이렇게 대답하고 싶어진다. "당연히 이건 내가 아닙니다! 당신의 여권을 보여줘요. 그리고 그 사진이 당신인지 아닌지 말해보세요"라고. 하지만 그 직원과 나, 우리는 헤겔이 말한 중심 장면, "자의식의 독립과 예속, 즉 지배와 종속"을 재연하면서 그 자리에 못박힌 채 서 있다. 나는 허세를 부리지 않는다. 나는 이 장면에서 내게 떨어진 것은 주인의 역할이 아니라 노예의 역할이라는 것을 잘 알고 있다. 나는 다시 승인承認의 우리 속으로 돌아간다. 언어 게임의 경계는 제도와 감금, 처벌로 가득차 있다.

나는 퀴어 해체가 내게 가르쳐준 것을 부인하고, 젠더를 생산하는 사회적 장치를 재확인한다. 내 변호사의 편지를 앞에 대고 흔들며, 내가 지정 성별 여성으로 태어난 건 실수였으며, 남성 정체성을 승인해줄 것에 대한 나의 요청이 에스파냐 국가의 판사 손에 넘어가 절차를 밟고 있는 중이라고 설명한다. 나

---

* pataphysique. 프랑스 극작가 알프레드 자리의 신조어로, "상상적 해법의 과학"으로서 형이상학마저 넘어선 '독창적인 상상력으로 생각해낸 이상적인 세계관'으로 이해된다.

는 지금 전환중이다. 나는 배타적인 두 재현 체계 사이에 있는 대기실에 있다.

전환transition은 젠더 정체성의 재지정이라는 의학적-법적 절차를 통해 여성성에서 남성성으로(또는 그와 반대로) 이행하는 과정을 가리키는 용어다. 일반적으로 이렇게 진술된다: "나는 현재 전환을 진행중입니다." 에스파냐어로는 현재분사로 표현된다. 이 표현은 한 상태에서 다른 상태로의 변화를 묘사하는 동시에, 그 과정의 일시적인 따라서 잠정적인 특성을 강조한다. 그렇지만 전환의 과정은 여성성에서 남성성(이 두 젠더에는 존재론적 실체가 없다. 오로지 생물학적이고 수행적인 실체만 있다)으로의 이행을 지시하는 것이 아니라, 진실을 생산하는 한 장치에서 다른 장치로의 이행을 지시한다.

트랜스인은 태어날 때 (자신의 나라를 버리듯) 그에게 지정된 젠더를 버리고, 이후로 다른 젠더의 잠재적 시민으로 인정받으려 애쓰는 일종의 망명자로 묘사된다. 정치적-법적 용어로, 트랜스인의 신분은 이주민, 망명자, 난민의 신분에 비교될 만하다. 그들은 모두 자신의 정치적 여건이 일시 정지되는 과정에 놓이게 된다. 이주민 집단의 경우와 마찬가지로 트랜스인의 경우에 요구되는 것도 생명정치적 피난처다. 즉 생명에 의미를 부여하는 기호학적 조립체계의 주체가 되는 것이다.

법적 인정과 생명-문화적 실현매체의 부재는 트랜스와 이주민에게 주권을 부인하고, 그들을 사회적으로 매우 취약한 입장에 위치시킨다. 달리 말하면, 트랜스 또는 이주민의 존재론적-정치적 비중은 그가 살고 있는 국민국가들의 행정적 관례로부터 인정받는 젠더와 국적을 가진 시민의 존재론적-정치적 비중보다 열등하다. 알튀세르의 용어를 사용해본다면, 우리는 트랜스와 이주민이 그들을 배제하는 바로 그 국가기구들로부터 주체로 인정받기를 바라는 희화적戲畵的인 상황에 놓인다고 말할 수 있을 것이다. 자유로운 사회적 예속 형태를 만들어낼 수 있도록 우리는 승인받기를(그리고 이를 통해 심지어 종속되기를) 원하는 것이다.

트랜스와 이주민들이 젠더 또는 보호소의 변화를 요구하면서 촉구하는 것은, 살아 있는 정치적 허구로 구성되는 데 필수적인, 행정적(이름, 거주권, 증명서류, 여권⋯⋯)이고 생명-문화적(음식, 의약품, 생화학 성분들, 피난처, 언어, 자기표현⋯⋯)인 보철기구들이다.

난민 '위기' 또는 이른바 트랜스인들의 '문제'라 부르는 것은 난민캠프나 성 재지정 클리닉을 설립하는 것으로 해결될 수 없을 것이다. 위기에 처한 것은 이분법적 성-젠더 인식론과 마찬가지로, 진실과 정치적 시민권을 생산하는 시스템, 국민국가의 기술들이다. 결국 전환되어야 할 것은 모든 정치적 공간이다.

카셀, 2016년 5월 28일

나의 신체는 존재하지 않는다

테스토스테론의 지속적인 투약이 나의 신체에 점점 더 뚜렷한 변화를 일으키고 있다. 그와 동시에—판사가 나의 청원을 받아들여준다면—나는 신분증의 내 이름을 바꿀 수 있도록 성별을 재지정하는 법적 절차를 밟고 있다. 생명-형태적이고 정치-행정적인 이 두 절차는 동일한 목적을 추구하지 않는다. 판사가 신체적인 변화를 나의 법인法人에 맞춰 이름이나 성을 재지정할 조건으로 고려한다 할지라도, 성차에 관한 인식론에 의하면 어떤 경우에도 이 변화가 남성 신체의 지배적인 재현으로 귀결될 수는 없다. 나는 새로운 증명서류 획득이 가까워짐에 따라, 나의 트랜스 신체가 법의 눈에는 존재하지 않으며 또 앞으로도 존재하지 않을 거라는 사실을 깨닫고 당황하고 있다. 정치적-과학적 이상주의를 내보이면서, 의사와 판사들은 이분법적 성체계의 진실을 계속 주장할 수 있기 위해 나의 트랜스 신체의 현실을 부인한다. 그러면 국민은 존재한다. 그러면 판사는 존재한다. 그러면 기록 자료는 존재한다. 그러면 신분증은 존재한다. 그러면 증명서류는 존재한다. 가족이 존재한다. 법이 존재한다. 책이 존재한다. 수용소가 존재한다. 정신의학이 존재한다. 국경이 존재한다. 과학이 존재한다. 하느님마저 존재한다. 하지만 나의 트랜스 신체는 존재하지 않는다.

나의 트랜스 신체는 시민권의 지위를 보장해주는 행정기록 속에는 존재하지 않는다. 포르노 묘사에서 사정하는 남성적 주권의 구현으로도, 섬유산업 광고 캠페인에서 판매 과녁으로도, 도시의 건축적 분할의 참조대상으로도 존재하지 않는다.

나의 트랜스 신체는 해부학 책에서도, 고등학교 생물 교과서의 건전한 생식기 묘사에도, 인간의 생존 가능한 변이형으로서도 존재하지 않는다. 묘사의 담론과 기술은 나의 트랜스 신체의 존재를 교정해야 할 비정상으로 분류할 견본으로서만 신임장을 준다. 그것들은 나의 트랜스 신체는 오로지 타락한 민족의 필연적 귀결로서만 존재한다고 단언하고, 나의 성기는 존재하지 않거나 그렇지 않으면 결함 또는 보철기구로서만 존재한다고 선언한다. 병리학에서 벗어나면 나의 가슴, 나의 피부, 나의 목소리에 대한 정확한 묘사는 어디에도 존재하지 않는다. 나의 성은 대음핵도 소음경도 아니다. 하지만 나의 성이 존재하지 않는다면, 그렇다면 나의 기관은 여전히 인간의 것인가? 털은 나의 주체성을 남성성으로 정정하라는 명령에 순응하지 않고 자라난다. 얼굴에서 명백한 의미가 없는 장소에 털이 난다, 아니면 '정확히' 수염이라는 것을 알 수 있는 자리에 더이상 털이 나지 않는다. 몸무게와 근력의 재구성이 나를 더 남자답게 만들지는 못한다. 그저 더 트랜스로 만들 뿐이다. 비록 이 명칭이 남자-여자 이항식의 용어로 즉시 표현되지는 못하지만. 나의 트랜스 신체의 시간성, 그것은 현재다. 그것은 이전 상태에 의해서도 앞으로 변하리라 추정되는 상태에 의해서도 정의되지 않는다.

나의 트랜스 신체는 조직을 빼앗긴 반항하는 기관이다. 인식론적이고 행정적인 역설. 신학도 지시대상도 없는 생성devenir, 존재하지 않는 그것의 실존은 성차 그리고 동성애/이성애 대립을 동시에 탄핵한다. 나의 트랜스 신체는 이를 부인하기 위해 이를 명명하는 사람들의 언어를 배반한다. 나의 트랜스 신체는 물질적 현실로서, 욕구와 실행의 총체로서 존재한다. 그것의 존재하지 않는 실존은 모든 것을, 국민, 판사, 기록 서류, 신분증, 증명서류, 가족, 법, 자유, 수용소, 정신의학, 국경, 과학, 하느님을 재검토하고 있다. 나의 트랜스 신체는 존재한다.

아테네, 2016년 6월 25일

레스보스섬 여행

도시는 정체성을 생산할 수 있는 사회적 건축적 기구다. 그 중 가장 강력한 도시는 확실히 역사적으로 독립적인 종교적 영토로 건설되었던 곳들이다. 하지만 한 시대의 정신을 압축하고 있는, 또는 문화산업의 메카가 된 도시들은 강한 힘도 부여받았다. 11세기에 산티아고 데 콤포스텔라의 성지聖地는, 17세기 암스테르담이 여행자를 부르주아로 변신시켰듯, 18세기 파리가 자유사상가 또는 혁명가를 만들어냈듯, 19세기 부에노스아이레스가 소작인을 만들어냈듯, 또는 1970년대 뉴욕이 장벽이 무너진 뒤의 베를린처럼 현대 미술가의 정체성을 만들어냈듯, 가톨릭교를 건설했다.

1990년대에 내가 아직 레즈비언으로 나의 주체성을 형성하고 있던 동안, 레스보스섬에서 보낸 여름은 성-정치학 입문 과정의 일부였다. 1980년대에 이 섬은 레즈비언들이 선호하는 관광지로 자리잡았다. 레즈비언들이 사포의 섬 레스보스를 받았던 반면, 신화와 자본주의는 게이들에게 미코노스섬을 할당했다. 가치의 성적 위계화라는 역사적인 법칙에 따라, 게이들은 면으로 만든 해먹 속에서 또는 매트 튜브 위에서 피부를 검게 태웠고, 키클라데스제도의 푸르고 흰 섬에서 모히토 칵테일을 홀짝홀짝 들이켰다. 그러는 동안 레즈비언들은 해변보다 군사기지로 더 알려진, 튀르키예 해안에서 가장 가까운 섬에서 재회했다. 미코노스와 레스보스는 섹슈얼리티를 정치적으로 공간화화는 두 가지 대립적인 양상을 재현하고 있었다. 미코노스는 호모섹슈얼, 민영화, 소비자 운동, 핑크 달러의 은행 같은 것이었다. 레스보스는 퀴어적 급진적 불안정적 채식주의적 집산주의적이었다.

　급진적인 레즈비언에게 레스보스 여행은 구성적인 순례였다. 우리는 뉴욕에서 파리까지 여행했고, 거기서 다시 아테네로 갔다. 우리는 언제나 공항에서 피레우스로 곧장 가곤 했다―나는 아테네를 얼핏 보았을 뿐 아테네를 이해하지 못했고, 내가 이 도시를 언젠가 사랑할 수 있을 거라고는 상상도 못했다. 훗날 그렇게 되겠지만. 우리는 레스보스의 미틸리니항까지 우리를 데려다줄 배 위에서 밤을 보냈다. 그때 우리는 택시를 타곤 했는데, 운전사들은 한 손으로 운전대를 잡고 다른 손으로 콤볼로이 묵주를 흔들어댔다. 가는 자갈로 뒤덮인 길을 두 시간 달려 꼬불꼬불한 협곡을 지나며 섬을 북동쪽에서 남동쪽으로 가로지른 뒤, 우리는 스칼라에레소우 마을에 머물렀다. 내 기억 속에서 에레소우 해변의 첫 이미지는 유토피아 찬가로, 혁명에 대한 호소로 손상되지 않은 채 남아 있다. 그것은 현실이 된 불가능이었다. 1킬로미터 모래와 바다를 나체의 레즈비언 500명이 점령하고 있었다.

우리는 캠핑장에서 묵거나, 여성 여행가 안네마리 슈바르첸바흐,* 어슐러 르 귄, 모니크 위티그의 책을 찾아볼 수 있는 책장이 구비된 작은 펜션에 묵었다. 해가 진 뒤에는 저녁마다 부치 대 펨 두 팀으로 나눠 배구를 했다. 한 편은 삭발을 하고 수영으로 다져진 건장한 어깨에 라브리스 문신을 한 독일인과 영국인들, 다른 편은 긴 머리에 구릿빛의 날쌘 팔을 가진 이탈리아인들이었다. 대개의 경우 이탈리아 팀이 이겼다.

20년도 더 지나서 나는 다시 레스보스섬에 왔다. 섬은 변해 있었다. 나도 변했다. 레스보스는 레로스섬, 치오스섬과 더불어 그리스가 이주민을 맞이하는 첫번째 장소다. 나는 레즈비언으로서 나의 정체성 확립을 멈추고, 현재는 다른 기술(호르몬적 법적 언어적 기술……)들의 도움을 받아 나 자신을 트랜스로 정체화고 있는 중이다. 몇 년간 교차로를 통과하는 시기다. 전환의 세월. 경계에서 보내는 세월. 군용선 '보더프런트Border Front'

---

* Annemarie Schwarzenbach(1908~1942). 스위스의 작가, 사진작가, 기자, 모험가. 많은 여행을 하고 길에서 글을 쓴 것으로 유명하다. 평생 남장을 하고 남성과 결혼했지만 레즈비언으로 살았으며, 죽을 때까지 마약중독으로 고통받았다.

호가 항구의 제1열을 차지하고 있다.

  오늘 내가 미틸리니 해변에 있는 것은, 국제학술대회 '크로싱보더스Crossing Borders'에 참석하기 위해서다. 경계선 넘어가기. 활동가와 비평가들이 '유럽 요새' 건설에 대해 발언한다. 이는 이주를 범죄시하고 이주민들을 수용소에 강제 억류시키는 것으로 정의된다. 레스보스는 유럽의 티후아나가 되었다. 미틸리니에는 군사화된 국경 특유의 떨림과 폭력이 있다. 최고 수준의 국가 경계 계획과 최고 수준의 이주민 신체의 불안정. 마피아와 포퓰리즘이 꿈꾸는 더할 나위 없는 상황이다. 난민 캠프의 이미지, 레스보스의 이미지뿐만 아니라 아테네의 이미지도 수년 전 에레소우 해변에서 받은 것과 같은, 그만큼 강력한 하지만 정반대의 정동으로, 내 가슴 한가운데에 일격을 가한다. 국경은 정체성을 파괴하고 생산하는 공간이다. 에레소우 해변이 레즈비언들이 권력을 쟁취하고 그 낙인에 의미를 재부여한 장소였다면, 캠프는 앞으로 타자화, 배제 그리고 죽음의 공간이 된다. 어떻게 증명해야 할지는 모르겠다. 어떻게 경고해야 할지도 모르겠다. 즐거운 휴가 보내시기를.

레스보스섬, 2016년 7월 27일

이름: 폴 베아트리스, 청원 34/2016

몇 달 전부터 나는—오늘날에도 여전히 입헌군주제인—에스파냐 당국이 나의 신분증명서에서 출생시 내게 지정된 여성의 이름을 남성 이름으로 바꾸도록 허락해주기를 기다리고 있다. 자유롭게 여행하고 자동차나 집을 임대하고 신용카드를 사용하고 호텔에 숙박할 수 있는 나의 자격은 이 기다림에 달렸다. 기술적으로는 '가족관계기록부 성전환 서류'가 문제다. 나는 바르셀로나의 가족관계기록부 대장을 옆에 두고 내가 알아듣기는 하지만 쓰지는 못하는 카탈루냐어로 교섭중이다. 카탈루냐의 판사들은 카스티야에 비해 좀더 관대한 것 같다. 상대적으로 복잡하고 겉보기에는 엄격하지만, 실상 행정절차는 모순투성이다. 결국 법률 문서보다 개념미술 퍼포먼스에 더 가까운 절차다.

이 서류를 작성하기 위해서는 에스파냐 국가가 '젠더 불쾌감 gender dysphoria'이라 명명되는 것을 진단하고 증명한 진단서를 반드시 첨부해줘야 한다. 아동정신의학자 존 머니가 1973년에 창안한 전문용어에 따르면, 그것은 "출생시 젠더와 관련하여 임상적으로 관찰된 장애"다. 성차에 관한 인식론과의 합의하에, 서양 의학은 젠더 불쾌감을 출생시 지정된 성별과 개인이 자신을 동일시하는 성별 사이의 불일치로 규정하고 있다. 나의 남성 이름을 승인하기 전에, 결국 기관은 사전에 나 스스로가 내게 불쾌감을 준다는 사실을 인정하라는 조건을 제시한다. 여기서 공짜는 아무것도 없다. 국가는 내게 "만약 네가 이름을 원한다면 먼저 너의 이성, 너의 양심, 너의 정신건강을 나에게 달라"고 말한다. 국가는 먼저, 불쾌감을 주는 자인 나에게 말을 건넨다. 나는 이전에는 이를 수락할 생각을 한 적이 결코 없었다. 하지만 나는 그렇게 했다. 나는 이성, 양심, 정신건강 같은 개념들을 포기했다. 앞으로 나는 정신의 다른 기술들을 가지고 나를 형성해갈 것이다.

 서류의 제4조는 내가 "나의 신체적 특징을 남성의 성에 일치시키기 위해 의학적 처치를 받고 있다는 증거를 가져와야" 한다고 선언한다. 이 증거들에 더해서, 나는 내 주치의의 서명, 진료소 소인, 내가 받는 치료 이름, 테스텍스프로롱가툼 주사 용액 250밀리그램을 첨부한다.

 나의 변호사는 서류에 특별 조항을 덧붙였다. 그는 나의 여성 이름을 그저 남성 이름으로 교체하는 게 아니라, 두번째 이름으로 계속 가져갈 수 있게 할 것을 요청했다. 나는 에스파냐 국가가 폴 베아트리스를 나의 이름으로 인정해줄 것을 요청했다. 이 요청을 뒷받침하기 위해 나의 변호사는 첫번째 이름이 성별을 지시하는 것임을 입증하는 일련의 사례들을 첨부했다. 장마리라고 불린들 특별할 것이라곤 아무것도 없다.

  서류를 수합하는 행정 비서관이 이렇게 물어보았다. "왜 폴 베아트리스입니까? 성性을 바꾸고 싶지는 않습니까?" 그러고는 이 신청을 받아들여도 될지 확인차 다른 공무원을 부른다. 그는 더 분명히 말한다. "폴, 이 이름은 허용되겠는데, 베아트리스는 확실치가 않습니다. 성적 모호함을 완전 차단하는 걸 막을 가능성이 있어요." 에스파냐 국가가 출생시 내게 부여했던 그 이름을 이제 바로 그 국가가 부여하기를 거절할 수 있다는 이런 역설적인 상황에 처하다니! 나는 내 나름의 소견을, 설령 그것이 어리석은 것이라 하더라도, 가질 권리가 있다고 (발설하지는 않고) 생각한다. 나는 내 이름에 권리가 있다. 유토피아적인 이름, 혼성적인 이름을 가질 권리가 내게는 있다.

  행정관리가 내게, 절차 범위 내에서 바르셀로나의 가족관계등록부상의 1970년 9월 11일 날짜의 출생증명서는 파기되도록 부르고스의 가족관계등록부에 명령을 내릴 거라고 알려주었다. 이 파기가 효력을 발할 때, '2016년에 서명하지만 1970년 날짜가 적힌', 새 이름이 기입된 새로운 출생증명서를 작성하라는 명령이 떨어질 것이다. 이 두 날짜 사이에서 며칠이, 또 몇 주가 흐를 것이다. 그 기간 동안에 나는 내 이름으로 된 출생증명서를 갖지 못할 것이다. 그 시간 동안 나의 출생 사실은 존재하지 않았던 것이 될 수 있다는 생각에 나는 전율한다. 법의 기술 앞에서 나는 누구인가? 나의 출생증명서가 존재하지 않을 때 나는 누구인가? 내 생일날, 나는 신의 뜻을 묻기 위해 아테네에서 델포이행 버스를 탈 것이다. 아마도 같은 순간에 지중해의 또다른 끝에서 아폴론 재판관이 나의 출생증명서를 파기하고 있을지도 모른다. 아니면 누가 알겠는가, 그가 나의 새로운 출생증명서를 작성하고 있을지도.

델포이, 2016년 9월 10일

나의 트랜스 신체는 빈집이다

아테네에서 나는 2년 넘게 처음으로 나의 집이라고 말할 수 있는 곳에서 살고 있다. 그 집을 소유한 것은 아니다. 그럴 필요는 없다. 단지 그 집을 사용할 뿐이다. 그 집을 체험하고 있다. 나는 집을 찬양한다. 다른 거리들, 다른 동네들—필로파포스, 니아폴리, 엑사르키아—에서 세 채의 집과 십여 군데 호텔—특히 기억에 남는 것은 오리온호텔에서 듣던, 아침마다 스트레피언덕 위에서 노래하던 새들이다—을 전전한 뒤, 최종적으로 나는 어려움이 없지 않았지만, 임대계약에 서명하기로 결정했다.

한 달 넘게 나는 그 빈집에서 살았다. 가구가 하나도 없는 집에는 그저 문, 지붕, 바닥뿐. 침대 배송이 늦어진 탓에(그리스에서는 흔한 일이다) 나는 2주 동안 텅 빈 집에서 잠을 잘 수밖에 없었다. 밤새도록 나의 허리는 맞닿은 나무에 눌렸고, 나는 몸이 부은 채로 잠자리에서 일어났다. 확실히 이 경험은 최초이고 미적이었다. 신체, 공간. 새벽 세시 잠에서 깼을 때 나는 바닥에 누운 채 내가 인간인지 동물인지, 지금이 21세기인지 아닌지, 내가 실제로 존재하는지 아니면 허구의 물질에 불과한지 궁금해했다. 텅 빈 집은 21세기의 지구박물관이고—이름도 없고, 변화중인, 박탈당한—나의 신체는 작품이다.

텅 빈 집에서, 가정이라는 공간은 주체성이 작품처럼 전시된 전시회 장면으로 구성된다. 역설적이게도 각각의 작품은 사적인 장면 내부에 전시된다. 피아니스트 글렌 굴드는 "나는 관객을 증오한다"라고 말하곤 했다. 1964년 피아니스트로서 절정기에 있던 32세에 그는 콘서트홀을 버리고 녹음실에서 연주하기 위해 영원히 녹음실로 들어갔다. 빈집, 그것은 어느 정도 인생을 녹음하는 스튜디오 같다. 우리의 주체성이 음악인 동시에 녹음장치고 기술이라는 차이만 제외한다면. 처음에 나는 집이 빈 채로 남아 있다면, 이는 과도한 노동, 시간 부족, 그 공간에 쌓아둘 수 있는 자산의 부재 같은, 여러 상황에 따른 변화로 설명될 수 있다고 생각했다. 내가 가진 것이라곤 옷 몇 벌(APC 진, 흰색 또는 푸른색 셔츠, 펠트 외투, 검은색 신발), 필수품인 여행가방, 책 몇 권, 공책 30여 권뿐, 이것들은 병적인 게 아니라면 공간 속에서 일종의 숭배를 표하는 그 자체로 독립적인 조각품을 이룬다.

내가 이 빈 공간을 지킨 이유가 우연이 아님을 납득하는 데는 시간이 필요했다. 나는 나의 성전환 과정과 공간을 사는 나의 방식 사이에 실질적인 관계를 수립했다. 전환 첫해에는 호르몬 변화가 몸 안에서 작동하는 미세한 뷔렝처럼 나의 신체를 조각하는 동안, 나는 오로지 유목인으로 살 수 있었다. 그 당시 내 모습으로 거의 보이지 않는 여권을 들고 국경을 넘는 것은, 나의 전환을 구현하고 이사移徙를 가시적으로 만드는 방법이었다. 오늘 나는 처음으로 멈춰 설 수 있었다. 이 집이 계속 비어 있기만 한다면, 테이블, 소파, 침대, 컴퓨터, 의자의 테크노-부르주아적인 관례를 중지시킬 수 있다. 신체와 공간은 매개 없이 서로를 직면한다. 이렇게 서로를 마주 대한 신체와 공간은 더이상 대상이 아니라 사회적 관계다. 나의 트랜스 신체는 빈 집이다. 나는 이 유사성의 정치적 가능성을 마음껏 이용한다. 나의 트랜스 신체는 가구 하나 없는 임대한 집이고, 내 것이 아닌 장소, 이름 없는 공간이다―나는 여전히 국가에 의해 명명될 권리를 기다린다, 명명되는 폭력을 기다린다, 그리고 그것을 두려워한다. 텅 빈 집에서 산다는 것은, 모든 행위에 그것이 지닌 최초의 성격을 돌려주고, 반복의 시간을 억류하며, 규범의 불심검문 명령을 정지시키는 일이다. 나는 집에서 달리는 나를 또는 음식을 먹으면서 발끝으로 걷는 나를 상상한다. 또 벽에 발을 기대고 바닥에 누워 있는 나를 또는 글을 쓰려고 창문틀에 등을 기대고 있는 나를 상상한다.

  습관 버리기는 이 공간으로 들어오는 다른 신체들에게로 확장된다. 나를 만나러 오면, 우리는 서로 바라보고 손을 잡은 채 계속 서 있다가 함께 눕거나 사랑을 나누는 것 외에 다른 것은 거의 아무것도 할 수가 없다. '가구 비우기'라고 부를 수도 있을 이 독특한 체험의 아름다움은, 왜 우리가 집에 가구를 채워야 하는지, 왜 우리가 자신의 젠더를 인식하는 것이 말하자면 어떤 성이 우리를 끌어당기는지 알아야 할 필요가 있는지 의구심을 갖게 한다. 이케아와 집에 거주하는 기술의 관계는 규범적인 이성애와 욕망하는 신체의 관계와 동일하다. 테이블 하나와 의자 하나는 문제 제기를 허용하지 않는 상호보완적인 커플을 이룬다. 옷장은 첫번째 사유재산 증명서다. 침대 옆의 전등, 그것은 정략 결혼이다. 텔레비전 맞은편의 소파는 질 삽입이다. 창문에 드리운 커튼은 밤이 되었을 때 우뚝 서는 반反포르노그래피 검열이다. 요전날 우리가 이 빈집에서 사랑을 나누었을 때, 그녀는 나의 새 이름으로 나를 부르더니 이렇게 말했다. "문제는 우리의 정신이야. 우리의 정신은 투쟁하고 있지만, 우리의 영혼과 몸은 완벽한 조화를 이루고 있어"라고. 몇 분 뒤 나의 가슴이 산소 원자 몇 개를 더 마시려 열리고 나의 대뇌피질이 솜처럼 되는 동안, 나는 몸이 빈 공간 속에 용해되고 있는 것을, 권위적이고 규범적인, 거의 죽어버린 나의 정신이 퇴위하고 있는 것을 느꼈다.

아테네, 2016년 10월 8일

마르크스에게 행복은 정치적 해방이다

　개인적인 성공의 심리학이 정치적 경제적 그리고 생태적 폭력의 암울한 행렬에 대처하기 위한 신자유주의의 최종적인 성배로 제시되는 시대에, 영국의 저널리스트 프랜시스 윈이 쓴 카를 마르크스 전기*는 자기계발 코칭 계획에 대한 강력한 해독제로서 읽힐 수 있다. 마르크스의 명랑한 불운의 흐름을 따라, 우리는 부패중인 세상의 사용자들을 위해 자아에 관한 일종의 반反심리학을 생각해볼 수 있다. 개인적인 성공으로서의 행복은 자본의 논리가 주체성의 생산으로 확장된 것에 지나지 않는다.

　마르크스의 힘겹고 소란스러웠던 삶에 관심을 가져보면, 우리는 자아와 개인적 초월의 심리학이 우리에게 믿게 하려 애쓰는 것과는 반대로, 행복은 직업적 성공이나 부의 축적에 달려

---

* 『마르크스 평전』(정영목 옮김, 푸른숲, 2001).(원주)

있지 않다는 결론을 내릴 수 있다. 행복은 감정의 관리를 통해 찾아지지 않으며, 개인이 가진 자원의 관리와 정동의 통제로 이해되는 심리적 균형 속에 있지도 않다. 받아들이기 어렵겠지만, 행복은 건강에도 아름다움에도 달려 있지 않다.

마르크스는 박해받고 병들고 배고픔과 가난으로 고통받으면서 삶의 대부분을 보냈다. 저자로서 그의 직업은 검열과 함께 시작되었고, 결국 출판의 실패로 결론났다. 26세에 그가 처음 쓴 논문은 프리드리히 빌헬름 4세가 공포한 검열법안을 비판하는 것이었다. 그가 직감할 수 있었던 대로, 논문은 즉시 검열당했다. 그가 『라이니셰 차이퉁』에 기고하려던 첫 기사도 마찬가지로 금지되었다. 이 글은 "정부기관에 대한 무례하고 불손한 비판"이라는 선고를 받았다.

그의 저서들 중 가장 중요한 것은 비평과 독자들의 무관심 속에 받아들여졌다. 『자본론』 제1권—그는 이 저서에 인생 5년을 할애했다—은 거의 주의를 끌지 못한 채 지나갔고, 저자가 살아 있는 동안에는 수백 부 팔리는 데 그쳤다. 마르크스는 『자본론』 다른 두 권의 출간을 볼 만큼 충분히 오래 살지 못했다.

그는 글을 써서 성공을 거두지 못했고 계속되는 곤궁 속에 살았다. 1845년부터 20년 넘게 그는 다른 3개국, 프랑스, 벨기에 특히 영국에서 아내 제니, 자식들과 함께 정치적 망명자였다. 스스로도 신체적으로나 정신적으로나 지적인 작업 외에 다른 일에는 적합하지 않다고 말하곤 했던 마르크스는, 여행중에 어쩔 수 없이 가구와 외투를 포함해 가진 재산 모두를 전당포에 잡혀야만 했다. 그의 자식들 중 둘은 배고픔과 습기, 추위 때문에 걸린 병으로 목숨을 잃었다. 그 자신도 간산통肝疝痛, 류머티즘, 극심한 치통과 두통에 시달렸다. 그는 종기가 감염되어 의자에 앉지도 못했기 때문에 책 대부분을 선 채로 저술했다. 마르크스는 추남이었고, 그가 선량한 사람이었다고 말할 수는 없다. 동시대의 인종적 성적 편견의 대부분을 공유하고 있던 그는, 유대인 출신이면서도 주저 없이 유대인을 차별하는 모욕적인 표현을 사용했다.

프랜시스 윈은, 비판을 받아들이지 못하고, 친구와 적들 그리고 그가 모욕적인 장문의 편지를 보낸 적대자들과 끊임없이 언쟁에 말려드는, 권위적이고 허세 부리는 마르크스의 초상을 그려낸다.

마르크스는 경제적인 성공도 대중적인 인기도 얻지 못했다. 그가 만약 페이스북 시대에 살았더라면, 그에게는 친구보다 비방자가 더 많았을 것이다.

그렇지만 마르크스는 엄청나게 운좋은 사람이었다고 말할 수 있다. 개인의 성장을 신봉하는 사람들이라면, 그가 지닌 행복의 열쇠는 터무니없는 그의 낙관주의에 있었다고 심지어 말할 수도 있을 것이다. 하지만 이 열정은 신자유주의적 필굿feel good을 느끼라는 어리석은 권고와는 아무런 관련이 없다. 마르크스의 낙관주의는 변증법적이고 혁명적이고 거의 묵시록적이었다. 낙관적 비관주의. 마르크스는 모든 것이 개선되기를 바란 것이 아니라, 집단의식이 반드시 상황을 바꿔나가야만 하는 것으로 인지하기를 원했을 것이다. 그런 식으로 마르크스는 엥겔스와 끊임없이 대화를 나누면서, 그의 예언에 따르자면 노동자 혁명으로 상황을 몰고 갈 물가상승과 총체적인 경제의 붕괴를 꿈꾸었다. 오늘날 우리는 그 예언이 틀렸음을 알고 있다.

정치적 불순분자로 고발당해 자신의 프로이센 여권을 빼앗겼을 때, 마르크스는 불과 27세였다. 그 통고를 받아들이면서, 모든 형태의 피해자주의를 반박하는 선언 같은 진술을 했다. "정부가 내게 자유를 돌려주었다." 그는 시민으로 인정해줄 것을 바라지 않고, 망명이 그에게 제공하는 자유를 이용하기를 원했다. 모든 나라의 난민 집회에서, 여러 영역에 걸친 프롤레타리아의 힘으로서 국민국가 조직과 그 제국들에 도전할 수 있는 국제노동자연맹의 이념이 무르익었다.

마르크스의 행복은 또한 "모두가 돈에 대해 그렇게 글을 썼는데도 그렇게 돈이 없었던 적은 없었던 것 같다"라고 말하는 그의 변질되지 않는 유머감각에 있다. 자기 자식들에게 셰익스피어를 읽어줄 때의 열정에, 엥겔스와 나누는 대화에, 세계의 복잡성을 이해하려는 그의 열망에 행복은 있다.

마르크스의 삶은 행복이 정치적 해방의 한 형태임을 우리에게 가르쳐준다. 즉 한 시대의 관례들을, 그와 함께 삶을 조직하는 주요 노선인 성공, 소유, 아름다움, 명예, 위엄……을 거부할 수 있는 힘이라는 것을. 행복은 상황 전체를 우리 자신의 일부를 이루는 것으로, 모두와 개인의 소유로 느낄 수 있는 능력에 있다. 살아 있는 존재, 그것은 한 시대의 증인이 되는 것이고, 이렇게 지구의 공동 운명에 대해 책임이 있음을, 사활을 걸고 열정적으로 거기에 책임이 있음을 느끼는 것, 그 확신 속에 행복은 있다.

바르셀로나, 2016년 10월 22일

당신을 맞아들이는 곳

　　이곳은 지중해다. 당신이 도착하는 장소다. 이곳은 그리스다. 당신을 맞아들이는 곳이다. 당신이 발을 딛고 서 있을 수 있는 땅이다. 당신을 침몰시키는 바다다. 이것이 유럽이다. 모두에게 똑같아 보이지만 사실 그렇지 않은 하늘이다. 이것이 세상이다. 이것이 현금흐름cash flow이다. 이것이 당신이 사취하는 땅이다. 이것이 당신이 뒤로 남기고 가는 거리다. 이것이 당신이 입장하는 도시다. 이것이 텅 빈 의회다. 이것이 가득찬 광장이다. 이것이 칼레다. 이것이 세상이다. 파리다. 이것이 당신이 행복했고 결코 되돌아가지 못할 집이다. 이것이 지중해다. 이것이 해변이다. 런던이다. 이것이 바다의 깊은 바닥이다. 이것이 손절매stop loss다. 이것이 어둠 속에서 들려온, 네가 목소리라고 생각한 소리다. 이것이 네가 말하는 언어다. 이곳이 미틸리네다. 이것이 Ibex 35*다. 이곳이 당신이 도달하는 곳이다. 이것이 당신이 말하지 못하는 언어다. 이것이 물과 뒤섞이면 빛깔이 달라지는 우조**다. 이것이 이즈미르***다. 이것이 운동이다. 이것이 메르켈이 그녀의 진짜 머리카락이 가발처럼 보이도록 사용하는 래커다. 이것이 당신이 살아 있다는 것을 환기시켜줄 경유 냄새다. 이것이 평온이다.

  이것이 국가 정체성에 대한 논쟁이다. 이것이 파도다. 이것이 당신의 뇌다. 이것이 실시간 정보다. 이것이 음^{음}이다. 이것이 전기다. "만약 당신이 물건을 구매할 때 두려움이 없다면, 그것은 당신이 물건을 잘못 사고 있기 때문이다"—중개인의 충고. 12,563 friends like this.**** 이것이 지중해다. 이것이 이동하고 있는, 그리고 이동중에 모든 것을 앗아가는 자본이다. 이것이 주기율표에서 95부터 118까지의 원자번호다. 이것이 완벽하게 동일한 비율로 혼합된 모든 선과 모든 악이다. 이것이 카사블랑카다. 이것이 다우존스 산업지수다. 이것이 모두에게 동일한 것처럼 보이지만 실은 그렇지 않은 공기다. 이것이 피부다. 이것이 변동금리 부채다. 이것이 스스로 자신을 어루만지는 손이다. 이것이 사랑이다.

  이것이 체르노빌에서 불어오는 바람이다. 이것이 프리미엄

---

* 에스파냐 증시.
** 그리스의 전통적인 술.
*** 에게해의 이즈미르만에 있는 주도. 공항과 철도가 있는 튀르키예 제1의 수출무역항.
**** '12,563명의 친구들이 좋아요를 눌렀습니다'를 뜻하는 SNS 표시.

급 삶의 획득이다. 이것은 진창에 빠진 새. 이것은 당신의 소매 속에 든 에이스 드니에.* 이것은 무관심이다. 이것은 스스로 자신을 어루만지는 손이다. 이것은 불타는 듯 반짝이는 메르켈의 두발이다. 이것은 카이로다. 이것이 당신이 다른 것에 대해 말하면서 생각하는 것이다. 이것은 동시성이다. 이것은 당신의 정신 속에서 당신이 멈출 수 없는 어떤 것이 자라고 있는 바로 그 장소다. (당신이 생각하는 것의 실재는 무엇인가? 그것은 당신이 살고 있는 삶보다 더 중요한가 덜 중요한가?) 이것은 카셀이다. Milate ellinika signomi?** 이것은 언젠가 당신의 기억 속에서 자신이 했던 말을 지우는 일의 불가능성이다. 이것은 당신이 생산성을 높이기 위해 써야만 했을 분당 세 통의 이메일이다. 이것은 당신 앞에 펼쳐져 있는 책에 놓인 항라사마귀의 초록빛이다. 이것은 테스토스테론이다. 이것은 이슬람 과격화를 예방하는 정치다. 이것이 유럽이다. 이것이 세계다. 이것은 갱년기다. 문화적 통합이다. 마치 청년의 두건처럼 도시를 뒤덮고 있는 어둠이다. 이곳이 지중해다.

이것은 신의 계획으로서 여성 살해다. 이것은 베이루트강에서 썩고 있는 쓰레기통이다. 이것이 당신이 도달하는 곳이다. 이것은 날아올라 부시의 머리에 적중한 신발이다. 이것은 고문이다. 이것은 셔츠 아래에 당신의 신체가 없는 것 같은 느낌이

---

* 타로카드 중 돈을 상징하는 카드.
** 그리스어로 '실례해도 될까요?'라는 뜻.

다. 이것은 모두에게 같은 것으로 보이지만 실은 그렇지 않은 시간이다. 이것은 해변이다. 바다의 깊은 바닥이다. 이곳이 당신을 맞아들이는 곳이다. 이것은 당신의 상상력의 산림 파괴다. 이것은 로라제팜* 3밀리그램이다.

학교에서 젠더이론을 가르치는 것은 결혼제도에 대한 일종의 전면전이라고 프랑수아 교황이 말했다. 666 fxck likes this. 이것은 펄펄 끓는 물에 잠긴 바닷가재의 꼬리다. 이것은 검열이다.

이것은 양심의 환경세다. 이것은 루안다다. 이것은 데이비드 포스터 월리스**의 자살이다. 이것은 당신이 상상하지만 당신에게 없는 신체다. 이것은 개의 영혼이다. 이것은 보건부 장관이 자랑스럽게 공표한 에이즈 바이러스 보균자의 생존율이다. 이것은 키예프다. 이것은 암의 증식이고, 호흡 부족이고, 면역 장벽의 파괴다. 이것은 요하네스버그다. 어제다. 내일이다. 이것은 인디언 보호구역에 헌정된 미국 영토의 4퍼센트다. 이것은 물질의 응집 상태다. 이것은 최고의 책 100선이다. 다시 한번 말하지만, 두 권 빼면 모두 남성 작가 책이다. 이것은 부패의 표지로서, 대의민주주의다. 이것은 변화하고 있는 지도들의

---

* 항불안제의 일종.

** 오랫동안 불안장애와 우울증에 시달리다 2008년 자살로 생을 마감한 미국의 소설가로, 국내에 『재밌다고들 하지만 나는 두번 다시 하지 않을 일』 『끈이론』 『오블리비언』 등이 소개되어 있다.

저항이다. 이것은 나스닥 복합지수다. 이것이 지중해다. 이것
이 유럽이다. 이곳이 당신이 도달하는 곳이다.

           베이루트, 2016년 11월 5일

파괴된 것은 나의 베아트리스

2016년 11월 16일 나의 새로운 이름 폴 베아트리스 프레시아도가 부르고스시 일간지와 출생등록 관보에 동시에 게재되었다. 우리는 몇 달 전부터 법원의 결정을 기다리고 있었다. 하지만 판사도 행정기관도 그 결정을 정부 관보와 지역 언론에 동시 게재를 통해서만 공표될 것이라는 사실을 우리에게 알려주지 않았다.

변호사보다 먼저 첫번째로 이를 알게 된 사람은 나의 어머니였다. 그녀는 여느 아침처럼 신문을 읽다가 출생통지란에 내 이름이 실린 걸 보았다. 그녀는 얼이 빠졌다. 해독하기 어려운 문자를 해독전문기관에 보내는 사람처럼, 그녀는 즉시 인쇄면을 사진으로 찍어 내게 보냈다. 그리고 전화를 했다. "도대체 이게 뭐지?" 어머니는 한번 더 나의 출생에 관여했다. 어떻든 그녀는 나를 세상에 다시 내놓은 사람이다. 이번에는 독자로서. 어머니는 그녀의 몸 밖에서 태어난, 문서로서의 아들을 낳은 셈이다.

나의 이름, 나의 것이 아니었지만 이제부터 나의 것이 된 이 이름은 방금 태어난 아이들 목록에 들어 있었다. "출생: Paul Beatriz Preciado Ruiz, Lara Vázquez Mena, Esperanza Rojo Soares, India Garcia Casado, Ariadna Rey Rojardín, Marco Méndez Tobar, Bruno Boneke Esteban, Dylan Boneke Esteban, Juan Moreno Miguel, Ariadna Antolín Díaz, Johan Sánchez Alves, Paula Casado Macho, Izan Garcia Caballero, Íker Ojeda Dos Santos, Nerea Fuente Porras, Abigail Barriuso López." 그리고 그 옆 난에는 사망자들이 있었다. "Illuminada Sanz Sanz, 87, Miguel Collado Serrano, 81, Tomás Arija Prieto, 84." 나의 옛 이름은 사망자 명단에 나와 있지 않았다. 하지만 나의 성전환을 합법화하려면 아버지가 자기 손으로 직접 서명했던 1970년 9월 11일자 나의 출생증명서부터 파기해야 했으므로 그랬을 수 있다. 새로운 법적 허구 '폴 베아트리스 프레시아도'를 만들어내려면 '베아트리스 프레시아도 루이스'라는 법적 허구를 파기하는 것이 필요했으니 말이다. 따라서 나는 아버지-어머니라는 설정 외에, 행정기관-언론의 설정 속에서 두번째로 태어난 셈이다. 나의 부모님은 이제 가족이 아니고, 낳아준 사람-독자가 되었다. 비서관 블란카 에스테르 델 호요 모레노는 '여성'이란 언급이 보이지 않는, "가족관계등록부의 1부문 42-2권 411쪽에 기재된 1970년 9월 11일 3시 30분 기록을 삭제할 것"을 수락했다. 그리고 그 비서관은 "가족관계등록부 1부문 00권 263쪽, 가족관계등록 관련 법규 26조에 규정된 새로운 허가"에 근거하여 "2016년 11월 15일 2시 57분"에, 남자 이름 폴 베아트리스 옆 '성별'란에 '남성'이라 기재할 것을 수락했다. 이어서 그녀는 비서관 마리아 루이자 미란다 드 미겔의 서명 옆에 2016년 11월 16일자 자신의 서명을 첨부했다. 법의학 체계는 내가 '남자'로 다시 태어나는 것을 허용하고자 내게 법적 자살을 실행하도록 강제했다. 나는 나의 법적 죽음과 법적 재탄생에 참여했다. 나는 시체이면서 동시에 법적 신생아다.

천체 여행은 명상 또는 자각몽의 범위 내에서 우주공간에 던져진 채 자기 몸을 빠져나와 공중을 떠다니는 느낌을 주는 체외 경험이라고들 한다. 일종의 분열 수련으로, 그것은 어떤 경우에는 화학적으로 또는 전기적으로 뇌가 유도하는 환각의 결과이고, 다른 경우에는 강력한 자기암시의 결과로, 그동안에 의식은 물리적 신체에서 '분리'되어 자기를 외부에 맡기고 외부에서 자신을 관찰한다. 사람들은 이런 형태의 해리가 임상적 죽음의 문턱에서 살아남은 사람들이 묘사하는 뇌 경험 중 하나라고 말한다. 그동안에 환자는 자신의 죽은 몸을 보고 간혹 자신의 사망선고를 들을 수도 있다.

나는 일종의 인식론적인 천체 여행을 떠났다고, 혹은 기호론적-법적으로 죽음의 문턱을 체험하기 시작했다고 느낀다. 나는 내가 구현했던 생명정치적 역사적 허구에서 빠져나오고 있다—그것은 20세기 말의 이분법적 성-젠더 체계가 트랜스섹슈얼리티 개념이 존재하지 않은 법-의학적 장치에 의지하던 프랑코 지배 시기의 사회에서 구축했던 여성성이다. 그리고 나는 나의 신체가 거부당하는 동시에 '남성'으로 인정받는 새로운 생명정치적 허구가 행정적이고 법적으로 구성되는 과정과 내 신체가 파괴당하는 과정을 외부에서 관찰하고 있다. 여기에 강제와 구성이 있다. 규범의 구속과 왜곡이 있다. 나는 나의 출생증명서 파기를 허락하는 문서와 새로운 출생증명서 발급을 요구하는 문서에 직접 서명했다. 말하는 법을 배운 괴물처럼, 나는 성의 진리를 생산하는 바로크적인 행정기관 한가운데 앉아서, 그 기관의 모든 버튼을 동시에 눌러대고 있다. 시스템이 블랙아웃될 때까지. 상당히 어지럽다.

  나는 지금 내게 일어나고 있는 일을 가까스로 이해하고 있다. 나는 나의 것이 아닌 현재와 절대적으로 나의 것인 미래 사이에 분리되어 있다. 나의 삶은 누군가, 어느 곳에서, 언젠가 그것을 읽을 수 있도록 미래로 보낸 병 속에 든 메시지다. 아마도 누군가는 언젠가, 어느 곳에서 다시 한번 성 기관에 접근할 것이고, 나의 신체에 관한 전기를 쓰고 내 삶을 이해하리라고 나는 생각한다.

카셀, 2016년 11월 26일

아테네의 반란들

그리스가 또 한번 멈추었다. 목요일, 공무원 노조와 민간부문 노조의 요청으로 일어난 총파업이 아테네 도시 전체를 마비시켰다. 신타그마광장은 또다시 억압과 저항의 현장, 공동의 해방 과정을 지탱할 수 없는 민주제도 체계의 기능장애를 보여주는 현장이 되었다. 그리스 의회는 시민의 목소리를 증폭시키는 대신 억누르는 벙커가 되었다.

이틀 전, 엑사르키아—아테네에서 반군과 이주민들이 사는 동네—거리들이 불바다가 되었다. 불법점거 지역인 자이미와 스토우르나리 거리의 자동차와 쓰레기통들은 거대한 화형대가 되었고, 그 주변으로 200명도 넘는 무장경찰들이 시위대를 둘러싸고 있었다. 8년 전 12월 6일, 15세의 알렉산드로스 그리고로포울로스가 경찰의 총탄에 쓰러졌다. 수천 명의 학생들이 경찰의 폭력에, 행정기관의 부패에, 이주민을 범인 취급하는 것에, 그들의 수용소 수감에, 기업의 착취에, 관광지의 파괴에 항의하기 위해 또다시 거리로 나섰다.

그리스는 유럽의 억압된 무의식이다. 유럽공동체의 쓰레기통인 동시에 국경이고, 황금양털이자 고갈되지 않는 자원인 그리스는, 인종적 성적 경제적 삼중의 차별을 거쳐 과도한 코드화를 통해 건설되었다. 한편으로 그리스는 역사적 상상력 속에서 서양의 요람으로 찬양의 대상이었다. 부르주아적이고 식민주의적인 르네상스는 백인의 그리스도교적인 그리스 자료집(기념물, 고문서, 텍스트와 신체)을 만들어냈고, 결코 존재한 적 없는 그리스를 예찬했고(그리스인들은 결코 명백히 백인이지도 엄밀하게 그리스도교적이지도 않았다), 현실의 그리스가 가진 동양적이고 혼합적인 현실은 부인했다. 다른 한편 유럽연합은 그리스를 여성 성노동자의 처지로 몰아넣었다. 다시 말해 유럽연합은 이 나라를 모욕하고 빚을 지게 만들고 탐하는 동시에 성 관광지로 만들어 여행을 금지시키고 금융투기 앞에서 그리스가 엉덩이를 벌릴 것을 요구하고 있다. 유럽은 그리스의 섬들을 벽 없는 노천 형무소로 만듦으로써, 그리스 영토를 이주를 묶어두는 거대한 거미집으로 바꾸어놓았다.

그렇지만 시위, 방화, 파업은 그리스에서 저항 과정을 완전히 허물어뜨리기가 불가능하다는 신호다. 그리스는 아감벤*의

---

* 푸코가 '근대는 생명관리정치를 낳았다'고 주장한 데 반해, 아감벤은 정치는 그 기원부터 생명관리정치였다고 주장했다. 그에 따르면, 로마시대의 특이한 수인(囚人)이던 '호모 사케르'란 bios(사회적 정치적 생명)을 박탈당하고

'벌거벗은 생명'이 아니라, 분노하고 봉기하는 수많은 청년의 신체. 너바나와 함께하는 데팡트, Teen Spirit.* 아테네는 도시의 반란을 광란의 페스티벌로 전환시켰다. 한 무리의 젊은이들이 엑사르키아광장에 모여 조용히 담배를 피운다. 2분 뒤, 그들은 헬멧을 쓰거나 두건을 걷어올리고, 검은색, 흰색, 붉은색 라벨로 뒤덮인 그들의 이스트팩 배낭에서 직접 제조한 작은 화염병들을 꺼낸다. 그들은 아무런 무장도 하지 않고 경찰 소대 앞으로 나아간다. 경찰의 장비를 보니, 내무부와 국방부가 예산 삭감이 전혀 없는 유일한 부서들이라는 확신이 든다. 항의는 거리에서 하는 일종의 집단 퍼포먼스가 되어, 그리스 국가에 남아 있는 마지막 정치적 특성이, 베버식으로 말하자면, 폭력의 합법적 사용임을 명백하게 보여준다.

시위대에는 모든 연령층의 사람들이 있었지만, 항의의 에너지만큼은 의심의 여지 없이 청년의 것이다. 그 불 속에서 청춘의 생명의 기운 같은 것이 타오른다. 만약 국가의 거시정치와 젠더에 관한 미시정치를 겹쳐놓은 콩트를 상상해본다면, 복지국가가 가부장제가 어머니에게 할당했던 역할을 완수하려 애쓴 동안 경찰국가는 역사에서 아버지 역할을 담당했다고 말할

---

zoe(생물적 생명) 밖에 가지지 못한 존재였다. 아감벤은 이를 '벌거벗은 생명'이라 칭하고 생명관리정치는 이 '벌거벗은 생명'을 표적으로 삼고 있다고 주장했다.

* 2002년 그라세출판사에서 출간된 비르지니 데팡트의 책 제목으로, 그룹 너바나의 노래 'Smells Like Teen Spirit'에서 제목을 따왔다.

수 있을 것이다. 경찰국가는 규율을 잡고 처벌하고, 복지국가는 보살피고 계획을 세운다. 이 방정식으로부터 그리스를, 경찰국가-아빠가 알코올중독에다 타락하고 제멋대로에 폭력적인 반면 복지국가-엄마는 가정을 버렸거나 돈을 요구할 때만 돌아오는 그런 가정으로 묘사할 수 있을 것이다.

엑사르키아는 이 폭력적이고 기능이 고장난 가정의 딸이다. 국가가 시민과 맺는 유일한 관계는 학대와 폭력의 차원에 속한다. 여기에는 어떤 보호도 없다. 이런 상황에서 십대 딸에게 남은 선택은 울부짖으며 가구를 불태우는 것뿐인데—바로 이것이 3주 또는 4주마다 엑사르키아에서 일어나고 있는 일이다- 그 딸 역시 가족이 사는 집을 버리고 방종한 생활을 하러 떠날 수도 있을 것이다. 이것이 이주민을 수용하는 불법점거 건물을 개방하고, 노타라 26 또는 시티 플라자에 살아남기 위한 대안 공동체를 건설하는, 몇몇 무정부주의 집단이 시도하고 있는 일이다.

권력과 통치의 가부장적 모델들을 뛰어넘는 정치 형태를 새로 만들어내야 할 순간이 도래했다. 아버지의 집을 버려야 한다, 이제 어머니를 그만 기다려야 한다. 엑사르키아는 살 수 있어야 한다.

아테네, 2016년 12월 10일

짐을 싸라

아무것도 생산하지 마라. 성별을 바꿔라. 당신의 교사의 스승이 되라. 당신의 학생의 제자가 되라. 당신 우두머리의 연인이 되라. 당신의 개의 동물이 되라. 두 발로 걷는 모든 것은 적이다. 당신의 간호사를 돌보라. 감옥으로 들어가 『동물농장』의 주요 장면을 재연하라. 당신의 비서의 조수가 되라. 가서 청소부의 집을 청소하라. 술집주인을 위한 칵테일을 준비하라. 진료소를 폐쇄하라. 울고 웃어라. 너에게 주어졌던 종교를 공식적으로 버려라. 당신의 은밀한 묘지의 무덤들 위에서 춤을 추어라. 이름을 바꿔라. 조상을 바꿔라. 환심을 사려 하지 마라. 모니터 또는 전혀 다른 시각매체에서 아이콘으로 바뀌는 것을 보았던 것은 아무것도 사지 마라. 아폴론의 조각상을 매장하라. 환심을 사려 하지 마라. 당신이 어디로 이사 가는지 모른 채로 짐을 싸라. 당신의 아이들을 버려라. 노동을 그만두라. 난민캠프로 들어가서 『동물농장』의 주요 장면을 재연하라. 당신의 아버지에게 매춘을 시켜라. 국경을 넘어라. 디오게네스의 사체를 파내라. 당신의 페이스북 계정을 닫아라. 사진을 찍으면서 미소 짓지 마라. 당신의 구글 계정을 닫아라. 미술관으로 들어가『동물농장』의 주요 장면을 재연하라. 당신보다 열 살 어린 여자를 위해 남편을 버려라. 네 발로 걷는 모든 것, 날개 달린 모든 것이 친구다. 당신의 은행 구좌를 닫아달라고 요청하라. 머리카락을 깎아라. 개를 위해 당신의 남편을 버려라. 성공을 추구하지 마라. 당신의 메일함에 자동응답을 설정하라. "2017년 동안 그리고 별도의 요청이 있을 때까지는 우편함 0700465로 편지를 써서 제게 연락해주십시오." 당신의 옷을 모두 내놓고, 의복을 제작하는 수업을 듣기 시작하라. 당신 컴퓨터의 드롭박스 문서를 파기하라. 빈 여행가방을 준비해서 떠나라. 국경을 넘어라. 어떤 새로운 작업도 하지 마라. 아내를 떠나 말을 타라. 어느 거리에서든 여행가방을 열고, 다른 사람들이 당신에게 주는 것을 받으라. 그리스어를 배우라. 도살장으로 들어가『동물농장』의 주요 장면을 재연하라. 당신의 수염에 꽃을 한 송이 꽂아라. 당신의 가장 예쁜 신발들을 내놓아라. 성별을 바꿔라. 어떤 동물도 자신이 직접 제작하지 않은 옷을 입지는 않을 것이다. 사무실 바닥에 누워, 천장에서 춤을 추는 것처럼 당신의 발을 움직여보라. 밖으로 나가 다시 돌아오지 마라. 포플러나무를 위해 아내를 떠나라. 어떤 상황도 분석하지 마라. 오직 당신이 모르는 사람들과 당신이 모르는 언어들로 자신을 표현하라. 국경을 넘어라. 투표를 그만두라. 당신의 빚을 갚지 마라. 투표통지서를 태워버려라. 어떤 동물도 다른 동물을 죽이지 않을 것이다. 당신의 은행카드를 파기하라. 다른 사람들이 무용하다고 생각하는 것에 가치를 부여하라. 다른 사람들이 추하다고 여기는 것을 예찬하라. 눈에 띄지 않도록 애쓰라. 대리되지 않도록 노력하라. 어떤 동물도 공장에서 만든 침대에서 잠들지 않을 것이다. 당신의 리비도의 대상을 바꾸어라. 생식의 쾌락에서 벗어나라. 신체의 한계를 넘어서는 모든 것을 즐겨라. 가이아가 당신에게 스며들도록 내버려두라. 약을 쫓아내라. 진정제를 과거와 맞바꿔라. 땋아라. 짜라. 집을 짓지 마라. 쌓아두지 마라. 다른 동물을 먹지 마라. 인간의 발전을 부추기지 마라. 분할하지 마라. 이윤을 늘리지 마라. 더 나아지지 마라. 투자하지 마라. 정신병원에 들어가서 『동물농장』의 주요 장면을 재연하라. 행동을 계획하지 마라. 쓰레기통을 뒤져라. 보험을 들지 마라. 역사를 기술하지 마라. 당신의 하루 일정을 짜지 마라. 의식적으로든 무의식적으로든 능률 수준을 낮추어라. 어떤 동물도 보드카 앱솔루트를 마시지 않을 것이다. 유튜브에 동영상을 올리지 마라. 아직 그렇게 한 적이 없다면, 앞으로도 그런 일이 없게 하라. 자신을 현대화하지 마라. 전략적으로 통신을 이용하지 마라. 미래를 예견하지 마라. 최대의 시간 동안 가능한 한 최소한의 것만 하도록 노력하라. 당신의 생산성을 높이려 애쓰지 말고, 양로원으로 들어가서 『동물농장』의 주요 장면을 재연하라. 아무것도 설명하지 마라. 다른 사람들이 지식이라고 부르지 않는 앎을 예찬하라. 아무것도 디지털화하지 마라. 흔적을 남기지 마라. 당신의 경쟁자들에게 한마디 보내라. "나는 그만하겠다. 새해 복 많이 받아라." 로지스틱 하부구조를 확장시키지 마라. 과학의 기대수명 연장보다 삶을 선택하라. 모든 동물은 평등하다.

바르셀로나, 2016년 12월 24일

우리의 모니터들은 마주보고 서로 사랑을 나눈다

나는 지금 한쪽 가장자리는 아테네에, 다른 쪽은 바르셀로나에 있는 탁자에서 작업하고 있다. 탁자 한쪽 끝에서 이치아르는 베소스지구를 묘사하기 위해 도시의 문학 지도를 그리고 있고, 자위하는 우울증에 걸린 카탈루냐 작가 미켈 바우사Miquel Bauçà가 살던 거리를 척도로 삼아, 시인 엔릭 카사세스Enric Casasses가 묘사한 한가로운 산책에서 출발하여 그라시아지구의 윤곽을 그리고 있다. 그동안 나는 탁자의 다른 쪽 끝에서 생각하기 위해, 행동하기 위해, 또는 강렬한 쾌감을 느끼기 위해 집결한 집단이 취할 수 있는 형태를 상상해본다. 그 형태를 지배하는 것은 협정이거나 계약, 독립이거나 상호의존, 논증이거나 실험, 즉흥이거나 분할이다.

물리적으로 수천 킬로미터 떨어진 이 탁자는 인터넷의 인공적인 보완 매체들을 통해 조립된 것이다. 아테네에 있는 스피커를 통해 새어나온 음악이 바르셀로나에 들린다. 신체의 모든 기관 중 가장 인공적이고 환상적인 목소리(우리가 '목소리 없이' 태어난다는 것, 목소리는 사회화가 되고 난 뒤에야 소프트웨어를 설치하듯이 우리의 신체에 '이식'된다는 것을 기억하자)는 거리를 뛰어넘는 데 성공할 수 있는 유일한 것이다. 단 하나의 시간과 두 개의 공간. 아니 만약 우리가 음악 혹은 목소리가 한 음 한 음 아테네에서 바르셀로나까지 도달하는 데 걸리는 몇 초에 주의를 기울인다면, 우리는 두 개의 시간과 단 하나의 공간이 있다고 말할 수도 있을 것이다. 하지만 무너지는 것은 공간과 시간에 관한 뉴턴의 범주들(위상기하학과 연대학)인 것 같다. 우리는 공중을 떠다닌다. 우리는 서로를 마주보고 있고, 나는 그 시선이 어디에 있는지가 궁금하다. 또 눈에 보이는 게 다른 눈도 아닌 모니터상의 눈 이미지인데 어떻게 서로 마주보는 것이 가능한지도.

나는 그녀가 자신의 모니터 화면에서 지도를 보는 동안 그런 그녀를 관찰한다. 어떤 순간에 그녀의 눈이 더이상 나를 보지 않는지, 어떤 순간에 그녀가 내 이미지를 다른 것으로 대체했는지는 말할 수 없다. 우리의 모니터 화면들은 서로 마주보고 있다. 우리의 모니터 화면들은 서로 사랑한다. 그런 일이 일어나고 있을 때, 엄밀히 말하자면 우리는 여기에도 저기에도 있지 않다. 그때 음악, 지도, 문자, 관계의 실체로서 우리 자신, 우리의 사랑은 들뢰즈가 주름이라고 부르는 공간 속에서 존재하고 구성되며, 그것의 내적인 외부성은 수십만 개의 모니터 화면 위에서 접히고 다시 접혔다가 펼쳐지며 수천 개의 인터넷 케이블에 의해 조직된다.

모니터의 이미지를 내 이미지와 일치시키려고 손가락으로 이미지를 움직이면서, 나는 모니터가 세상의 새로운 피부라고 생각한다. 모니터는 근본적으로 탈중심화된, 주체화 과정에 있는 새로운 집단적 실체의 피부다. 조만간에 이식 전자칩이 우리의 피부를 모니터로 바꾸어놓을 것이다. 우리는 구텐베르크가 인쇄기를 발명했을 때 인간이 체험했던 변화에 비견할 만한 변화를 거치고 있다. 성서의 복사본을 기계로 만들어내면서 지식의 세속화, 생산의 자동화 시대가 왔었다. 오늘날 기술 변화의 빠른 속도는 공상과학소설이나 할 수 있던 가장 기발한 예언마저 넘어설 정도가 되었다. 매년 우리는 몇 시간 안에 우리의 삶에 동화되는 신제품 출시와 함께 영원할 것 같던 기기와 애플리케이션이 낙후되는 것을 목격하고 있다.

우리는 절대적인 비물질화와 완전한 자동화에 도달할 것이다. 우리는 모든 것을 자연화하려고 노력하고, 호메로스 또는 셰익스피어 시대에 그랬듯 끝내 우리의 열정을 이야기한다. 모든 것이 변하고 있는데도, 우리는 생산, 이데올로기, 종교, 국가 등에 고집스럽게 집착하고 있다. 우리는 하느님이 존재한다고, 국가가 존재한다고, 성별이 존재한다고, 노동과 실직이 존재한다고 계속 주장하기를 원한다. 하지만 아마도 아닐 것이다. 나는 포스트휴머니즘의 유토피아적 꿈을 공유하지 않지만,

중립 도구 같은 기술을 세계와 우리의 관계를 매개하는 것으로 보는 사람들의 견해 또한 공유하지 않는다. 서양세계가 기술이라고 부르는 것은 샤머니즘의 과학기술적 양태, 따라서 우리의 의식이 집단적으로 펼쳐질 때 취하는 형태 중 하나, 우리의 집단의식의 표출일 뿐이다. 기술의 가부장적이고 식민적인 전망(슈퍼권력에 대한 망상과 총체적 무기력이 주는 편집증 사이에서 흔들리는 전망)을 이제 내려놓자. 그리고 이제 의식 자체를 검토해보자. 우리는 모두 변화를 겪고 있지만, 이 변화를 알아채고 있는 몇몇 일부(과거에 괴물이라 낙인찍힌 사람들, 그들의 고유한 주체성과 신체가 공개적으로 변화의 실험 캠프이자 물질적 증거로 특기된 사람들)에 불과할 뿐이다.

토리노, 2017년 1월 14일

이제 책 대신 육신을 인쇄하자

도널드 트럼프에 대해서는 말하지 않겠다. 3D 바이오프린터로 성기를 인쇄할 수 있는 가능성에 대해서 말해보겠다. 이것이 아마도 트럼프에게 응답하는 다른 방법일 것이다. 오늘날까지 트랜스섹슈얼 신체의 해부학적 변화에는 이중의 과정, 즉 생식기의 파기와 불임수술이 포함되어 있다. 대부분의 질 성형술과 음경 재건술이 바로 그런 경우였고, 지금도 여전히 그러하다. 이런 외과의학은 의례적 희생의 과학기술적인 세속화로서, 그것이 진행되는 동안 트랜스 신체는 형벌에 처해져 훼손되고 성적 재생산의 전 과정에서 불능이 된다. 목표는 신체의 생존 잠재력 강화(이를 사람들은 건강, 쾌락 또는 웰빙이라 부른다)가 아니라, 남성우월주의적 규범과 삽입에 의한 이성애적 미학을 재확인하는 것이다.

우리는 곧 우리의 생식기를 3D 바이오프린터로 인쇄할 수 있게 될 것이다. 여기에는 의심의 여지가 없다. 그 기관을 갖게 될 신체에서 추출한 모세포 결집들로 구성된 혼합물을 근거로 바이오잉크가 제조될 것이다. 이 기관은 먼저 그것을 자신의 것으로 인정할 신체에 이식되기 전에 컴퓨터에 그려질 것이다. 이 과정은 이미 심장, 신장 또는 간과 같은 기관을 인쇄하기 위해 실험되었다. 이상하게도 연구소들은 생식기 인쇄에 관해서는 말을 하지 않는다. 그들은 '윤리적' 한계를 언급한다. 하지만 어떤 윤리가 문제인가? 페니스, 질 또는 음핵 페니스는 안 되고 심장을 인쇄하는 것은 왜 가능할까? 이식할 수 있는 n+1 양의 성기를 상상하는 것은 어떤 경우에도 가능하지 않은가? 성차에 관한 윤리를 인간 신체를 변화시키는 데 필요한 윤리적 한계로서 고려해야 하는가? 1451년 요하네스 구텐베르크가 한 페이지에 42줄씩 성서(하느님의 말씀이라고 가정되는) 180본을 단 몇 주 만에 복사할 수 있다고 선언했을 때(손으로 옮겨쓸 경우 2년은 걸렸다), 그는 비도덕적일 뿐만 아니라 이단이라고 여겨졌던 사실을 기억하자. 오늘날 우리는 3D 바이오프린터를 구상할 줄 알지만, 그것을 자유롭게 사용할 수 없다. 우리의 기계가 우리보다 더 자유롭다.

조만간 우리는 이제 책을 인쇄하지 않고 육신을 인쇄하게 될 것이다. 우리는 디지털 바이오 문자의 새 시대로 진입할 것이다. 구텐베르크 시대는 성서의 탈신성화, 지식의 세속화, 라틴어에 대한 지방어들의 확산, 정치적으로 반체제적 언어의 증가로 특징지어졌다. 3D 바이오 구텐베르크 시대로 진입하면서 우리는 근대 해부학의 탈신성화를 살아 있는 지배적 언어로 간주하게 될 것이다.

남성 헤게모니 체제와 성차 체제(1968년 이후로 위기 상태이기는 하지만 오늘날에도 여전히 지배적인 이 체제)는 섹슈얼리티 영역에서, 일신교가 신학 영역에서 차지했던 것과 동등한 위치를 차지하고 있다. 중세시대의 서구에서 신의 말씀을 의문시하는 것이 불가능(또는 불경)하게 보였던 것과 마찬가지로, 오늘날 성별 이분법을 의심하는 것은 상식 밖의 일로 보인다. 그렇지만 문제되는 것은 그저 역사적 범주, 마인드맵, 주체성의 무한한 증식에 대한 정치적 제한일 뿐이다. 성별 이분법 그리고 동성애와 이성애의 차이를 주장하는 논리는 재생산의 산업화 과정에 신체능력을 복종시킨 결과다. 우리의 신체는 번식하도록 예정된 채 가족-포드주의의 사슬에 묶여 있는, 난자 또는 정자의 잠재적 생산자로만 인정받는다.

남성성과 여성성, 이성애와 동성애는 자연의 법칙이 아니라 우연적인 문화적 관행이다. 신체 언어. 욕망의 미학. 우리의 생식기를 그릴 수 있고 인쇄할 수 있다는 가능성은 우리를 새로운 질문에 맞닥뜨리게 할 것이다. 더이상 어떤 해부학적 성을 갖고 태어나는가가 아니라, 우리가 어떤 성을 갖고 싶어하는가가 문제다. 트랜스 신체인 우리가 이분법적 성별 코드에 따라 남성 또는 여성으로만 인정받을 수는 없는, 호르몬적 또는 형태적 변이를 도입하기로 의도적으로 결심한 것과 같은 방식으로, 신체에 다수의 생식기를 이식하는 것이 가능할 것이다. 클리토리스와 페니스를 함께 갖는 것도, 둘 중 아무것도 갖지 않는 것도, 페니스 자리에 세번째 팔을 갖는 것도, 태양신경총 위에 클리토리스를 갖는 것도, 성적-청각적 쾌락에 할애된 에로틱한 귀를 갖는 것도 가능해질 것이다. 재생산의 법칙 또는 정치적 통제의 법칙이 아니라 복잡성, 특이성, 강도 그리고 정동精動의 원칙에 의해 정의되는 대항성적counversexual 미학의 시대가 도래할 것이다.

베를린, 2017년 2월 4일

역사의 이면

2017년 2월 2일, 센생드니의 로즈데방지구에서 테오 루하카는 세 명의 경찰관에게 심문당하고 욕설을 듣고 접이식 경찰봉으로 폭행을 당했다.

"역사는 매우 느리게 진전하므로 때로는 뒤에서 역사를 밀어붙여야만 한다"라고 혁명가 안드레이 젤리아보프Andrei Jéliabov는 말했다. 남자다운 씩씩한 정치 영웅들(좌파든 우파든)은 역사를 약간 기분좋게 자극하는 상상을 할 수 있도록 기꺼이 여성화한다. 그렇지만 테오도 역사도 누군가 그들을 밀어붙이는 것을 필요로 하지 않는다. 왜냐하면 그들의 생각이 틀렸기 때문이다. 역사의 이면은 산토끼 엉덩이처럼 또는 입자처럼 점프한다. 아인슈타인은 레닌의 친구보다 그 현상을 더 잘 이해하고 있었다. 물리학은 언제나 관찰자의 시간공간에 종속되어 있는 운동의 상대성을 요구한다. 우리가 휴대전화의 작은 창에 시선을 고정시키고 모든 것이 안정된 상태에 있다고 고집스럽게 믿는 동안, 역사는 바뀌고 있다. 하지만 아직 냉전이고, 우리는 여전히 1930년대에, 식민지 제국에, 인종차별 시대에, 종교재판을 받는 십자군 시대에…… 있다. 우리의 지각은 너무나 보수적이어서 오늘날의 생화학적 구름을 호흡하는 것보다 구석기시대 바람을 느끼는 것이 더 쉬울 지경이다.

그렇지만 앞으로 프랑스는 테오다. 역사는 멈추지 않는다. 브레이크 페달 밟기를 중단하지 않는 것이 우리의 지각이다. 자연과 단선적 진보라는 모순적이지만 상호보완적인 개념들에 사로잡혀, 우리는 역사의 힙합적인 움직임을 예측할 줄 모른다. 이 때문에 우리는 적절한 시기에 좋은 기차에 올라타지 못한다. 어떤 사람들은 지금 지나가는 기차가 트럼프, 브렉시트, 마린 르펜……이라고 생각하지만, 이것들은 조국, 국민국가, 국민주의 문법, 국민의 건강, 국민 천국, 국민의 남성성, 국민 혈통의 순수성, 국가 폭력, 국민강제수용소……라 명명되는 낡은 기차들의 그림자일 뿐이다. 그러는 동안 역사의 이면은 달아나는데 우리는 여전히 그 자리에 남아 있다.

우리는 인식론적 위기의 시기를 통과하고 있다. 우리는 글쓰기 기술의 패러다임 변화, 진실과 지식을 생산하고 저장하는 집단적 형식의 변화를 겪고 있다.

우리가 날마다 조작하고 있는 어떤 기계든 인간 개인의 지능보다 만 배는 더 우월한 역량을 가지고 있다. 기계는 데이터를 컴파일링하고 관리하고 분석한다. 우리는 우리 자신의 DNA

배열을 결정했다. 우리는 생명체의 유전자 구조에 개입할 수 있다. 우리는 의도적으로 호르몬 사이클을 변경하고 재생산 과정에 개입할 수 있다. 우리는 핵기술을 사용한다. 핵 방사선 찌꺼기는 우리 종이 소멸하고 난 뒤에도 땅속에 잔존할 것이고, 그것을 잘못 조작하여 발생하는 사고로 세상이 종말에 이를 수도 있을 것이다. 우리는 기계가 자유롭게 움직이도록 내버려두었고, 그러면서 생산, 주체성, 집단통치의 기술들이 영원히 부동으로 남기를 원하고 있다.

우리가 살고 있는 역사적 순간의 심각성(잠재력과 위험)은, 진화의 차원에서 보면, 여전히 동물에 '불과한' 우리가 사회적 기술로서 언어를 발명했던 시기에 비견될 수 있을 것이다. 이 변화에는 상징적 기능의 과도한 확장이 수반되었고, 그것의 두드러진 특징은 의례와 서술에 부여된 (생산 면에서) '쓸모없는' 시간을 용인하는 것이었다. 존재하지 않는 것과 보이지 않는 것에 대한 말 그대로 망상적인 관심. 일찍 자취를 감춘, 광란의 밤 축제문화 이론가이자 민속식물학자인 테렌스 매케나Terence Mckenna는 우리가 우연히 환각성 버섯 '프실로시브 큐벤시스'를 먹은 뒤 뉴런 피질이 급성장한 원숭이라고 주장했다. 이 말이 사실이라면 또 한번 그것을 처방받을 시간이 되었음이 틀림없다.

모든 상황, 모든 갈림길이 우리에게 혁명적인 조직과 행동 방법과 이유를 다시 생각할 수밖에 없게 한다. 근대성이 서구가 가진 나머지 지구에 대한 성-식민지적 우위를 합법화하기 위해 고안해낸 주체성과 통치기술은 오늘날 위기에 처해 있다. 정치적으로 완전한 주권과 (곤봉으로 구현되는) 폭력기술의 독점을 구현하는 백인 남성주의, 자유로운 소비자로 이해되는 주체, 대의민주주의 그리고 정당체제는.

1999년 시애틀 전투 이후로, 2005년 프랑스 교외 지구에서 일어난 소요 사태 이후로, 카이로 타흐리르광장, 마드리드 푸에르타델솔광장, 바르셀로나 카탈루냐광장, 아테네 신타그마광장의 평화시위 이후로, 운동은 규모와 강도가 더 커지고 있다. 역사는 테오다. 다가오는 역사의 기차는 백인 남성의 헤게모니를 해체하고 자유로운 소비자의 형상을 공격하는 다양한 정치적 하위주체subaltern의 투쟁이다. 서로 공조하는 이 투쟁들의 잠재적 변화가 의석 몇 개 줄이는 식의 정당들의 논리로는 회복될 수 없다. 그들은 우리를 대표하지 못한다. 트랜스페미니즘, 탈식민주의 정책, 반생산주의, 이 같은 정치적 변화는 저항과 상상력 그 이중의 과정으로부터 생겨날 수밖에 없다. 시민 불복종과 지각 변동으로부터. 탄핵과 근본적인 창조로부터. 혁명과 테크노샤머니즘으로부터.

1849년에 여성참정권을 주장하던 여성들이 여성의 투표권을 위해 투쟁했을 때, 사회주의 페미니스트 여성 노동자 잔 드루앵Jeanne Deroin은 자신을 총선에 지원한 입후보라 소개하면서 '남성우위적인' 민주주의 문법을 전복시켰다. 드루엥은 혁명적 행동이 가능한 길이 있음을 우리에게 보여준다. 그들은 우리를 대표하지 못한다. 테오가 의장이다. 마침내 역사를 보기 위해, 아마도 우리가 환각성 버섯을 다시 먹어야 할 시간이 아닐까?

아테네, 2017년 2월 25일

샌프란시스코, '미국의 클리토리스'

우리는 승용차를 타고 태평양 가장자리에 있는 샌프란시스코만灣을 달리고 있다. 애니 스프링클*이 운전대를 잡고 나는 그녀의 개 부치와 함께 조수가 되었다. 천 년 이상 된 나무들이, 18세기 에스파냐 식민지 개척자들에 의해 뿌리 뽑히기 전에 언젠가 이 땅에 아메리칸인디언 주민들이 거주했다는 사실을 우리에게 환기시켜준다. 유럽에서 1848년 혁명들이 일어나고 있을 때, 샌프란시스코는 미국의 한 주가 되었다. 우리는 해변에서 멈춘다. 바닷가 식당에서 대합조개 수프와 튀긴 생선을 먹는 동안, 애니는 포르노 여배우로서의 삶, 성노동자 권리를 위해 활동한 경험, 예술가로의 변신, 베스 스티븐스와의 공동

---

* Ellen F. Steinberg(일명 Annie Sprinkle, 1954~). 미국의 포르노 배우 출신 미술대학 교수, 공연예술가, 영화감독, 페미니스트 작가. 성과 생태학의 융합으로 '생태성애'라는 표현을 만들어 새로운 퀴어운동을 펼치고 있다. 자연을 어머니가 아니라 애인으로 보기를 제안하면서, 같은 대학 교수인 베스 스티븐스와 함께 지구와의 대형 결혼식 퍼포먼스를 벌인 것으로 유명하다.

작업에 대해 내게 이야기한다.

  우리는 샌프란시스코에 도착한다. 거리들은 바다로 향하는 바다표범의 등들처럼 물결치고, 빅토리아 시대풍의 근대적인 영주의 저택들이 차고와 창고, 농가의 건축양식을 환기시키는 다른 집들과 뒤섞여 있다. 카스트로거리*를 지나가면서 하비 밀크**의 집을 본다. 이 도시는 'Summer of Love'의 도시고 콤프턴 항쟁의 도시다.*** 젠더 대립이 정치운동이 되었던 장소이며, 1제곱미터당 가장 많은 성노동자와 젠더활동가가 있다는 곳이다. 애니 스프링클은 샌프란시스코가 '미국의 클리토리스'라고, 그 나라에서 가장 작지만 가장 강력한 기관이라고 말한다. 초강력 전기가 흐르는 121제곱킬로미터에서 실리콘 네트워크가 솟아올라 전 세계와 접속된다. 과거 한때 금의 열기가 있었다면, 오늘날에는 사이버네틱스의 열기가 있다. 성과 기

---

* 1960대에 저렴한 임대료로 동성애자들이 모여 산 이후 LGBT 거리가 되었다. 카스트로라는 거리의 이름은 19세기에 마지막까지 미국에 저항한 멕시코인 호세 카스트로에서 유래했다.

** Harvey Milk(1930~1978). 1977년 샌프란시스코 시의원에 당선된 미국 최초의 게이 정치인. 11개월간 시의원으로 재직하며 동성애자 권리 옹호를 위해 노력했으나 1978년 11월 27일 동료 시의원에 의해 살해당했다. 2009년 오바마 대통령은 그에게 미국 최고의 훈장인 대통령 자유메달을 추서했다.

*** '사랑의 여름'은 1967년 최대 10만 명의 젊은이가 히피 혁명의 본거지로 간주된 샌프란시스코로 모여든 현상을 지칭하는 말. 콤프턴 항쟁은 1966년 콤프턴의 트랜스젠더, 드랙퀸들이 모이던 카페테리아에서 시작된 경찰들의 젠더 탄압에 맞서 일어난 항거로, 1969년 스톤월 항쟁 이전의 미국 역사상 첫 LGBT 관련 항거 중 하나였다.

술. 태양과 달러. 행동주의와 신자유주의. 혁신과 통제. 구글, 어도비, 시스코, 이베이, 페이스북, 테슬라, 트위터…… 미국의 벤처-캐피털의 3분의 1이 집중된 121제곱킬로미터.

3월 8일이다. 하지만 길을 헤매고 대화를 하느라 우리는 샌프란시스코에서 시위에 참여할 시간에 제때 도착하지 못한다. 우리 둘 다 장밋빛 스카프를 둘렀지만, 우리가 이 여성의 날을 진정으로 사랑한 적은 없다고 서로 털어놓는다. 우리는 이 캐스팅에 적합한 후보였던 적이 없다. 그녀는 성노동자였고, 나는 오랫동안 급진적 레즈비언이었고 오늘은 트랜스다. 젠더를 억압하는 이분법적 체제 속에서 여성의 날을 기념하는 것이 어떤 의미일 수 있을까? 플랜테이션 체제 속에서 사슬과 쇠고리를 건 채 퍼레이드를 하는 노예의 날을 기념하는 것과 마찬가지다. 그런데 올해는 뭔가 좀 달라진 것 같다. 여성들의 국제적 총파업에 대한 호소가 젠더의 성적 반란 과정의 시작을 알리고 있기 때문이다. 축하가 아니라 불복종이다. 기념이 아니라 반란이다.

페미니즘의 충직한 펑크족으로서 애니와 나는 딜도를 사러 가는 것으로 이날을 기념하기로 결정했다. 이 클리토리스-도시에서는 성과 자위기술의 최고 권위를 지닌 제작자들을 찾아볼 수 있다. 우리는 미션디스트릭트 거리의 역사적인 가게들 중 한 곳으로 들어간다. 치료사이자 성교육자인 조아니 블랭크가 설립한 이 회사는, 최초로 오로지 여성과 레즈비언의 쾌락에만 몰두한 곳이었다. 그뒤에 회사는 여성 성노동자들에게 매각되었다가, 최종적으로 캘리포니아 출신 포르노게 한 거물의 딸이 다시 사들였다. 그렇지만 캐럴 퀸 같은, 이 도시의 많은 역사적인 여성 행동주의자와 여성 성교육자들이 계속 그 회사에서 일하고 있다.

가게 앞에서 시위대가 스무 살의 과테말라 출신 이주민 아밀카르 페레즈가 경찰 손에 살해된 사건을 규탄하고 있다. 가게 안에서 우리를 맞이한 사람은 쥬키 선샤인이었다. 나는 델 라 그레이스 볼케이노*의 사진에서 세븐시스터스 언덕 정상에 있는 그녀를 본 기억이 났다. 애니 스프링클과 함께 '굿 바이브레이션즈(좋은 떨림)'로 들어가는 것은 마치 메시와 함께 축구박물관에 들어가는 것이나 마찬가지다. 모든 성인용품이 그녀가 지나가면 전율하는 것 같다.

우리는 실리콘으로 된 실물과 똑같은, 프탈레이트 성분**이 없고 저低알레르기성의 새로운 딜도 모델을 발견한다. 나는 애니에게 의견을 물어본다. 그녀는 '바닐라' 색보다 '캐러멜' 색이 더 좋단다. "마치 네가 캘리포니아에서 완전히 나체로 일광욕한 거랑 같을 거야"라고 그녀가 말했다. 성인용품을 한번 써

---

* Del LaGrace Volcano(1957~). 미국 캘리포니아 태생의 예술가, 행동주의자, 사진작가. 인터섹스로 태어나 37년 동안 여성으로 살았지만, 이후 남성이자 동시에 여성으로 살아가면서 남성성과 여성성을 소재로 한 퍼포먼스로 성별 이분법에 의문을 제기하고 있다.

** 플라스틱을 부드럽게 만들기 위해 사용하는 화학 첨가제.

보려 하자, 애니가 한 유일한 질문: "이게 목도 마사지해줄 수 있을까". 우리의 당황한 시선을 보고 애니는 이런 설명을 덧붙인다. "포스트-폐경기에 섹슈얼리티는 포스트-생식이야."

그녀는 마지막으로 친환경 성 기구 하나를 골랐다. 핀처럼 머리카락에 고정되는 음부 모양의 귀걸이 한 쌍. 계산대에서 쥬키가 '모든 성인용품은 재해보험과 생명보험에 들어 있다'는 사실을 상기시켜준다. 거기에 '전前 여자친구와 개'로 인한 피해는 포함되지 않지만. 애니는 나에게 실리콘밸리 기념품으로 '클리토리스 펌프'를 제안한다.

가게를 나와 우리는 벽이 그림과 낙서로 뒤덮인 거리, 클래리언앨리를 산책한다. 그곳은 마치 '흑인은 처벌받지 않고 살해당한다' '구글 퇴출' '당신의 총을 내려놔라' 같은 항의문을 모아둔 노천 박물관 같다. 그중 하나는 누군가가 미국 국기의 별들을, 사망자의 머리와 붉고 푸른 선들로, 경찰에 의해 살해된 사람들의 검고 희게 쓰인 이름들로 대체한 것이었다. 올해 초부터 계속된 라틴계 이민자에 대한 '합법적인' 67건의 살해. 마지막 이름은 아밀카르 페레즈였다. 하지만 대문자로, 쉼표도 마침표도 없이 쓰인 이름들 Samuel DuboceMiriam CareyBrendon GlennAntonio ZambranoJessicaHernandez······도 있었다. 마치 죽음이 이 모든 이름을 단 하나로 바꿔놓은 것 같다. "힘을 키워라 형제자매들이여." 국기의 오른쪽에서, 3D로 쓰인 R.I.P.(Rest in peace) 옆에서 곰이 무지개 똥을 누고 있다.

           샌프란시스코, 2017년 3월 25일

무국적 전시회

1980년대에 그리스의 예술가 레나 플라토노스가 노래했던 것처럼, 봄은 내핍을 위한 계절이 아니다. 트로이카의 결정, 민주주의 제도들의 붕괴, 파시스트 미학의 귀환, 난민캠프의 점진적인 수용소로의 전환에도 불구하고, 아테네에 봄은 다시 왔다. 봄은 확실히 내핍을 위한 계절이 아니다. 태양은 공공예산 삭감에 굴하지 않는다. 새들은 이자율 상승에 대해, 도서관과 공공미술관의 휴관에 대해, 이제는 관객에게 전시되지 않을 지하창고에 갇힌 수백 점의 작품들에 대해, 만성 질환자와 에이즈 바이러스 보유자들에게 아낌없이 최소한의 치료를 제공할 수 없는 무능력에 대해, 이주민을 위한 의료와 교육 서비스 부재……에 대해 아무것도 이해하지 못한다. 4월의 태양도, 리카베투스산의 새들도 이 모든 것에 대해 말하는 것을 듣고 싶어하지 않는다. 이런 상황에서, 지금까지 독일의 카셀에서 상시로 열렸던 전시회를 아테네에서 기획하는 것은 무엇을 의미할까? 봄은 내핍의 계절이 아님을, 태양은 모두를 위해 빛난다는 것을 끝까지 믿는다는 것이다. 아니면 아마도 기후 변화의 새로운 환경에 순응하고, 장프랑수아 리요타르가 말한 것처럼, 태양조차 늙어가고 있다는 사실을 받아들이든가.

1955년에 카셀에서 아르놀트 보데가 기획한 첫번째 도쿠멘타*의 목표는 나치 체제에 의해 배척당했던 아방가르드 예술가들의 작품을 개방하는 것이었다. 보데는 전쟁으로 황폐해진 대륙에서 유럽의 공공문화를 다시 일궈내고 싶었을 것이다. 14번째 도쿠멘타도 그와 같은 절박감에서 진행되고 있다. 우리는 경제적 정치적 전쟁 상황에 놓여 있다. 세계인구 대 지배계급의 전쟁, 생명 대 글로벌 자본주의의 전쟁, 신체와 무수히 많은 소수자 대 국가들의 전쟁이 그것이다. 2008년의 서브프라임 위기는 1930년대 이후로 전에 없이 글로벌 자본주의의 정치적이고 도덕적인 재편을 정당화하는 데 소용되었다. 그리스는 새로운 금융 헤게모니가 만들어낸 모든 형태의 배제를 총합하는, 정치적으로 압축된 시니피앙으로 바뀌었다. 민주적 권리 제한, 빈곤의 범죄화, 이주 거부, 모든 형태의 차이에 대한 병리화.

이것이 전시 이전에 앞서 탐구를 주로 아테네에서 수행해

---

* Documenta. 독일 카셀 지역에서 5년마다 열리는 현대미술 전시회. 카셀대학교의 교수이자 큐레이터였던 아르놀트 보데Arnold Bode가 현대미술을 '퇴폐미술'로 명명하며 탄압했던 나치 시대의 문화적 암흑기를 쇄신하려는 목적으로 진행하였다.

무국적 전시회

온 이유다. 수개월 동안 도쿠멘타14를 만드는 수백 명의 예술가, 작가, 지식인들이 이곳으로 왔다. 또한 바로 이 때문에 전시회는 이번 토요일 아테네에서 개막식을 하고, 이어서 6월 10일에 카셀에서 단 8주 동안만 개최된다. 아테네에서의 탐색 과정 동안, 2015년 7월 5일 'oxi(반대)'로 결론난 국민투표를 통해 민주주의의 실패를 체험한 것이 결정적이었다. 그리스 정부가 시민의 결정을 수락하지 않겠다고 했을 때, 의회는 국민을 대표할 수 없는, 공허한, 파괴된 제도로 느껴졌다. 같은 시기에 신타그마광장과 아테네의 거리들은 여러 날 동안 목소리와 사람들의 신체로 가득찼다. 의회는 바로 거리였다. 이로부터 도쿠멘타14 공공 프로그램의 구상, '신체들의 의회'가 탄생했다. 2016년 9월 이후로 우리는 엘레프테리오스 공원에서 토론의 장을 열었고, 예술가, 비평가, 활동가, 무용수, 작가들……은 그곳에 모여 민주주의가 위기에 처한 상황에서 공공영역(시장경제가 아니라)을 어떻게 재건할지를 두고 생각을 나누었다. 아테네에서 이 전시회를 기획하며 겪은 어려움(그리고 매력) 가운데 하나는, 예술감독인 아담 심칙이 거의 독점적으로 공공 기관들과만 공동 작업을 하기로 결정한 것이었다. 전쟁중에는 기관도 갤러리도 예술시장도 협상 대상일 수 없었다. 반대로 전시회는 공공서비스로, 경제적 정치적 도덕적 긴축에 대한 해독제로 이해된다.

   도쿠멘타 같은 국제 전시회가 열릴 때면, 모두가 예술가 명단과 그들의 국적, 그리스인과 독일인 비율, 남녀 성비를 요구하고 물어본다. 하지만 오늘날 자신이 어느 국가의 시민이라고 누가 선언할 수 있는가? 문제가 되는 것은 '서류'상 신분과 그것의 합법화 과정이다. 지정학적 지도에 균열이 생기는 동안, 우리는 이름과 시민권이 이제 평범한 조건이 아니라 특권이 되어가는 시대, 성과 젠더가 이제 명백한 지정指定이 아니라 낙인 아니면 선언으로 전환되는 시대로 접어들고 있다. 이 전시회의 몇몇 예술가와 큐레이터는 언젠가 자신의 생존 조건을 바꾸기 위해 이름을 잃었거나 또다른 이름을 얻었다. 또 어떤 사람들은 여러 차례 자신의 시민 신분을 바꾸었고, 아니면 망명 여부를 계속해서 기다리고 있다. 그렇다면 이들을 뭐라고 부를까? 그들을 어떻게 분류할 수 있을까? 시리아인, 아프간인, 우간다인, 캐나다인, 독일인으로? 아니면 그저 대기 명단에 있는 번호로? 그리스인 또는 독일인, 베를린에서 더 나은 삶의 여건을 찾기 위해 이주해온 수백 명의 이 그리스 예술가들은 그리스인인가 독일인인가? 성평등 통계가 문제될 때도 마찬가지다. 트랜스와 인터섹스는 어떤 범주에 포함시킬 수 있을까? 서류상 인증되지 않는 자들in-documentés은?

도쿠멘타14는 균열이 생기고 있는 인식론적 정치적 영토에서 펼쳐지고 있다. 2008년부터 그리스가 치르고 있는 경제적 정치적 희생은 전 유럽으로 확대되고 있는, 민주주의의 더 광범위한 붕괴 과정의 서막일 뿐이다. 2014년에 이번 도쿠멘타를 준비하기 시작한 이후로, 우리는 앞으로 모든 문화제도를 잠식할 이 점진적 붕괴의 목격자가 되었다. 난민 거부, 우크라이나에서의 군사적 충돌, 유럽 국가들의 정체성 위축, 헝가리와 폴란드, 튀르키예……의 신新파시스트적 전환. 트럼프의 집권, 브렉시트…… 지구는 '역개혁' 장치에 시동을 걸고 있다. 이 장치는 백인 남성의 우위를 재확립시키려 하고, 최근 두 세기 동안 노동운동, 반식민주의운동, 인디언 권리옹호운동, 페미니즘운동 등이 마침내 획득한 민주주의의 성과들을 분쇄하려 한다. 새로운 형태의 신자유주의적-내셔널리즘이 새로운 국경들을, 그리고 새로운 벽을 쌓아올리고 있다. 이런 상황에서, 가시성과 발화의 공적 공간을 여러 다양한 방식으로 구성하는 전시회는 문화적 행동주의의 플랫폼이 되어야만 한다. 그것은 정체성도 국적도 없이 집단 협력이 이루어지는 유목민적 과정이다. 카셀로 변장한 아테네. 아테네로 변신을 일으키고 있는 카셀. 신분 서류도 땅도 없는 삶, 연속적인 이동과 이주와 번역이라는 삶의 조건들은 우리에게 근대 서구 역사의 자민족중심적인 내러티브를 넘어서도록, 새로운 형태의 민주주의 활동을 개시하도록 촉구하고 있다. 도쿠멘타는 전환중이다. 정치적 주체들이 가시화되는 조건을 문제삼는 실험적이고 탈식민주의적이고 페미니스트적이고 퀴어 교육학적인 방법론에서 영감을 얻은 이 전시회는, 이중의 의미에서 무국적적이라고 자처한다. 조국과의 관계뿐만 아니라, 서구의 미술관을 건립했던—그리고 오늘날 유럽을 파괴하고 싶어하는—식민주의적이고 가부장적인 계보와의 관계도 문제삼고 있기 때문이다.

아테네, 2017년 4월 7일

나는 이렇게 살고 싶다

캘리포니아에서 나의 마지막 여행에 대한 기억이 마치 캐시 애커의 소설에서 발췌한 허구처럼 강렬하게 불쑥 떠오른다. 그 기억의 빛깔이 카셀의 현실세계의 것보다 더 선명하다. 바다 내음, 바다표범들의 번들거리는 표피, 거리 시위자들의 외침……이 내 머릿속에서 문학적인 이야기에만 있는 일관된 맥락을 가지고 나타난다. 그 소설에서 도널드 트럼프라는 자가 아메리카합중국이라 불리는 나라의 민주적 선거에서 승리를 거두었다. 그는 멕시코 국경을 따라 장벽을 세우겠다고 약속했다. 그는 국방비 예산을 54조 증액시켰다. 그는 '망할 놈의 테러리스트들에게서 진실을 끌어내려면 고문은 필수적'이라고 선언했다. 그는 '여자에게 가장 중요한 것은 예쁘고 작은 엉덩이를 갖는 것'이라고 공개적으로 말했다.

이 소설 속에서, 애니 스프링클과 베스 스티븐스는 작금의 현실 앞에서 하나로 결합되었음을 느끼기 위해, 샌프란시스코에 있는 그들의 집에서 친구들과 저녁식사를 함께할 계획을 세웠다. 저녁식사는 일종의 의례로서, 그동안 참석자는 모두 무언가를 내놓고 무언가를 잡도록 권유받았다. 멕시코계 미국인 예술가 기예르모 고메즈페냐는 다음과 같이 시작하는 시를 한 편 썼다. "나는 마치 도날드 트롬파조가 선거에서 이기지 못한 것처럼 살고 싶다. 마치 도날드 트롬파조가 오늘 대통령이 아닌 것처럼." 아무도 웃을 수 없었고, 한마디 촌평도 달지 못했다. 밤이었다. 살롱이 조용해져서 새들의 노랫소리를 들을 수 있었다. 마치 누군가 그것을 고음질로 녹음해두었다가, 브로드만 지도의 41, 42 구역에, 일차 청각 겉질에 있는 허쉬* 뇌의 가로 관자 이랑 속에 직접 심은 보철기구를 이용해 테이프를 틀어놓은 것 같았다. 새들이 노래하고, 기예르모의 목소리는 공기와 소리의 떨림으로 만든 조각품을 가다듬는 날이 된다. "나는 도날드 트롬파조가 존재하지 않는 것처럼 티후아나까지 걷고 싶다. 나는 그의 이름을 발설하고 싶지 않다, 도날드 트롬파조가 존재하지 않는 것처럼 살고 싶으니까."

    나는 이제 내가 꿈을 꾸는 건지, 기억을 떠올리는 건지 모르겠다. 기예르모의 신체가 내게 마치 성모상처럼 보인다. 국경에 있는 인디언 성모상. 프리데리치아눔미술관 창문에서 보이

---

* Fred Hersch(1955~). 미국의 유명 재즈 피아니스트이자 교육자이자 에이즈 운동가. 게이로 커밍아웃한 후 에이즈 치료를 받던 중 코마 상태에 빠졌다가 깨어났고, 가사 상태의 이 경험을 바탕으로 공연을 기획하기도 했다.

는 콘크리트 공원에서 뛰노는 아이들의 외침과 새들의 노랫소리가 뒤섞인다. 도쿠멘타14 전시회를 편집하고 기획하는 데 필요한 작업 속도, 예술가들의 작품을 준비하느라 미술관에 24시간 머물러 있어야 한다는 사실…… 때문에 나는 번번이 허구와 현실을 구분하는 것이 더 힘들었다. 마치 오래전에 읽어서 이후 내용을 정확히 기억할 수 없는 이야기처럼, 나 자신의 생활이 토막토막 와해되어 있었다. 그 이야기 속에서 나는 다른 얼굴, 다른 목소리, 다른 이름을 가지고 있었다. 우리의 공통의 이야기는 와해된다. 1933년 아니면 1853년 아니면 1804년 아니면 1497년에 누군가가 썼을 수도 있을 또다른 이야기도 등장한다. 나는 수개월째 파리로 돌아가지 못했다. 나의 모든 용품은 내가 살았던 최근의 집에 남아 있었다. 아직 그곳에 살고 있는 여자가 내게 편지를 보내 일부 내 물건들을 지하 창고에 내려놨다고 말해주었다. "날이 몹시 추워. 우리가 함께 썼던 물건들이 다시 보였어. 우리 참 행복했지." 나는 답장으로 거짓말을 했다. "우리가 함께 보낸 매 순간을 기억하고 있어." 하지만 나는 더이상 그것을 기억하고 있지 않다. 그저 상상할 뿐이다.

정치는 일종의 허구적 텍스트로, 거기서 책은 우리 자신의 신체다. 정치는, 피를 잉크 삼아 집단적으로 쓰였다는 점을 제외하면, 허구적 텍스트다. 이 허구적 텍스트에서는 모든 것이 가능하다. 미국과 멕시코를 갈라놓는 장벽, 아랍 국가 신분증 소지자에 대한 국경의 전면 봉쇄, 공중보건의 민영화, 동성애

및 낙태의 범죄화, 에이즈 바이러스 보균자의 사형, 물리적 또는 정신적으로 다른 사람들에 대한 제도적 구금…… 역사는 우리에게, 오래전부터 가장 부조리하고 가장 폭력적인 것을 정치적으로 상상할 수 있었다는 사실을 가르쳐준다. 고대 그리스에서는 여성과 아이와 노예와 외국인을 배제한 (오늘날 우리가 여전히 찬양하는) 민주주의 체제를 확립하는 것이 가능했다. 또한 대서양 제도와 아메리카 대륙에 거주하는 인디언 인구를 절멸시키는 것이 가능했고, 15퍼센트의 백인 인구가 아프리카에서 잡혀온 85퍼센트의 인구를 노예상태로 몰아넣은 플랜테이션 경제체제를 확립하는 것이 가능했다. 알제리에 정착하여 그곳에서 태어난 인구를 바보라 부르는 것이 가능했다. 팔레스타인인들을 그들의 집에서 쫓아내는 것이 가능했다. 여성에게 아이를 낳지 않으면 존재하지 않는 것과 마찬가지라고 말하는 것이 가능했다. 동과 서를, 선과 악을 나누기 위해 베를린 한복판에 장벽을 세우는 것이 가능했다. 섹스는 악마의 작품이라고 사람들을 납득시키는 것이 가능했다. 다시 한번 기예르모의 목소리가 떠오른다. 아니 상상한다. "나는 마린 라펜*이 존재하지 않는 것처럼 살고 싶다."

뉴욕, 2017년 4월 28일

---

* 프랑스 극우 포퓰리즘 정당 국민연합의 대표 마린 르펜의 이름을 패러디한 '라펜Lapeine'은 프랑스어로 '고통, 괴로움la peine'을 뜻한다.

우리 들소들

 19세기 동안 4천만 마리 이상의 들소가 북아메리카에서 살해당했다. 숭고하고 위풍당당한 이 초식동물이 희생된 것은 고기 때문도 가죽 때문도 아니었다. 그들의 살은 태양빛에 썩어 들어갔고, 으깨진 그들의 뼈만 식민지가 된 새로운 땅을 위해 비료로 사용되었다. 들소 학살을 생각해낸 것은 연방정부였고, 이어서 선주민들을 아사餓死시켜서라도 이주시키기 위한 수단으로서 수천 명에 이르는 익명의 식민지 개척자들—소총을 소지한 모든 사람—이 그것을 실천에 옮겼다. 선주민의 식량과 생존방식은 전적으로 의례적인 물소 사냥에 달려 있었다. 셰리든 대령은 "적의 자원을 파괴하는 것은 적을 끝장내는 가장 효과적이고 결정적인 방법이다"라는 전쟁 기술의 오래된 규칙을 적용했다. 1890년부터 살아남은 들소는 옐로스톤공원에서 피난처를 찾아낸 750마리뿐이었다—이 때문에 오늘날까지 그 종의 생존이 가능했다. 1890년에 선주민은 거의 완전히 몰살

되거나, 연방정부의 통제 아래 보호구역에 감금되었다. 오바마 대통령이 아주 최근에 들소를 미국의 상징 동물로 삼은 것도 아마 집단학살을 저지른 과오와 결코 상환될 수 없는 빚을 상징적으로나마 보상하기 위해서였을 것이다.

셰리든이 실행한 간접적인 전쟁 전략이 오늘날 상당수 유럽 국가가 취하는 트랜스섹슈얼리티 관리정책을 해명해줄 수도 있을 것 같다. 에스파냐 같은 일부 국가들은 트랜스인들을 진보적인 사회정책의 새로운 '상징 동물'로 삼아 성정체성 변화에 대한 접근을 유연하게 할 법안을 가결시켰으나, 제도적으로 배치된 트랜스 주체성을 생산하는 구체적인 관행은 계속 우리의 생명을 위협하고 있다.

수개월 전부터, 데스마연구소가 고안하고 상업화한, 테스토스테론 시피오네이트 기반 화합물 테스텍스 프로론가툼 250밀리그램 사용자들은 이 치료의 공급을 거의 전적으로 제한받고 있다. 소문에 따르면 데스마연구소가 가격을 변경할 수 있도록 명칭 또는 조제법을 바꾸기를 원한다고 한다. 테스텍스 프로론가툼 250밀리그램(14일분 테스토스테론을 보충하기에 충분한 양)의 근육주사 용량의 가격은 사용자가 지불할 돈 0.5유로 포함 4.42유로인 반면, 대체약품 테스토겔 50밀리그램(매일 투여할 경우 30회분)의 값은 52.98유로이며 그중 사회보장으로 거의 50유로가 지불된다.

우리는 반체제적 성주체성을 통제하려는, 겉으로는 대립적이지만 실제로는 상호보완적인 교차논리에 사로잡혀 있다. 국가는 우리를 반드시 치료받아야만 하는 정신병리학 환자로 설정한다는 조건하에 우리를 '트랜스섹슈얼'로 인정한다. 그런 한편 제약산업은 오로지 우리를 수익성 있는 소비자로 변형시키려는 목적에서만 정신병리학적 진단을 필요로 한다.

그런데 이 두 당사자 중 어느 쪽도 우리가 테스토스테론에 자유롭게 접근할 수 있는지에 대해서는 관심이 없다. 국가는 통제하에 우리가 병리화되고 예속되고 순종하기를 바란다. 제약산업 측면에서 보면 우리는 테스텍스 250밀리그램의 소비자로서 충분한 수익을 가져다준다. 하지만 더 비싼 테스토겔이 테스토스테론의 유일한 통로가 되게 하고 싶어할 것이다. 국가는 우리에게 표식을 하고, '질병'이라는 제한구역 내에서 살도록 강제하면서 우리를 붙잡아둔다. 제약산업은 우리 들소들을 팔고 있다.

트랜스 남성이면 누구나 치료제의 정기적 처방 중단이 감정기복, 땀, 손 떨림, 두통, 월경의 재시작과 같은 견디기 힘든 부단한 부작용을 일으키면서 호르몬 변화를 야기한다는 사실을 알고 있다. 아무 약국이나 들어가서 일자리를 구하는 실직자처럼, 망명을 신청하는 난민처럼, 나는 문의를 하고, 언제나 같은 대답을 듣는다. 연구소가 약을 배포하지 않아서 사회보장으로 아무것도 할 수가 없다는. 그러면 나는 이제 시민, 교수가 아니라 테스토스테론 250밀리그램을 구하러 다니는 상습 마약자로 바뀐다. 나는 싼값에 금을 사려는 자, 할인 판매하는 보석을 찾는 자, 장기 밀매자다.

몸을 만든다는 것, 이름을 갖는다는 것, 합법적인 사회적 정체성을 갖는다는 것은 물질적인 과정이다. 이는 사회-정치적인 일련의 보철기구(출생증명서, 의료기록, 호르몬, 수술, 결혼계약서, 신분서류) 획득을 필요로 한다. 이러한 보철기구의 획득을 방해하거나 제한하는 것은 사실상 사회적 정치적 형태의 생명의 존재를 불가능하게 하는 것이나 마찬가지다.

아메리카 대륙이 식민지화되던 시기에, 상당수의 인디언이 보호구역에 격리 수용되던 때에, 셰리든이 제안했던 최종적인 딜은, 인디언 모두에게 들소의 혀를 가져오면 연방정부가 위스키 한 병을 주겠다는 것이었다. 그렇게 마지막 들소들은 살해되었다. 투표함 앞에서, 제도 앞에서, 시장 앞에서, 시민은 포로가 된 채 소비하는 그저 보호구역 주민이다. 투표하기 위해 줄을 서고, 임금을 받고 세금을 내기 위해 줄을 서고, 처방약을 얻기 위해 줄을 서서, 우리의 들소를 절멸시킨 민주적이라 불리는 제도와, 들소의 혀를 가지고 딜을 하는 시장과 우정의 관계를 맺은 척 계속 가장하기란 불가능하다.

가부장적 국가와 자유주의 시장이 구성하는 이중나선 구조 앞에서, 주권적 삶의 형식을 창안하는 게 필요하다. 정치화된 사용자들의 협동조합을 창설하는 것이 필요하다. 이 협동조합은, 제약산업 그리고 집단학살에서 수익을 올리겠다는 그들의 야망에 맞서, 또한 병리화하려는 제도들에 맞서, 우리가 주권을 획득할 수 있게 해줄 것이다. 정치화된 사용자들의 협동조합이, 실체뿐만 아니라 지식 또한 생산하고 분배하는 현장이 되어주기를, 자가진단의 현장이자 자율적이고 친환경적이고 지속가능한 생산과 공정한 분배의 현장이 되어줄 것을 촉구한다. 우리는 순종적인 대기 명단을 버릴 것이다. 단 한 마리의 들소도 더는 쓰러지게 하지 않을 것이다. 우리에게 남아 있는 마지막 말에 올라타 멀리 달아날 것이다.

런던, 2017년 5월 17일

인터섹스 살해

'중립적인 성'으로 인정받기를 요구하면서 가에탕 쉬미드가 개시한 법정 싸움은, 다른 행동주의자들에 둘러싸인 병상 기요의 역정을 따라가는 기록영화 〈소녀도 소년도 아닌〉 방영과 함께, 프랑스 공개 토론에서 인터섹스間性 운동의 요구와 주장이 급부상하고 있다. 60년대를 페미니즘 운동과 동성애 운동이 새롭게 출현한 시기로 이해할 수 있다면, 새 천년은 트랜스와 인터섹스 투쟁이 눈에 띄게 증가한 것으로 특징지어진다고 말할 수 있다. 제2의 트랜스페미니즘 성혁명이 구성될 가능성이 뚜렷해지고 있으나 이것이 정체성 정치 형태를 띠진 않는다. 그보다는 규범에 맞서 신체적-정치적으로 다양한 소수자 사이에 결성되는 동맹을 통해 형성되고 있다.

우리의 섹슈얼리티 역사는 공상-과학 이야기만큼이나 터무니없다. 제2차세계대전 이후로 서양의 의사는 당시까지는 보이지 않던 생명체의 (형태적 호르몬적 염색체적) 차이들에 접근할 수 있게 해주는 새로운 기술들을 갖추게 되자, 이로 인해 불편한 현실에 맞닥뜨린다. 즉 태어날 때 작은 페니스, 불완전한 고환, 포궁의 결여, XX/XY를 초과하는 염색체 변이…… 등 여성 또는 남성이라 특징지어질 수 없는 신체들, 이분법 논리를 재검토하게 하는 아기들이 존재하는 현실과 마주한 것이다. 토마스 쿤의 용어를 빌리자면 이로부터 우리가 성차의 인식론적 패러다임의 위기라 부를 만한 것이 생겨난다. 성을 지정하는 인식의 틀을 바꾸고, 존재하는 모든 생식기 형태를 열어두고 인간을 범주화하는 것이 가능했을 수도 있었을 것이다. 한데 현실은 이와 반대였다. 사람들은 생식기가 다른 신체를 '괴물 같다' '생존 불가능하다' '장애가 있다'고 선언했고, 그런 신체는 반드시 남성 또는 여성 생식기의 지배적인 형태를 재생하기 위한 외과 수술, 호르몬 처치를 받게 했다.

이러한 역사의 음산한 주역들(특히 존 머니, 안드레아 프라더)은 핵물리학자도 군인도 아니었다. 그들은 소아과 의사들이었다. 1950년대부터는 '프라더 등급'(기관의 크기와 형태를 연구하여 그들이 아기에게서 '생식기 부분의 비정상적인 성기능'이라 부르는 것을 평가할 수 있게 하는 시각적 방법)의 사용과 '머니 매뉴얼'(인터섹스 아기의 신체를 이분법적 양극 중 하나인 남성 또는 여성으로 이끌기 위해 따라야 할 단계들을 지시한 매뉴얼)이 일반화되었다. 그때 인터섹스로 간주되는 아기의 생식기 절단은 관례적인 의료 행위가 되었다. 여러 종교가 표식하기 또는 생식기 절단이라는 의례를 실행하고 있으며, 이른바 문명화된 서구는 이를 야만적인 것으로 간주한다. 그러면서도 이와 동일한 합리적 담론은 생식기 절단이라는 과학적인 폭력적 의례 행위를 필수적인 것으로 받아들이고 있다. 50년대의 이 공포-포르노 공상-과학이 오늘날 우리가 공유하는 해부의 고고학이다.

남성-여성의 생식기 차이는 사실 역사적으로 과대평가된 자의적인 미학(가치 척도에 따라 판단되는 일련의 형식)이다. 그에 따르면 인류는 두 가지 가능성, 삽입하는 페니스와 삽입되는 질만 가지고 있다. 우리는 과학적-포르노 키치에 복종하고 있다. 그것은 이성애중심 생식기의 미학적 기준에 따른 인간의 신체 형태의 규범화다. 이 이분법적 미학 밖에 있는 어떤 신체든 병리적인 것으로 간주되고, 그 결과 치료라 불리는 규범화 과정의 대상이 된다.

이분법적 성-젠더 체제와 인간 신체의 관계는 지도와 영토의 관계와 같다. 그것은 생식기, 기능, 사용법을 규정하는 정치적 틀이다. 병리적인 것과 규범적인 것을 구분하는 경계를 설정하는 인지의 틀이다. 아프리카 국가들이 19세기에 제국들 간에 체결된 식민지 협정을 통해 탄생했던 것과 동일한 방식으로, 성적이라 불리는 우리 기관들의 형태와 기능은 가부장제의 특권과 이성애적 재생산의 사회조직 유지를 원하는 냉전시대 북아메리카 학술 공동체 간에 체결된 협정의 결과물이다.

현대의 인터섹스 운동은 프라더가, 예를 들어 통상적이지 않은 재생산 형태들(정말 통상적이지 않을까? 프라더에 따르면, 아기 2000명 중 1명, 최근 연구에 따르면 800명 중 1명)을 병리적 형태와 혼동하고, 한 신체가 형태상 본래의 상태에 대해 갖는 그의 권리를 위반하면서 강제로 외과적이고 호르몬적인 규범화 과정을 부과한 방식을 규탄하고 있다. 생식기 절단은, 그것을 합법화하고 허용하는 담론이 종교적이든 학술적이든, 범죄로 여겨져야 한다. 거대 클리토리스와 포궁을 가진 신체도, 그것이 이분법적 재생산 미학에 부합할 때까지 그것을 복원할 필요 없이, 생존 가능한 인간의 신체로 인정받을 권리가 있다. 페니스 없이 침투할 수 없는 구멍을 가진 신체도 규범적인 이성애 강제를 벗어나 생식과 성생활이 가능하다. 성의 다른 미학들은 가능하며, 이 또한 정치적으로 실현 가능한 것이 될 가치가 있다―더욱이 일부 트랜스는 의도적으로 인터섹스 미학(페니스가 없는 남성, 페니스를 가진 여성 등)을 선택하기도 한다.

병든 것은 이분법적 성-젠더 체제이지, 인터섹스라 불리는 신체들이 아니다. 여러분의 성적 규범성의 대가가 인터섹스 살해였던 것이다. 우리에게 필요한 유일한 치료는 패러다임의 전환이다. 그러나 성과 젠더 차이의 패러다임이 가부장제와 이성애 특권 일체를 유지시키는 보증임을 아는 역사가 우리에게 가르쳐준 것처럼, 이 변화는 정치 혁명 없이는 불가능할 것이다.

트랜스페미니즘은 비록 평화적이지만 혁명운동으로 정의될 수 있을 것이다. 트랜스 및 인터섹스 운동, 형태적 신경적 다양성(장애퀴어 운동)을 탈의료화하고 탈병리화하기 위한 최근의 투쟁들과 페미니즘의 역사적인 반가부장제 투쟁 연합으로부터 생겨난 이 혁명 운동은, 성-젠더의 이분법적 체제와 그것을 등록하는 제도 및 행정을 폐지시키는 것이 심층적인 정치 변화를 가능케 하기 위한 조건으로 보고 있다. 이 변화가, 그 무엇으로도 환원될 수 없는 생명체의 다양성과 그의 신체의 온전한 본래 상태에 대한 존중을 인정하도록 이끌어낼 것이다.

아테네, 2017년 6월 2일

남반구는 존재하지 않는다

13회까지 이어오는 동안, 도쿠멘타는 카셀에서 개최될 수밖에 없었다. 전시회를 아테네에서 열기로 결정하면서, 14회차 도쿠멘타는 저 명백한 사실을 뒤집었다. 하지만 이 이동을 남쪽, 유럽의 남부 혹은 지구의 남반구를 향한 움직임으로 이해해야 할까?

바로 말하자. 반식민주의 비평가들 아니발 퀴자노, 실비아 리베라 쿠시칸키 또는 월터 미뇰로가 우리에게 가르쳐준 대로, 남반구는 존재하지 않는다. 남반구는 식민주의 이성이 구성해 낸 일종의 정치적 허구다. 남부는 근대 식민주의의 지도 제작법이 만들어낸 발명품이다. 대서양 횡단 노예무역과, 언제나 원자재 채굴을 기획할 새로운 영토를 탐색중이던 산업자본주의의 비약적 발전이 결합된 결과다. 남반구의 발명은, 북반구의 근대 서구가 구축한 허구의 직접적인 결과였다. 북반구 역시 존재하지 않는다. 그런 중에 이 정치적 허구의 작용에서 그리스는 독특한 위치를 차지하고 있다.

르네상스시대부터, 서양의 북반구를 탄생시킨 신화적인 건국 장소가 되기 위해 그리스는 자국의 지리적 역사적 맥락과는 '단절'되어왔다. 그것을 가능케 하기 위해 고대 그리스 문화가 지중해, 아프리카 대륙과 맺었던 역사적 관계의 모든 자취를 지우는 것과 함께, 오스만제국과 그리스의 연관성도 지워야 했다. 그리스 역사를 아리안족 그리스도교 문명의 기원으로 삼겠다는 목적하에, 그리스 역사를 '백색화Whitewashing'한 것은 요한 요아힘 빙켈만, 프리드리히 실러, 프리드리히 아우구스트 볼프, 빌헬름 폰 훔볼트나 프리드리히 슐라이어마허의 기획을 통해 독일의 근대적 정체성을 형성하는 데 결정적인 역할을 했다.

제국의 경제와 백인 우월적인 그리스도교적 설화가 남반구뿐만 아니라 동양을 발명함으로써 인식과 가치 생산의 중심을 아시아, 근동, 지중해로부터 유럽의 북부(네덜란드, 프랑스, 독일 또는 영국)로 옮겨놓은 것은 18세기부터다. 냉전시대 동안 서양은 정치적으로 새로운 의미를 갖추게 된다. 지도는 또다시 분할된다. 역설적이게도 탈식민주의의 두번째 물결(인도, 알제리, 나이지리아……), 베를린장벽 붕괴와 금융자본주의의 전 지구적 확산 이후로, 북반구와 남반구의 차이는 사라지기는커녕 더욱 배가되었다. 2007년의 위기는 PIGS(포르투갈, 이탈리아, 그리스, 스페인)라 불리는 나라들을 위해 유럽의 새로운 남반부를 구성함으로써 처우의 격차를 증폭시켰다.

남반구는 하나의 장소가 아니라 권력, 인식, 공간 사이 관계들의 결과다. 식민주의적 근대성은 지리와 연대기를 발명했다. 남반구는 원시적이고 과거다. 북반구는 진보이고 미래다. 남반구는 인종적 성적 사회 분류 시스템의 결과다. 그것은 곧 높고 낮음, 정신과 육체, 머리와 발, 합리화와 감정, 이론과 실천을 대립시키는 이분법적 인식론이다. 남반구는 성적이고 인종적인 측면을 부각시킨 일종의 신화다. 서양의 인식론에서 남반구는 동물적이고 여성적이고 유아적이고 뒤처지는 곳이다. 남반구는 잠재적으로 병들고 나약하고 어리석고 무능력하고 게으르고 가난하다. 남반구는 언제나 주권이 없는, 인식과 부가 결여된, 따라서 내재적으로 북반구에 빚을 지고 있는 것으로 표현된다. 동시에 남반구는 자본주의적 채굴이 이뤄지는 장소다. 반면 북반구는 에너지, 의미, 향유, 부가가치를 쓸어모으는 장소다. 남반구는 피부이고 포궁이다. 오일이고 커피다. 육신이고 금이다.

이 이분법적 인식론의 또다른 극단에서 북반구는 인간, 남성, 성인, 이성애자, 백인으로 등장한다. 북반구는 언제나 더 건강하고 더 강하고 더 지적이고 더 깨끗하고 더 생산적이고 더 풍요롭다. 북반구는 영혼이고 남근이다. 정액이고 돈이다. 기계이고 소프트웨어다. 그것은 기념과 이윤의 장소다. 북반구는 미술관이고 기록보관소이고 은행이다.

북반구-남반구의 분리가 모든 다른 형태의 공간화를 지배한다. 각각의 사회는 남반구를, 채굴이 기획되고 쓰레기가 방출될 장소를 가리킨다. 남반구는 광산이고 하수구다. 심장이고 항문이다. 남반구는 또한 혁명적 힘이 비축된 저장고로서 북반부가 두려워하는 곳이다. 이것이 바로 그곳에서 통제와 경계가 강화되는 이유다. 남반구는 전쟁터이자 감옥이고, 폭탄과 핵 찌꺼기의 장소다.

아테네는 남반구가 아니다. 카셀은 북반구가 아니다. 모든 것에는 나름의 남반구가 있다. 언어에도 남반구가 있다. 음악에도 남반구가 있다. 신체에도 남반구가 있다. 당신에게도 남반구가 있다. 고개를 돌려라. 수직선을 탐사하라. 지도를 집어삼켜라.

아테네, 2017년 6월 23일

트위티가 역사와 만난다

 분명한 것은, 이번 일요일에 독립 여부를 국민투표에 부칠 계획을 하고 있는 카탈루냐가 근래에, 언젠가는(정확한 것은 두고 봐야겠지만) 역사와 만날 것이라는 사실이다. 이미 덜 분명한 것은, 역사가, 대문자 H로 쓴 역사가 더 좋다면 그 역사가, 약속에 나타날지, 또 온다면 어떤 방식으로 나타날지……하는 문제일 것이다. 사람들이 생각할 수 있는 것과는 반대로, 대문자 역사는 정확하게 축조된 정치적 합리성의 결과가 아니라, 오히려 기상천외한 일련의 정치적 오류들이 만들어낸 급작스러운 산물이다. 작가 위화는 그의 책 『사람의 목소리는 빛보다 멀리 간다』에서 중국의 혁명을 B급 코믹공포 드라마로 묘사했다. 불타는 열정과 어리석은 결정, 진실하지만 전락한 영웅과 세기의 정신적 지도자 반열에 오른 조악한 영웅들, 물리도록 강타하는 우스꽝스러운 슬로건과 제도로 변형된 바보짓거리들로 빚어진 폭력적인 혼돈의 과정. 이처럼, 이를테면 기근이 수백만 명의 목숨을 집어삼키는 동안, 정부는 자료를 날조하면서, 가령 중국이 쌀과 고구마까지 세계 최대생산국이라고 선포하면서, 국가의 영광을 노래했다. 혁명은 "낭만적 이상에 절은 부조리 코미디였다. 거짓, 과장, 허풍이 상정되어 있었다"라고 위화는 말했다.

카탈루냐와 역사의 만남이라는 위대한 업적, 과거에 『엘 파이스』 또는 『엘 문도』 같은 신문과 에스파냐 텔레비전 또는 TV3가 말했던 대로, 우리는 그 위업을 추적해볼 수 있었다. 자기결정권에 따른 국민투표 법안은 필수적인 합의 없이, '통합 심의' 전략을 이용하여, 신속한 투표를 통해, 사전 공고 없이 2017년 9월 7일에 승인되었을 것이고, 독립파 정당들은 국민당의 권력 남용 방식을 배웠을 것이다. JuntPelSi*와 CUP**는 기쁘게 '합법적인 불법'의 형상을 만들어낸다. 마리아노 라호이*** 측에서는 국민통합의 구세주를 자처하면서 카탈루냐 자치정치의 전 과정을 범죄시하고, 그는—만족스럽게 손을 비벼대며 미래의 유권자 선거를 생각하면서—'불법적인 합법'의 인물을 만들어낸다. 국민투표에 연루된 혐의로 기소된 14명이 체포되고 구금된다. 그들은 카탈루냐 자치주 정부의 정책 책임자 또는 정보학자들이다. 에스파냐 정부의 모든 도시에서 국민

---

* '찬성을 위해 함께'라는 뜻으로, 좌우파가 함께 결성한 분리독립 정당연합.
** 좌파 분리독립 세력인 카탈루냐민중연합당.
*** 우파 인민당원으로, 2011~2018년 총리를 역임했다.

투표에 찬성하는 모든 공공 행위는 금지되고, 국가경찰은 CUP 본부를 가택수사하고 불법적인 선전활동으로 간주되는 서류를 압류한다. 과르디아 시빌*은 국민투표를 지지하는 책, 게시물, 서류를 압수하고, 인터넷 페이지를 차단하고, 불붙기 직전의 화염병이라도 되는 양 투표함을 감시한다. 이 반도半島에서 시민의 정치적 자유를 제한하는 이 같은 가택침입을 목격했던 때는, 오로지 프랑코의 독재 치하 그리고 프랑코 사후 바스크 지방에서뿐이었다. 역사와의 이런 만남이 갖는 우스꽝스러운 국면을 마무리짓기 위해, 정부는 카탈루냐로 이동하여 10월 1일 투표를 막기 위해 그 앞에 진을 칠 수천 명의 국가경찰을 숙박시키려고 바르셀로나 항구에 정박해 있던 대형 여객선 '모비다다'를 임대한다. 배 측면에는 트위티와 실베스터 캐릭터를 그린 거대한 프레스코 장식이 있다. 이 카나리아 이미지를 소유하고 있는 회사 워너브라더스는 경찰의 탄압과 노란색 작은 새…… 의 조합이 걱정스러워 트위티와 실베스터를 천으로 덮어씌워달라고 요청한다. 이미 너무 늦었다. 이미지는 바이러스가 되었고, "트위티를 석방하라"는 실시간 검색어가 되었으며, Piolin.cat**은 '합법적으로 불법한' 유권자들이 자신의 투표소를 찾기 위해 들어갈 수 있는 인터넷 페이지의 이름이 되었다.

---

* Guardia Civil. '민경대'로 번역되나 국가헌병조직에 가까움.
** 에스파냐어로 트위티.(원주)

자결권 옹호론자 푸지데몬*은 또 그 나름으로, 위화에게 그 자신의 대역사를 떠올리게 했을 희비극적인 모순된 생각들을 끊임없이 우리에게 제공하고 있다. 텔레비전으로 방송된 한 대담에서, 누군가 그에게 왜 쿠르드 또는 사하라 남부의 자결권 국민투표에 반대표를 던졌는지 묻자, 자신이 반대표를 던졌다는 사실을 갑자기 잊어버린 푸지데몬은 주저 없이 "국민투표를 추진하는 정부"가 자신을 소환하지 않았다는 것을 근거로 쿠르드 국민투표에 반대했다고 대답했다. 중국에서 1960년 그때만큼 이렇게 많은 거대한 고구마가 자라는 것을 결코 본 적이 없다고 하던 것과 마찬가지……

세비야 출신의 헌법전문 교수인 하비에르 페레즈 로요가 생각하기로는, 카탈루냐를 곤경에 빠트린 건 헌법재판소의 중앙집권체제였다. 프랑코 독재체제 말기 직후인 1978년에 제정된 에스파냐 헌법은, 카탈루냐를 에스파냐 국가에 통합시킨다는 영토 협정에 근거를 두고 있다. 그 대가로 정부는 카탈루냐의 자치를 인정했고, 그 결과 카탈루냐 의회가 의결하고 카탈루냐인들이 비준한 결정에 대해서는 이의신청을 할 수 없게 되었다. 현재의 상황에까지 이르게 한 틈이 생겨난 것은 2006년으로, 당시 에스파냐의 헌법재판소가 78년 협정을 파기하고 카탈루냐를 범주 밖에 두면서 카탈루냐의 '자치법'을 인정하지

---

* 2016년 1월~2017년 10월 카탈루냐 정부를 이끌었다.

않았다. 그때 역사의 허풍선이들에게 문을 열어준 예기치 못한 변화가 일어나기 시작한다. 권리의 제한과 저항이라는 이 이중의 과정이, 군주제 이후, 공화주의적이고, 분리독립을 지지하고, 연방제적인 또는 공동연방제적인 새로운 사회협정을 다시 쓰는 데 유리한 상황을 처음으로 발생시키면서, 프랑코 체제 이후 헌법을 재검토할 수 있고 그와 동시에 예상할 수 있는 것으로 만들었음이 분명하다.

이렇게 해서 화려한 역사가 카탈루냐와 나머지 에스파냐의 정치인들과 만날 약속을 하는 동안, 미시-역사와 마주친 시민들은 에스파냐 국가 전체로 확장될 수도 있을 민주주의 재건 과정에 착수한다.

요즘 카탈루냐에서 놀라운 것은 평화적 저항 과정을 기획하는 데 시민들이 협조한다는 사실이다. 법원과 위원회사무국 앞에서 수천 명이 모여 발언을 이어가고 노래를 부른다. 금속성 金屬聲의 파도가 매일 밤 10시면 거리마다 울려퍼진다. 모든 도시에서 14명 피고인의 구금에 항의하기 위해 '냄비 시위'(각자 자기 집 창문에서 냄비를 또는 테라스에서 탁자를 두드린다)가 벌어진다. 고딕풍 동네의 한 건물 발코니에서 팔꿈치를 괴고 나는 이웃이 여행객에게 제공하는 민주주의 문화의 교훈을 얻는다. 2층 테라스를 차지한 여행객들이 시위의 소음이 그들을 방해한다고 불평하자, 4층 테라스의 이웃이 대답했다. "이곳에 살고 있는 사람들의 권리에 관심이 없다면, 당신은 여기서 뭘

하는 거요? 그러지 말고 부엌으로 달려가 냄비를 찾아오시오, 우리와 합류하게."

  희망은 바로 역사 밖의 이 대화에, 미시-역사와의 이 만남에 있다. 카탈루냐의 주민투표가 에스파냐 전 영토의 국민투표가 될 수도 있을 것이다. 이는 헌법 개정에 대해, 그리고 진정 프랑코 이후 체제가 될 새로운 공화국 건립에 대해 사유할 기회다.

바르셀로나, 2017년 9월 30일

나의 민중은 잘못 태어난
사람들로 이루어진 민중이다

바르셀로나에서 지난 한 주를 보낸 뒤, 나는 아테네에서 배로 불과 두 시간 거리에 있는, 통행과 부동산 개발 규제로 보호받고 있는 그리스의 작은 섬 히드라로 가고 있다. 교양 있는 부유층을 위한 일종의 복고풍 낙원이다. 아테네의 콜로나키 고급 주택가를 섬으로 확장한 것이라 할 수 있다. 바퀴 달린 도시 여행용인 현대적인 가방들은 돌로 포장된 섬 도로를 따라 앞으로 나아가지 못하는 멍청한 상자가 되어버린다. 알록달록한 짐을 가득 싣고 거의 수직에 가까운 좁은 길이나 돌계단으로 접어들어 마을로 기어올라가는 노새들이, 세번째 천년을 살고 있는 우리 삶의 조건에 대한 은유 같다. 우리의 몸은 마치 이 노새들 같다. 기술이 고도로 발달한 미래를 등에 지고 그것을 옮기는 침묵하는 선사시대의 근육들. 하지만 노새가 없으면 발전도 없고, 경제도 진전하지 못한다.

내가 묵고 있는 집은 레너드 코언이 살았던 집에서 두 걸음 거리에 있다. 그의 집은 익명이지만 거리에는 그의 이름이 붙어 있다. 오도스 레너드 코언. 히드라로 간다는 게 나의 뇌 속에 세척용 음반을 삽입하는 것과 같다는 생각이 들었다. 휴가 생각은 하지 않았다. 압축파일을 비우고 메모리를 덜어낼 생각이었다. 나는 삭제를 생각했다. 리셋하기. 하지만 아무것도 삭제되지 않고 아무것도 리셋되지 않는다. 하물며 기계도 리셋될 수 없다. 삭제한다고 말하는 사람은 거짓말을 하는 것이다. 프로이트에 대해 논평하면서 데리다가 말했던 것처럼, 기억은 이미 기록되어 있던 것이 자꾸만 다시 등장하는 마법의 석판이다. 방금 쓰인 것을 지우려고 빗장을 내리면서, 표면은 새로운 글쓰기 층을 받아들일 준비를 하는 것 같지만, 이 표면 아래에 또다른 층이, 사라지지 않는 흔적으로 가득 채워진 촘촘하고 읽을 수 없는 어떤 공간이 있다. 의식은 거대한 지우개를 든 채 잘 되돌아나올 수 있다. 아무것도 삭제되지 않는다. 고통이 지워진 것 같을 때, 그 고통은 어디로 가는 걸까? 사랑이 잊힌 것처럼 보일 때 사랑은 어디로 가는 걸까?

나는 카미니 항구로 가서 붉고 노란 낡은 벽을 가진 오래된 작은 카페로 내려간다. 그곳에 어부들이 모여 있다. '도쿠멘타' 노래가 들린다. 아무것도 삭제되지 않고, 누군가가 이미 쓰여 있는 것 위에 이렇게 쓴다. 잔인한 태양, 소티리아 벨루의 목소리, 집을 찾기 위해 해야 하는 좌회전과 우회전의 정확한 횟수, 촉촉한 부겐빌레아, 잠들었거나 굶주린 고양이들. 내가 짧게 두 문장을 발음하자 주민들은 처음에는 그리스어로 내게 말을 건다. 세번째 문장에서 그들은 내가 더는 대화를 이어갈 수 없다는 것을 이해한다. 그러면 그들은 내게 "어디서 왔나요, 친구?"라고 묻고, 나는 "바르셀로나"라고 대답하며 너무 깊게 생각하지 않으려 애쓴다. 오늘 처음으로, 이 대답에 이은 질문이 "바르사 아니면 레알 마드리드?"가 아니었다(그리스인들은 축구에 열광한다). "카탈루냐 사람 아니면 에스파냐 사람?"이다. 나는 "둘 다 아닙니다"라고 대답한다. 그들이 "Po-po-po"라고 말한다. 그리스어로 이는 "정말 뒤죽박죽이군" 같은 의미다.

최근에 지중해의 또다른 끝에서 카탈루냐 독립주의자들과 에스파냐 통일주의자들 사이의 갈등에 휩싸여 있는 동안, 나는 양쪽이 '국민'이라고 부르는 것을 이해할 수 없는 무능력에 고통스러워하고 있음을 깨닫는다. 내게는 국민이 보이지 않는다. 나는 국민을 느끼지 못한다. 나는 그것을 지각하지 못한다. 나는 조국이 불러일으키는 감정 양태에 무감각하다. 조국, 아버지, 가부장제. 나는 이것들을 포기했다. 나는 그들이 '그들의 역사'에 대해, '그들의 언어'에 대해, '그들의 땅'에 대해 말할 때, 그들이 서로 지시하는 게 뭔지 이해하지 못한다. 에스파냐. 카탈루냐. 아무런 떨림도 없다. 아무것도 울리지 않는다. 반대로 나는 에스파냐라는 단어를 들으면서 언제나 경멸과 두려움을 느꼈다.

국민은 규범, 폭력, 지도, 국경이 있는 국가로 인식된다. 따라서 10월 1일 일요일 존재하지 않는, 힘으로서 경계로서 부정으로서의 국민-국가-카탈루냐 앞에 존재하는 국민-국가-에스파냐가 표출되었던 것이다. 이런 의미에서 국민-국가는 민주주의의 실현을 가로막는 경계다. 폭력 행사를 합법화하고 보호하는 헌법은 민주주의의 보증이 아니며, 반대로 정확히 그것은 다가올 민주주의의 가능성을 가로막는 한계 표출이다.

  나는 나의 신체를, 또 나의 정치적 실존을, 에스파냐 국민의 일부분으로서 이해하지 않는다. 정체성도 독립도 마찬가지. 나는 나의 정치적 실존을, 낯선 동시에 종속적인 관계에 있는 다른 살아 있는 신체들과의 관련하에서만 이해한다. 나의 민중은 노새들과 같은 민중이다. 잘못 태어난 자들. 무국적자들. 나의 관심을 끄는 것은 발명중인 비-민중이다. 힘으로 표출되는 주권의 표현이 권력의 한계를 넘어서는 비-정치공동체. 민중으로 규정할 수조차 없는 세상의 침묵하는 신체들. 등에 미래를 짊어지고, 아무도 정치적 주체로서 합법성을 인가해주지 않는 신체들. 내가 이해하고 있는 유일한 지위는 이상함étraugeté의 지위다. 당신이 태어나지 않은 곳에서 살고, 당신의 것이 아닌 언어를 말하고 그것을 다른 악센트로 진동시키고, 당신의 단어가 문법적으로는 정확하지만 음성학적으로는 일탈하게 하는 이상함.

  국민이 아니라, 수용收容과 탈동일시 과정은 내 것이기도 하고, 다른 사람들은 국민으로 간주할 법도 한 이 상황을 소급하여 특징짓는 것이다. 내가 태어난 곳으로 돌아가면 나는 자신이 전적으로 이상하다고 느끼며, 그것은 나의 땅이 아니다. 말을 할 때면 그것이 나의 언어가 아니라는 것을 나는 안다. 우리 중 어떤 이들이 태어날 권리를 거부당했는데 국민에 대해 하물며 무슨 말을 하겠는가? 마땅히 우리집이었어야 할 곳 밖으로 내쳐졌는데, 땅에 대해 어떻게 말하겠는가? 우리에게 할말이 있어도 아무도 들으려 하지 않았다면, 모국어에 대해 무슨 말을 하겠는가? 의학 권력이 내가 출생시 지정받은 젠더와 나를 동일시하지 못한다는 이유로 젠더 불쾌감을 주는 자로 나를 진단내린 만큼, 오늘 나도 내가 바로 국민 불쾌감을 주는 장본인이라고 주장하겠다.

나는 정체성 정치를, 그것을 통해 정치적 존재를 부정당한 주체가 공적 영역에서 자신을 확인하고 가시화할 수 있는 과장된 도구로 이해할 뿐이다. 나는 정체성 정치를, 유일한 정치적 주체로서의 국민국가를 재검토하게 하는 탈동일시 과정의 대기실로 이해할 뿐이다.

내가 이렇게 말하는 것은 갈등 상황에서 어떤 입장도 취하지 않기 위해서가 아니다. 그동안 정치적으로 또는 합법적으로 표현될 수 없던 것의 실재 현실 속에서 나는 단절된 것, 변화하고 있는 것, 자명해지고 있는 것에 공감하고 있다. 불가능한 것의 존재론 쪽에. 하여튼, 반도의 공화국적인 변화 쪽에. 이 단절의 욕망(다시 쓰기 위해, 남은 흔적 위에 질문을 던지기 위해 삭제하겠다는 나의 고집) 때문에, 갓 태어난 (정치적 허구의) 정치적 주체인 폴 베아트리스는 처음으로 10월 1일 일요일 (정치적 허구의) 국민투표에서 투표를 했다. 폴은 존재하지 않는다고 생각하는 사람들은 곧 우리가 투표하지 않았다고 생각하는 사람들이다. 그럼에도 불구하고 우리는 존재하고, 우리는 투표한다.

히드라, 2017년 10월 13일

민주주의에 반하는 민주주의자들

　노르웨이 트론헤임으로 가기 위해 나는 바르셀로나에서 오슬로까지 여행하고 있다. 나는 유럽문화제도의 미래에 관한 강연에 초청받았다. 회합은 극권 경계에서 베르겐 협만까지 노르웨이 해안을 따라 항해하는 배의 선상에서 진행되었다. 토론과 토론 사이에 나는 담배를 피려고 또는 햇빛을 누리며 글을 읽기 위해 조심스럽게 밖으로 나온다. 담요를 덮고 해먹에 누워, 나는 매끈하고 어두운 끝없는 바다의 표면을 응시하고 있다. 위압적인 바위산과 식물들이 내 존재의 초라함과 한없이 비교되는 위용을 보이며 우뚝 서 있다. 만약 내 전화기가 모든 것을 망치지만 않았다면, 칸트가 말하는 숭고의 경험이 나를 사로잡았을지 모른다―디지털통신 시대에 숭고는 더는 고려할 만한 것이 못 되지만!

　카탈루냐의 상황에 대해 바르셀로나로부터 연이어 소식이 도착한다. 상반되는 내용의 메시지가 이어진다. 12시 50분, 에스파냐 중앙정부의 압박하에 카를레스 푸지데몬이, 바스크 지방의 주지사 이니고 우르쿠유의 중재로, 카탈루냐 의회를 해산시키고 독자적인 선거를 실시하는 안을 수락할 거라고 한다. 그는 분리독립을 지지하는 시민연합의 지도자들을 감옥에서 빼내기 위해, 또 카탈루냐 정부의 정치 대표들의 해임과 투옥을 포함한 155조항의 적용을 피하기 위해 이런 결정을 했을 것이다. 하지만 두 시간 뒤, 그가 어떤 결정을 내리든 인민당PP이 155조항을 적용할 것이라는 사실을 알게 된 푸지데몬은 생각을 바꾸었다. 따라서 여러분이 지금 읽고 있는 이 칼럼은 내가 오후가 되자마자 쓰고 있는 칼럼의 네번째 판본이다.

라호이 정부는 에스파냐사회주의노동자당PSOE과 공모하여 에스파냐 헌법 155조항을 적용할 채비를 하고 있다. 이른바 "모든 에스파냐인, 특히 모든 카탈루냐인의 민주적 권리와 합법성 준수를 옹호하는" 조항이다. 이는 역사적 전기轉機다. 현재 우리는 유럽에서, 여러 가지 보수 개혁을 단행하기 위해 법을 이용하는, 다시 말해 법에 대한 최대한 폭력적인 해석을 활용하는 권위적이고 억압적인 새로운 형태의 '민주주의'의 출현을 목격하고 있다. 이 '민주적인' 개혁에는 시민들을 가로막은 국가경찰의 포진, 자유의 박탈, 사상을 이유로 한 시민단체 회원들의 감금, 인쇄물과 디지털 자료의 압수, 의회 해산, 미디어 통제…… 가 포함되어 있다. 누가 민주주의라고 말했던가?

가브리엘 자라바가 설명했던 대로, 카탈루냐의 위기는 "일종의 유럽의 실험으로 그 전략적 임무는 시민과 기관이 권위적 민주주의를 어느 정도까지 용인할 준비가 되어 있는지 밝히는 것이다." 만약 내가 아테네에서 최근 몇 년간 살아보지 않았더라면, 대대적인 '민주적 탄압'의 두 가지 핵심적인 실험이 2015년 그리스에서 전개되었다는 사실을 아마도 알아채지 못했을 것이다. 첫번째 실험은 'oxi(반대)' 국민투표 이후 그리스 국민의 민주적 주권에 대한 총체적인 억압이었다. 두번째는 모든 형태의 이주를 저지하기 위해 그리스 해안을 군사화한 것과 전략적인 섬 몇 개를 노천감옥으로 전환한 것이었다.

노동시장의 자유로운 개혁, 퇴직연금 삭감, 공공서비스의 민영화, 이주에 대한 군사적 관리 확대와 함께, 그리스에서 일어난 연속적인 '민주적' 쿠데타들의 주된 부대 효과는 좌파의 붕괴였다. 2015년 이후로 시리자[*]는 죽은 정당이다. 유럽연합의 결정은 이처럼 극우 포퓰리즘에 길을 열어주면서 좌파의 정치적 합법성을 무너뜨리는 데 일조했다. 155조항의 작동과 카탈루냐 의회의 정지는 그리스에서 시작된 민주주의 붕괴 과정의 새로운 국면을 이룬다.

카탈루냐 상황의 복잡성은, 분리독립 계획에 미래의 공화국을 상상하는 서로 다른 두 가지 방식이 결합되어 있다는 사실

---

[*] Syriza. 그리스의 급진좌파연합의 약칭.

이다. 이 두 방식은 거리가 먼 정도가 아니라 화해할 수 없다. 카탈루냐유럽민주당PDeCAT은 수십 년에 걸쳐 푸졸 일가가 저지른 부패의 역사가 흔적을 남긴 자국주권주의 우파 정당이다. 이 정당은 카탈루냐의 중소 산업부르주아지와 함께 소유주계급, 자유직업을 대표한다. 카탈루냐유럽민주당의 자국주권주의자들이 참조하는 '과정'은 카탈루냐의 민족적 부르주아지가 지배하는 국가로 이끌 것이고, 신자유주의적인 삭감정책으로 이어질 것이다. 카탈루냐유럽민주당의 정치적 입장은 부패한 자국주권적 자유주의로 묘사될 수도 있을 것이다—그리고 이런 의미에서 아이러니하게도 카탈루냐유럽민주당은 지향하는 가치와 운영 면에서 에스파냐의 중앙정부 집권당 인민당과 가장 유사한 정당이다.

카탈루냐유럽민주당에 비해 반자본주의적 좌파 정당인 카탈루냐민중연합당CUP은 분리독립주의의 혁명적이고 유토피아적인 동력을 구성한다. 스위스가 카탈루냐유럽민주당이 꿈꾸는 국가 모델을 보여준다면, 카탈루냐민중연합당에게 모델은 시리아령 쿠르디스탄 지역인 로자바*일 것이다. 카탈루냐민중연합당이 찬성을 표명하는 '지방분권 연방주의'는 1936년 에스파냐에서 사회혁명을 주도했던 카탈루냐의 무정부주의 전통에서 유래된 사상에 기반을 두고 있으며, 이 사상은 미국인 머레

---

* 시리아 북동부에 있는 쿠르드족의 사실상 자치구.

이 북친*과 쿠르드의 지도자 압둘라 외잘란**의 최근 연구에서 재조명되었다. 이 직접민주주의의 모델이 가진 특권적인 통치 기술은 정책 결정을 위한 국민집회 조직, 다양한 기관들 내 여성 참여 비중 할당, 사회생태학과 협력경제의 전 카탈루냐로의 확장이다. 이 마지막 기술은 이미 많은 농촌지역에 존재하고 있다. 분리독립 과정에 관한 사상을 전파하는 주도적인 미디어 기관들(Òmnium, ANC, TV3)은 계보상 부르주아적 보수주의와 연결되어 있으며, 그들은 혁명적이지 않다. 이 때문에 유토피아적인 정치적 상상 없이, 카탈루냐에서 진행되고 있는 분리독립 과정과, 쉬리낙스***에게서 영감받은 카탈루냐 평화조직들과 카탈루냐민중연합당이 이끌고 포데모스****의 카탈루냐 좌파와 '엔 코무'*****의 카탈루냐 일반 당원들이 동조했던 시민불복종과 비폭력적인 저항 형식을 이해하기란 불가능하다. 에스

---

* Murray Bookchin(1921~2006). 사회적 생태론의 창시자이자 자유주의적 지역자치주의 이론가로, 평등주의, 무정부주의를 위한 생태학의 정초를 역설했다.
** Abdullah Öcalan(1947~). 튀르키예 출신의 쿠르드족 독립을 주도한 탈식민주의 아나키스트 정치가로, 쿠르드노동자당(PKK)의 창립자들 가운데 하나. 현재는 튀르키예 임랄라섬에 20년 넘게 무기징역으로 갇힌 채 복역중이다.
*** Lluís Maria Xirinacs(1932~2007). 카탈루냐의 정치인, 작가, 가톨릭 사제이자 카탈루냐 독립을 지지한 변호사.
**** Podemos. '우린 할 수 있다'는 의미로, 2014년 1월에 창당된 에스파냐의 민주사회주의 정당. 에스파냐 내의 모든 차별과 억압에 대한 반대를 표방한다.
***** En Comú. 바르셀로나 지역 정당으로, '모두의 바르셀로나'를 뜻한다. 창당 1년 만에 득표율 1위를 기록하며 바르셀로나의 새로운 지방정부를 구성했다. 정치적 의사결정에 시민들이 직접 참여하는 일의 중요성을 강조했다.

파냐 국가의 난폭한 행위가 이처럼 서로 어울리지 않는 힘들에 활기를 불어넣고, 역설적이게도 그 힘들이 독립적인 공화국을 만장일치로 선언하도록 밀어붙이고 있다.

  오늘날 단 하나의 문제는 에스파냐 중앙정부가 카탈루냐에서 성공시키기를 원하는 쿠데타를 프랑스와 독일이 언제까지 지지할 수 있을까 하는 것이다.

트론헤임, 2017년 10월 27일

움직이는 몸들

　자기 몸을 일회용 비닐봉지처럼 쓰는 사람들이 있다. 또 명나라 시대 중국 도자기인 것처럼 자기 몸을 떠받치는 사람들도 있다. 다리로 걸을 수 없어서 시민으로 대접받지 못하는 사람도 있다. 자신의 몸을 패멀라 앤더슨의 몸으로 바꾸기 위해 사는 사람들도 있다. 또 기어이 장클로드 반 담의 몸으로 만드는 데 성공한 사람들도 있다. 또 패멀라와 장클로드라는 이름의 치와와 두 마리를 가진 사람들도 있다. 어떤 사람들은 싸구려 가죽 외투처럼 자기 몸을 걸치고 있다. 또다른 사람들은 투명 슈트처럼. 벌거벗기 위해 옷을 입는 사람들도 있고, 숨기기 위해 옷을 벗는 사람들도 있다. 엉덩이를 흔들어 생계를 유지하는 사람들이 있다, 또다른 사람들은 자신에게 엉덩이가 있는지조차 모른다. 자기 몸을 공공장소처럼 사용하는 사람들이 있는가 하면, 개인 주차장처럼 다루는 사람들도 있다. 자기 몸을 저축 계좌로 이해하는 사람도 있다. 강물처럼 여기는 사람도 있다. 어떤 사람들은 앨커트래즈섬인 것처럼 자기 몸 안에 갇혀 있다. 또다른 사람들은 자유를 신체가 달성할 수 있는 어떤 것으로만 이해한다. 어떤 사람들은 전자기타 리듬에 맞춰 산발한 머리를 흔들어대고, 또다른 사람들은 중추신경계에서 곧바로 솟아오르는 전기충격을 체험하기도 한다. 어떤 사람들은 자신이 이미 습득한 동작 레퍼토리에서 벗어나는 것은 절대로 용납하지 않으려 한다. 또다른 사람들은 값을 지불하고 이 레퍼토리에서 벗어나려 애쓰지만 오로지 예술의 영역 안에서만 그렇게 한다. 다른 사람들을 위한 쾌락과 가치 또는 인식의 원천으로서 사회적으로 사용되는 몸들도 있다. 다른 몸들은 그 쾌락과 가치, 인식을 흡수한다. 피부색 때문에 시민으로 간주되지 못하는 사람들도 있다. 건강상태를 유지하고자 트레드밀 벨트 위를 걷는 사람들이 있다. 그러는 동안 또다른 사람들은 전쟁터를 벗어나려고 걸어서 600킬로미터를 걷기도 한다. 자기 고유의 몸을 갖고 있지 않은 사람들도 있다. 동물의 몸이 자기 소유라고 생각하는 사람들이 있다. 아이의 몸이 자기 것이라고. 여성의 몸이 자신의 소유물이라고. 프롤레타리아의 신체가 자신의 소유물이라고. 비백인 신체는 자신의 소유물이라고. 어떤 사람들은 자신이 집의 주인이듯이 자기 신체의 주인이라고 생각한다. 그중 어떤 사람들은 그것을 가꾸고 장식하는 데 시간을 소비하고, 또다른 사람들은 자연보호구역인 것처럼 자기 집을 돌본다. 카우보이가 말을 소유하듯이 자신의 신체를 소유하고 있다고 믿는 사람들이 있다. 말에 올라타고 달리게 하고 쓰다듬거나 때리고, 먹을 것과 마실 것을 주고, 다음날 다시 이용하려고 쉬게 한다. 그들이 자신의 말과 대화하지 않는 것과 마찬가지로 그들은 자신의 신체와는 대화하지 않는다. 그들은 자신이 타던 짐승이 죽어가면 혼자 모든 일을 계속할 수 없다는 사실을 깨닫고는 깜짝 놀란다. 여러 신체적 봉사는 돈으로 구매할 수 있다. 다른 신체적 봉사는 양도할 수 없는 것으로 간주된다. 어떤 사람들은 자기 몸이 완전히 텅 비어 있다고 느낀다. 또다른 사람들은 자기 몸을 장기들로 가득찬 벽장으로 생각한다. 자신의 신체를 첨단 기술로 여기는 사람들이 있는가 하면, 선사시대의 도구쯤으로 여기는 사람들도 있다. 어떤 사람들에게 생식기는 유기적인 것이고 그들 자신의 신체와 불가분의 것이다. 또다른 사람들에게 생식기는 다양체고 비유기적이며 형태와 크기를 바꿀 수 있는 것이다. 어떤 사람들은 알코올 형태로든, 빨리 흡수되는 설탕 형태로든, 오로지 포도당을 기저로 해서만 자신의 신체를 가동시킨다. 어떤 사람들은 유해물질이 섞인 담배를 직접 자신의 폐로 보내기도 한다. 설탕도 소금도 알코올도 담배도 글루텐도 유당도 유전자변형물질도 콜레스테롤도 없이 자신의 신체를 작동시키는 사람들도 있다. 자신의 신체를 노예처럼 다루는 사람들이 있다. 또다른 사람들은 신체를 자신의 주군인 것처럼 다룬다. 어떤 사람들은 신체의 해부학적 구조로 볼 때 남성이라 판별되지만 여성의 사회적 관습에 따라 살고 싶어해서 시민으로 간주되지 못한다. 무엇이든 빨리 하고 싶어하지만 결코 그 무엇을 위한 시간도 없는 사람들이 있다. 매사를 천천히 하고, 아무것도 하지 않아도 되는 사람들도 있다. 어떤 사람들은 앞을 볼 수 없어서 시민으로 간주되지 못한다. 다른 사람의 페니스를 사정할 때까지 손으로 잡고 있는 사람들이 있다. 다른 사람의 입에 손가락을 집어넣고 이에 난 구멍 속에 하얀 반죽을 집어넣는 사람도 있다. 전자는 불법 노동자라 불린다. 후자는 자격증을 가진 전문가라 불린다. 생식기가 자신의 것과 비슷한 형태를 가진 신체로부터 성적 쾌락을 얻고 싶어한다는 이유로 시민으로 간주되지 못하는 사람들도 있다. 안정제를 복용하면서 신경계를 진정시키는 사람들도 있다. 또다른 사람들은 명상을 한다. 살아 있는 자기 몸을 시체처럼 억지로 끌고 다니는 사람들도 있다. 어떤 신체는 이성애적이지만, 오로지 게이 포르노를 보면서만 자위를 한다. 어떤 신체는 염색체가 하나 더 있거나 하나 적어서 시민으로 간주되지 못한다. 자신의 신체를 그 무엇보다 사랑하는 사람들이 있다. 신체에 대해 말로 표현할 수 없는 수치심을 느끼는 사람들도 있다. 자신의 신체를 뇌관을 제거할 수 없는 시한폭탄으로 경험하는 사람들도 있다. 자신의 몸을 여자 무당처럼 쓰는 사람들도 있다. 어떤 사람들은 심장이 뛸 수 있도록 몸안에 기계장치를 지니고 있다. 또다른 사람들은 가슴 속에 다른 누군가의 심장을 지니고 있다. 자기 몸속에서 한동안 자라날 다른 신체를 품고 있는 사람들도 있다. 그렇다면 인체를 두고 단 하나의 신체인 것처럼 말할 수 있을까?

취리히, 2017년 11월 10일

축하

 사교성을 더 발휘할 것을 요하는 모든 축제 행사는 내게 특정한 불안감을 촉발시키는데, 이 부끄러운 공포증 등급에서 특히 심각한 위치를 차지하는 것이 내 생일이다. 그날이면 꽤 가까운 측근들과 마찬가지로 오랫동안 소식을 들은 적이 없는 사람들도 똑같이 다소 호들갑스럽게 나를 축하해주리란 생각만 해도, 나는 언제나 극도로 마음이 불편했다. 이런 현상은 내 생일이 우연히도 2001년의 비극적인 (그때부터 세계적인 기념일이 된) 어느 날과 일치하게 된 이후로 더 심해졌다―독자의 연상 기억이 이미 작동했을 것이므로, 그 날짜를 정확히 말할 필요는 없다고 생각한다. 그 때문에 나는 최근 몇 년 동안 동료와 가까운 사람들에게 생일 날짜를 숨기려 했고, 별로 설득력 없는 전략을 사용하면서 이제는 더 불가피해진 주변 통신망 사슬도 완전히 끊어낼 작정을 했다.
 기념의 시간이 그 사건의 생성중인 시간을 은폐하기 때문에,

축하 행사가 우리 마음을 불편하게 할 순 있다(내 경우에만 그런 것도 아니므로). 들뢰즈와 가타리가 밝힌바, 생성은 역사와 동일한 시간성을 갖고 있지 않다. 역사는 기념되는 것이다. 생성은 체험하고 있는 것이다. 이것이, 일반적으로 축하 행사가 실제로 사람들이 한 단계를 넘어가고 있는 삶의 순간들과는 일치하지 않는다는 사실을 설명해준다. 축하 행사는 잊어버릴 것을 다르게 기억하게 하고, 기억해야 할 것을 잊게 하는 데 쓰인다. 패권주의적인 정치적 연보年譜는 이미 집단이 지지하고 인정한 사회관례들을 축하함으로써 강제로 기억을 분류한다. 예를 들어 수세기 동안 교회는 출생을 축하하는 의례를 이교도적인 축제로 생각해왔다. 즉 아이는 태어날 때 영혼이 더럽혀져 있으므로, 기념해야 할 첫번째 날짜는 세례 날이었던 것이다. 그리스도교 신자가 자신의 생일 축하를 시작하려면, 그리스도 탄생 축하 행사가 제도화되기를 기다려야 했다.

 서양에서는 19세기부터 출생, 결혼, 사망을 기념하기로 합의가 이루어졌다. 이런 기념행사 분류를 통해 기억할 가치가 없는 것과 기억해야만 하는 것이 세심하게 구분되어, 무의미한 것과 기념할 만한 것으로 사건들의 분류법이 구성되고 규정된다. 기념의 리듬은 개별 인생의 독특한 시간을 규범적인 시간으로 전환시킨다. 우리는 태어나고 성장하고 학교에 가고 결혼하고⋯⋯ 그리고 죽는다―이 마지막 사건은, 분명 이런 기념행사에 대해 공포심으로 고통스러워했을 누군가가 만들어낸

속담—"최소한, 당신이 죽으면 당신이 자신의 매장을 기념할 필요는 없다"—에서 보듯이, 절대적인 특권을 갖는다.

우리가 태어난 날부터 삶이 시작되는 건 아니라고 주장한다면 순진해 보일 수도 있다. 우리의 신체를 형성하는 원자들은 우리가 잉태되는 순간이 아니라, 대략 150억 년 전 우주가 탄생한 직후에 만들어졌다. 우리를 인간으로 인정하든 하지 않든 우리가 존재하도록 허용하는 제도들은 우리가 태어난 날에 발명된 게 아니다. 그것들은 수천 년 전으로 거슬러올라가는, 오랜 역사적 협상 과정의 산물이다. 빅뱅을 기념할 수 있을까? 그 누가 인간의 진화 과정을 기념하려는 모험을 감행할까? 훨씬 더 보잘것없는 시간의 어느 차원에서 보자면, 우리는 결혼식 날 사랑을 시작하는 것이 아니다—심지어 그 반대일지 모른다. 때로는 태어나지 않은 아이가 우리의 유일한 계승자가 되는 일도 있다. 때로는 가장 소중한 사랑이 기념되지 않거나 기념될 수 없을 수도 있다. 사망이 확인되기 전에 또는 매장이 이루어지기 (여러 날, 여러 달, 여러 해) 전에 사망하는 일도 있다. 때로는 사망을 확인할 수 없기도 하고, 또는 신체가 발견되지 않아 매장할 수 없기도 한다. 이런 경우 문자 그대로 기념할 것이 아무것도 없다. 생일도 없다. 기념도 없다. 인정받을 자격이 있는 사회적 의례에서 삭제된 출생, 사랑, 죽음……은 역사에서 사라진다.

이번주에 나는 제2의 탄생으로 이해될 수도 있는 일을—아무도, 아니 거의 아무도 날짜를 모르기 때문에—어떤 형태의 외부 행사 의례도 없이, 날짜를 감출 필요도 없이 기념했다. 정치적 허구의 구현인 '폴'이 합법적으로 행정적으로 인정받은 첫날을 기념하는 생일이었다. 법이 요청하는 대로, 나의 새로운 출생증명서가 내가 태어난 도시의 지역신문에 공고된 날이다. 정해진 사회 공동체가 인간을 등록하는 관례들을 펼치고, 나의 첫번째 출생일—이후로 내가 계속 기념해왔던 저 유명한 날—에 사람들이 내게 지정한 이름과 성을 바꿈으로써 내가 거기에 시민으로 등록되는 것을 두번째로 허락한 날이다. 기념일 반열에서 빠진 이 두번째 등록일은, 오늘 은밀한 장소에, 공식적으로 증명받았던 명백하고 기념할 만한 생일 날짜 아래에 쓰였다. 이 날짜는, 아니 그보다 이 날짜가 내포하고 표현하는 길고 복잡한 과정은, 정확히 말하면 기념할 수 없으며 그런 의미에서 절대로 잊을 수도 없다.

가장 아름다운 기념은 눈에 띄지 않는 혁명들, 시작한 날짜도 폐지한 날짜도 없는 변화들을 축하하는 것이다. 풀에서 싹이 돋아날 때 누가 풀을 기념하는가? 빛깔이 달라지는 하늘을 누가 기념하는가? 책 한 권 읽었다고 누가 기념하는가? 새로운 동작을 익혔다고 누가 기념하는가? 갑작스러운 죽음 직전 마지막 행복의 순간을 누가 기념하는가? 기념일들을 잊어야 한다. 기준이 되는 지표를 잊어야 하고 성유물을 집어치워야 한다. 가능한 모든 우리의 다른 출생을 기념할 수 있도록.

아테네, 2017년 11월 24일

나는 대통령을 원하지 않는다[*]

나는 다른 정치인들이 그들의 사상 때문에 감옥에서 잠들어 있는 동안, 민주적이라고 우기는 선거 출마를 수락하는 정치인이 있다면 그에게는 투표하고 싶지 않다. 나는 무대가 선거로 불리고 배우가 자유시민이라 불리는 민주정에서는 투표하고 싶지 않다. 나는 정치범 석방을 위해 모든 집회를 바치지 않는 정치인에게는 투표하고 싶지 않다. 나는 선거 유세에서 긴급히 감옥을 폐쇄해야 한다고 말하지 않는 사람한테는 투표하고 싶지 않다. 모든 감옥을. 나는 선거 유세에서 긴급히 이민자 구금 센터를 폐쇄해야 한다고 말하지 않는 누군가에게는 투표하고 싶지 않다. 모든 구금 센터를. 나는 쿠바의 감옥이 필요하다고, 베네수엘라의 감옥이 필요하다고 생각하는 누군가에게는 투표하고 싶지 않다. 나는 공화국이 반역자들에게는 보상하

---

[*] 2017년 12월 21일. 카탈루냐인들은 에스파냐 중앙정부에 의해 투표함으로 불려나왔다.(원주)

지 않을 거라고 말한 누군가에게는 투표하고 싶지 않다. 나는 선거인명부에 첫번째로 나오려고 자기 동료들이 수감되어 있다는 사실을 이용하는 누군가에게는 투표하고 싶지 않다. 나는 다른 정치인들이 그들의 사상으로 인해 수감되도록 선거 유세를 하는 누군가에게는 투표하고 싶지 않다. 나는 받아들일 수 없는 것을 수락하기를 거부했다는 이유로 명부에서 그의 이름을 제외시킨 누군가에게는 투표하고 싶지 않다. 나는 에스파냐 내셔널리즘을 홍보하면서 카탈루냐 내셔널리즘은 비판한 누군가에게는 투표하고 싶지 않다. 나는 카탈루냐 내셔널리즘을 장려하면서 에스파냐 내셔널리즘을 비판한 누군가에게도 투표하고 싶지 않다. 나는 어떤 표가 다른 표보다 더 가치를 갖는 민주정에서는 투표하고 싶지 않다. 나는 선거 유세에서 만성질환자들의 권리에 대해 결코 말한 적 없는 누군가에게는 투표하고 싶지 않다. 나는 에이즈, 암, 간염, 만성피로, 다발성경화증, 낭포성 섬유증, 신부전증에 걸린 사람들 권리에 대해 말한 적 없는 누군가에게는 투표하고 싶지 않다. 나는 그 자신 또한 환자였다고 절대로 말하지 않는 누군가에게 투표하고 싶지 않다. 나는 자신이 우울증, 불안증, 강박증 또는 극도의 공포증으로 괴로워한다는 사실을 절대로 인정하지 않을 누군가에게는 투표하고 싶지 않다. 나는 자신이 조루 또는 발기부전으로 고생하고 있는 것을 절대로 인정하지 않을 누군가에게도 투표하고 싶지 않다. 나는 마약 소비와 유통을 단죄하면서 가끔 자신에게는 주사하는 누군가에게는 투표하고 싶지 않다. 나는 동성애 반대 캠페인을 벌이면서 동성애자인 누군가에게는 투표하고 싶지 않다. 나는 매춘 반대 캠페인을 벌이면서 매춘부를 찾아가는 누군가에게는 투표하고 싶지 않다. 나는 남녀 임금 평등이 중요한 당면 과제가 아니라는 누군가에게는 투표하고 싶지 않다. 시민을 단지 투표용지를 가진 자로만 보는 누군가에게는 투표하고 싶지 않다. 나는 청소년 낙태 가능 조건을 축소시키려는 누군가에게는 투표하고 싶지 않다. 나는 아메리카 대륙의 식민지 개발로 인한 손실은 최소화하면서 인디언 민족의 노예제도 또는 민족말살에 대해서는 결코 말하지 않을 누군가에게는 투표하고 싶지 않다. 나는 민족자결을 옹호하면서 팔레스타인인이나 쿠르드족 자결은 옹호하지 않는 누군가에게는 투표하고 싶지 않다. 나는 자기비판 능력이 없는 정치인에게는 투표하고 싶지 않다. 나는 트랜스젠더를 정신병자라고 생각하는 정치인에게는 투표하고 싶지 않다. 나는 조현병 환자는 정신병원에 감금되는 편이 낫다고 믿는 정치인에게는 투표하고 싶지 않다. 나는 기능적 다양성을 가진 사람 모두가 공공 기관에 접근할 수 있게 하는 법을 절대로 자기 프로그램에는 포함시키지 않을 정치인에게는 투표하고 싶지 않다. 모든 공공 기관에. 나는 노년기를 연금비용의 변수로만 존재한다고 생각하는 누군가에게는 투표하고 싶지 않지 않다. 나는 마치 우리가 더 많은 생산과 더 많은 소비가 필요한 것처럼, 루즈벨트의 뉴딜정책을 자기 정책의 모델로 제시하는 누군가에게는 투표하고 싶지 않다. 나는 어떤 언어로 말한다는 이유로 그들을 범죄시하려는 후보에게는 투표하고 싶지 않다. 나는 동물권—그들은 잡아먹히고, 투표하지 않기 때문이다—에 대해 결코 말하지 않을 누군가에게는 투표하고 싶지 않다. 나는 결코 자연보호를 말하지 않을 누군가에게는 투표하고 싶지 않다. 나는 도시가 관광만 경작하는 땅이 되길 바라는 누군가에게는 투표하고 싶지 않다. 나는 술을 마시고 소년을 껴안은 소녀는 이후 강간당했다는 항의를 할 수 없다고 여기는 후보에게는 투표하고 싶지 않다. 나는 자신이 전철을 타지 않기 때문에 대중교통에 대해 말하지 않는 후보에게는 투표하고 싶지 않다. 나는 자기 집에는 도우미가 있어서 공립 어린이집 수를 늘리겠다고 말하지 않는 후보에게는 투표하고 싶지 않다. 나는 남아메리카 출신 가정부를 고용하고 있으면서도 이주민 합법화에 대해서는 결코 말하지 않을 후보에게는 투표하고 싶지 않다. 나는 물과 에너지 공유화에 대해 절대로 말하지 않을 후보에게는 투표하고 싶지 않다. 나는 괜찮은 거처를 가질 권리에 대해 말하기를 멈춘 후보에게는 투표하고 싶지 않다. 나는 국방 예산이 문화나 교육 관련 예산보다 높아야 한다는 누군가에게는 투표하고 싶지 않다. 나는 민주주의를 말하면서 카탈루냐에 살고 일하는 수천 명 외국인들의 투표권을 강력히 요구하지 않는 누군가에게는 투표하고 싶지 않다. 나는 좌파에 대해 말하면서 카탈루냐에 살고 일하는 수천 명 외국인들의 투표권을 주장하지 않는 누군가에게도 투표하고 싶지 않다. 나는 신분 서류 없는 (카탈루냐인도 에스파냐인도 아닌) 외국인이 대통령으로 선출될 수 없는 선거에서는 투표하고 싶지 않다. 나는 신분 서류 없는 트랜스가 대통령 후보자가 될 수 없는 선거에서는 투표하고 싶지 않다. 나는 가정부가 대통령으로 선출될 수 없는 선거에서는 투표하고 싶지 않다. 나는 노숙자가 대통령으로 선출될 수 없는 선거에서도 투표하고 싶지 않다.

바르셀로나, 2017년 12월 15일

아들

 수술을 받고 며칠 동안 병원에 입원한 어머니 곁에 있으려고, 나는 내가 태어난 도시로 돌아가고 있다. 이 지방에서 결코 살았던 적이 없는 동물의 모피로 몸을 휘감은 사람들이 거리를 거닐고 있는, 집집마다 창문이 에스파냐 국기로 장식된 카스티야 지방의 이 도시가 나는 두렵다. 외국인들의 피부는 결국 외투로 변해버릴 거라고, 그곳에서 태어난 사람들의 피부는 조만간에 국기가 되어버릴 거라고 나는 속으로 말한다. 우리는 314호실에서 며칠 밤낮을 함께 보냈다. 병원이 최근 다시 개축되었는데도, 어머니는 이 방이 나를 낳았던 방을 떠오르게 한다고 우긴다. 나로서는, 이 방이 내게 아무것도 상기시키지 않는다는 바로 그 이유 때문에, 이 병실이 내 가족이 살던 집보다 더 쾌적하고, 상점가보다 더 안전하며, 교회 좌석보다 더 연회석처럼 느껴진다. 아침마다 의사가 회진을 다녀가고 나면 나는 커피를 마시러 밖으로 나온다. 황량한 지역에 위치한 이 병원에는 카페테리아가 없다. 아를란손강을 따라, 카스티야 사람들이 '발톱 달린 태양'이라 부르는 햇살 눈부신 쩽한 추위를 가로질러 가장 가까운 바까지 간다. 나는 완벽하게 깨끗한, 얼어붙은 공기를 마신다. 케르허 스팀청소기가 내 가슴 속에 숨어 있는 불안을 겨냥해 빨아들이듯.

에스파냐의 우파 가톨릭 가정에서 트랜스젠더 아들이 된다는 것은 쉬운 일이 아니다. 카스티야의 하늘은 거의 아테네만큼이나 맑지만, 그리스의 파란색이 코발트색이라면 이곳은 강철색이다. 매일 아침 나는 밖으로 나오고, 다시 돌아가지 않을 생각을 한다. 마치 전쟁터를 떠나듯이, 가족을 떠난다는 것. 하지만 나는 그렇게 하지 않는다. 다시 돌아가 내게 지정된, 동반자 좌석을 차지하고 앉는다. 마음이 뒤처져 있는데 이성이 앞서나간들 무슨 소용이 있느냐고 발타자르 그라시안Baltasar Gracián은 말했다. 병원에서는 정오부터 여덟시까지 병문안이 이어진다. 이 방은 어머니와 내가 역할을 재정립하기 위해, 늘 성공하지는 못하지만, 고군분투하는 열린 연극무대로 바뀐다. 나를 소개하기 위해 어머니는 이렇게 말한다. "이쪽은 내 아들 폴이야". 대답은 언제나 똑같다. "나는 너한테 딸 하나만 있다고 생각했는데." 그러면 어머니는 하늘을 올려다보며 할말 없는 이 곤경에서 벗어날 구멍을 애써 생각해내며 이렇게 말한다. "맞아, 딸이 하나 있었지, 지금은 아들이 있어." 방문객은 이렇게 추리해본다. "아, 네 딸의 남편이구나? 딸이 결혼한지 몰랐어. 축하해······" 그러면 어머니는 그녀가 잘못된 전략을 썼다는 것을 알아채고, 이미 너무 높이 날아간 연줄을 전속력으로 거두어들이려는 사람처럼 뒤로 물러선다. 어머니가 말을 바로잡는다. "아니, 아니, 결혼 안 했어, 내 딸이야······" 이제는 내가 어머니를 바라보지 못하고 있는데, 잠시 침묵했던 어머니가 이어서 말을 잇는다. "이제······ 내 아들이······ 된 내 딸이야." 그녀의 목소리는 딸이라고 말하기 위해 올라갔다가 아들이라고 말하기 위해 낮아지는 브루넬레스키의 돔 곡선을 그린다. 퀴어 아이를 갖는 것이 죽은 아이를 갖는 것보다 더 나쁜 일인 도시에서 트랜스 아이의 어머니가 된다는 것은 쉬운 일이 아니다. 그러자 짧은 한숨으로 대답하기 전, 먼저 방문객의 시선이 사방으로 맴돈다. 나는 이따금씩 미소를 지어 보인다. 마치 내가 한 편의 공상과학영화—나의 삶—에서 희극배우 루이 드 퓌네스가 된 것 같다. 또다른 경우, 나는 완전 경악한다. 사람들이 더이상 어머니의 병에 대해서는 말하지 않는다. 이제 질병은 바로 나다.

하느님은 선택하시고 그분은 결코 오류가 없다고 배웠던 가톨릭 가정에서 트랜스 아들이 된다는 것은 쉬운 일이 아니다. 다른 결정을 내린다는 것은 하느님한테 반박하는 일이다. 나의 어머니는 가톨릭교회의 교리를 부인했다. 어머니란 하느님보다 더 중요하다고 그녀는 말한다. 당연히 일요일마다 계속 미사에도 참석하신다. 그녀는 저승과 정산을 할 것이고, 이 점에서 가톨릭교회가 연루될 일은 없다고 말한다. 낮은 목소리로 그렇게 말하지만 그녀는 자신이 신성을 모독하고 있음을 알고 있다. 오푸스데이* 이웃 공동체에서 살고 있으면서 트랜스 아이의 어머니가 된다는 것은 쉬운 일이 아니다. 나는 착한 아들이 아니고 또 될 수도 없기 때문에 그녀에게 빚을 지고 있다고 느낀다. 혈액순환을 돕고자 어머니 다리를 높게 들어올리는 동안, 나는 내가 아들보다 더 나은 생활보조원이라고 생각한다. 그녀의 전화기 애플리케이션을 업데이트하고 화면을 재편하고 새로운 소리를 설치하면서, 나는 내가 아들보다 더 나은 컴퓨터기술자라고 생각한다. 그녀의 머리카락을 쪽진 머리 모양으로 틀어올리고 앞쪽에 볼륨을 주는 동안, 나는 내가 아들보다 더 나은 미용사라고 생각한다. 여든이 넘어 그녀를 보러 올 수 없는 친구들에게 보낼 사진을 찍으면서, 나는 내가 아들보다 나은 사진사라고 생각한다. 나는 아들보다 나은 심부름꾼이다. 나는 유튜브에서 그녀가 좋아하는 로시오 후라도의 동영상을 모아주는, 아들보다 더 나은 편집자다. 나는 아들보다 지역신문을 더 잘 읽어주는 사람이다. 나는 아들보다, 여자 옷을 더 잘 다리고 개키는 사람이다. 나는 아들보다 욕실을 더 깨끗하게 청소하는 사람이다. 나는 아들보다 더 나은 야간 간호사다. 나는 아들보다 방을 더 잘 환기시켜주는 사람이다. 나는 가방

---

* 에스파냐의 신부 에스크리바가 1928년에 창설한 가톨릭 종교단체.

깊숙한 곳에서 잃어버린 열쇠를 아들보다 더 잘 찾아준다. 나는 아들보다 알약을 더 잘 배분하는 사람이다. 나는 보험에 필요한 서류를 아들보다 더 잘 복사하는 사람이다. 보살피기, 머리 다듬기, 컴퓨터와 전화기 수리하기, 동영상 전송하기, 열쇠 찾기, 복사하기…… 이 모든 게 나를 진정시키고 정돈해주고 나를 쉬게 해준다.

부르고스, 2018년 1월 12일

트랜스 남성이 구체제에 보내는 편지

신사숙녀 여러분 그리고 다른 여러분,

스토킹에 관한 정책을 둘러싼 집중포화가 쏟아지는 가운데, 저는 '남자'의 세계와 '여자'의 세계라는(이 두 세계가 존재하지 않을 수 있는데도, 일종의 젠더 베를린장벽을 통해 두 세계를 계속 갈라놓으려 애쓰는 사람들이 있는) 두 세계 사이의 밀수업자로서, 횡단하는 중에 발견한 '습득물', 아니 더 정확하게는 '잃어버린 주체'의 입장에서, 여러분에게 새로운 소식을 제공하고자 발언하고 싶습니다.

저는 지금 여기서 지배계급에 속할 남자로서, 태어날 때 남성으로 지정받고 통치계급의 일원으로 교육받아온 사람들, 권리를 양도받은 아니 오히려 (이것이 흥미로운 분석의 열쇠인데요) 남성 주권을 행사할 것을 요구받은 사람들 중 한 사람으로서 말하는 것이 아닙니다. 또한 여자로서, 제가 자발적이고 의도적으로 이런 형태의 정치적 사회적 구현을 포기했으므로, 여자로서 말을 하고 있는 것도 아닙니다. 여기서 저는 트랜스 남성으로서 제 의견을 표명하고 있습니다. 따라서 저는 어떤 집단이든 대표할 생각이 조금도 없습니다. 비록 두 입장을 알고 있고 살아가고 있으나, 저는 이성애자로서도 동성애자로서도 말하지 않으며 그렇게 말할 수도 없습니다. 누군가 트랜스일 때 이 범주들은 이제 쓸모없게 되니까요. 저는 젠더 전향자로서, 섹슈얼리티의 탈주자로서, 성차 체제의 반대자(미리 정해진 코드가 없는 이상, 때로는 미숙한 자)로서 말하고 있습니다. 아직 주제화되지 않은, 장벽의 이쪽저쪽을 살아보는 경험을 하고, 일상적으로 그 벽을 넘나든 덕에 이성애-가부장적 체제가 강요하는 욕망과 코드의 완고한 엄격함에 질리기 시작한, 성정치학의 자발적 실험용 모르모트로서 발언하고 있습니다.

장벽의 이쪽에서 제가 여러분에게 말씀드려도 된다면, 레즈비언 여성으로서의 경험은 상상할 수 있던 것보다 상황이 훨씬 더 나쁘다는 것입니다. 제가 남자들 세계에서 (정치적 허구를 구현하고 있음을 자각하면서) '남성인 것처럼' 살게 된 이후로, 저는 지배계급(남성이고 이성애자)이 우리가 많은 트윗을 보내거나 소리 좀 지른다고 해서 자기네 특권을 버리지는 않으리라는 것을 확인할 수 있었습니다. 지난 세기의 성혁명과 반식민지 혁명이 일으킨 동요 이후, 이성애자 가부장들은 역-개혁 기획에 착수했습니다.—그뒤로 이제는 '성가시게 굴고/방해하기'를 계속하려 하는 '여성적' 목소리들이 이에 합류하고 있지요. 이는 천년 전쟁이 될 겁니다—전쟁이 인간의 신체가 주권 주체로서 형성되는 과정과 재생산정책에 영향을 미친다는 것을 아는 가장 긴 전쟁. 실상 이는 영토나 도시가 아니라 신체, 쾌락, 생명을 걸고 하는 것이기 때문에 가장 중요한 전쟁일 것입니다.

이성애중심의 테크노가부장적인 우리 사회에서 남자들의 입장을 특징짓는 것은, 남성 주권이 (여성에게, 아이들에게, 비백인들에게, 동물에게, 지구 전체에 자행하고 있는) 폭력적 기술의 합법적 사용에 의해 규정된다는 것입니다. 버틀러와 함께 베버를 읽어보면, 우리는 남성성과 사회가 맺는 관계가 국가와 국민이 맺는 관계와 동일하다고 말할 수 있을 것입니다. 폭력의 소유자이자 합법적인 사용자로서 말이죠. 이 폭력은 사회적으로는 지배의 형태로, 경제적으로는 특권의 형태로, 성적으로는 폭행과 강간의 형태로 표출됩니다. 반대로 여성 주권은 여성의 출산능력과 결부되어 있지요. 여성은 성적으로도 사회적으로도 예속되어 있습니다. 오직 어머니만 주권자입니다. 이 체제 안에서 남성성은 시신정치적으로(죽일 수 있는 남성들의 권리에 의해) 규정되는 반면, 여성성은 생명정치적으로(생명을 출산하는 여성들의 의무에 의해) 규정됩니다. 시신정치적 이성애에 대해, 누군가는 그것이 로보캅과 에일리언의 짝짓기에 에로티시즘을 부여하는 유토피아 같은 어떤 것이라고 말할 수도 있을 것입니다. 운이 좋으면 둘 중 하나는 오르가즘에 도달할 것이라 생각하면서……

이성애는, 모니크 위티그가 밝힌 것처럼, 하나의 통치체제일 뿐만 아니라 욕망의 정치이기도 합니다. 이 체제의 특수성은 그것이 '자유로운' 성적 주체들 간의 유혹과 낭만적인 예속 과정으로서 구현된다는 것이죠. 로보캅의 입장과 에일리언의 입장은 개별적 선택이 아니며, 의식적인 것도 아닙니다. 시신정치적 이성애는 통치자들(남성들)에 의해 피통치자들(여성들)에게 부과되는 것이 아닌 통치 관행으로서, 내부 규제를 통해 남성과 여성 각각의 정의定義와 입장을 고정시키는 일종의 인식론입니다. 이러한 통치 수행은 법의 형식을 취하지 않습니다. 문서화되지 않은 규범의 형식, 섹슈얼리티 수행에서 할 수 있는 것과 할 수 없는 것을 구분하는 효과를 갖는 제스처와 코드로 이루어진 거래의 형식을 취하고 있습니다. 이런 형태의 성적 예속은 유혹의 미학, 욕망의 양식화, 권력의 차이에 에로티시즘을 부여하고 그것을 영속화하는, 역사적으로 구성되고 코드화된 지배에 근거하고 있습니다. 이러한 욕망의 정치가 여성의 민주화와 권한 부여의 합법화 과정에도 불구하고 성-젠더의 구체제를 존립시키고 있습니다. 시신정치적 이성애 체제는 계몽주의 시대에 노예제와 봉신제가 그랬던 것만큼 품위 없고 파괴적입니다.

우리가 겪는 폭력을 규탄하고 가시화하는 과정은 성혁명의 일부를 이루며, 느리고 구불구불 돌아가는 만큼 피할 수도 없습니다. 퀴어 페미니즘은 인식론의 변화를 사회변동을 가능하게 하는 요인으로 삼았습니다. 이는 성, 젠더, 섹슈얼리티의 환원 불가한 다양성이 존재함을 단언함으로써 이분법적 인식론과 젠더의 자연화를 재검토하는 문제였습니다. 오늘날 우리는 리비도의 변화가 인식론의 변화만큼 중요하다는 사실을 이해하고 있습니다. 욕망을 수정해야 합니다. 성적 자유를 열망하는 법을 배워야 합니다.

수년 동안 퀴어 문화는 패권주의적인 시신정치적 이성애 욕망과 주체화 기술에 맞서서, 반체제적 섹슈얼리티의 새로운 미학을 만들어내는 실험실이 되어왔습니다. 우리 가운데 많은 사람이 로보캅-에일리언 섹슈얼리티 미학을 오래전에 버렸습니다. 우리는 부치-펨과 BDSM 문화로부터, 존 네슬러, 팻 캘리피아, 게일 루빈과 함께, 애니 스프링클과 베스 스티븐스와 함께, 기욤 뒤스탕과 비르지니 데팡트와 함께, 섹슈얼리티가 해부학이 아니라 욕망이 시나리오를 쓰는 정치적 무대라는 것을 배웠습니다. 섹슈얼리티의 연극적 허구 내부에서는, 신발 밑창을 핥고 싶어하는 것도, 어떤 구멍으로든 삽입되기를 원하는 것도, 성적인 먹잇감인 것처럼 애인을 숲속에서 사냥하는 것도 가능합니다. 그렇지만 두 가지 차별화한 요소를 통해 퀴어 미학은 구체제적 이성애 규범화 미학에서 분리됩니다. 성적 입장들의 합의와 비자연화. 신체들의 동등함과 권력의 재분배.

트랜스 남성으로서 저는 지배적인 남성성과 그것의 시신정치적 정의와 저를 탈동일시합니다. 가장 시급한 것은 우리가 무엇무엇(남성 또는 여성)이다라는 것을 옹호하자는 것이 아니라, 그것을 던져버리고, 우리에게 규범을 욕망하고 그것을 재생산하도록 강요하는 정치적 강제와 자신을 탈동일시하는 것입니다. 우리의 정치적 실행은 젠더 및 섹슈얼리티 규범에 복종하지 않는 것입니다. 저는 생애 대부분을 레즈비언으로 지냈고, 그다음 최근 5년 동안은 트랜스로서, 여러분의 이성애 미학과는, 라사시에서 공중부양을 한 승려가 카르푸 마켓에 느끼는 거리만큼이나 먼 거리에 있습니다. 성의 구체제 미학은 저를 즐기지 못하게 합니다. 그가 누구든 '성가시게 하는 것'은 저를 흥분시키지 못합니다. 대중교통 안에서 여성의 엉덩이에 손을 올려놓는 것으로 성적 궁핍에서 벗어나는 일에는 아무런 관심이 없습니다. 저는 당신들이, 성행위를 해치우고 엉덩이를 만지기 위해 자신의 권력을 이용하는 사내놈들이 제안하는, 에로틱-성적 키치에는 어떤 종류의 욕망도 느끼지 못합니다. 시신정치적 이성애가 주는 살인적인 그로테스크 미학은 제게 구역질을 불러일으킵니다. 그것은 성차를 재자연화하고 남성을 폭행자의 입장에, 여성을 (고통스럽게 승인하거나 즐겁게 괴롭힘을 당하는) 희생자의 입장에 위치시키려는 미학입니다.

퀴어와 트랜스 문화에서 우리가 더 잘, 더 많이 성교를 한다고 주장하는 것이 가능하다면, 그것은 한편으로 우리가 섹슈얼리티를 재생산의 영역에서 빼냈기 때문이고, 무엇보다 우리가 젠더 지배에서 빠져나왔기 때문입니다. 저는 퀴어와 트랜스페미니즘 문화가 모든 형태의 폭력에서 벗어나 있다고 말하는 것이 아닙니다. 그늘 없는 섹슈얼리티는 없습니다. 하지만 그늘(불평등과 폭력)이 모든 섹슈얼리티를 우선적으로 지배하고 그것을 결정지을 필요는 없습니다.

성의 구체제에서 남성 대표자와 여성 대표자인 여러분, 여러분 각자 몫의 그늘과 타협하고 'and have fun with it' 하십시오. 그리고 우리가 우리 몫의 죽은 그늘을 매장하게 내버려두십시오. 여러분의 지배 미학을 즐기시기를, 그러나 여러분의 스타일을 법으로 만들려 하지는 마십시오. 그리고 우리가 남자 없이 여자 없이, 페니스 없이 질 없이, 엉덩이 없이 총 없이, 욕망에 관한 한 우리 자신의 정치에 따라 성교하게 내버려두십시오.

아를, 2018년 1월 15일

천왕성에 집 한 채

초판 인쇄 2025년 10월 1일
초판 발행 2025년 10월 20일

지은이 폴 B. 프레시아도
옮긴이 문경자

기획 및 책임편집 송지선
디자인 김유진 이주영 | 저작권 박지영 형소진 주은수 오서영 조경은
마케팅 정민호 서지화 한민아 이민경 왕지경 정유진 정경주 김혜원 김예진 이서진
브랜딩 함유지 박민재 이송이 박다솔 조다현 김하연 이준희
제작 강신은 김동욱 이순호 | 제작처 천광인쇄사

펴낸곳 (주)문학동네 | 펴낸이 김소영
출판등록 1993년 10월 22일 제2003-000045호
주소 10881 경기도 파주시 회동길 210
전자우편 editor@munhak.com | 대표전화 031) 955-8888 | 팩스 031) 955-8855
문학동네카페 http://cafe.naver.com/mhdn
인스타그램 @munhakdongne | 트위터 @munhakdongne
북클럽문학동네 http://bookclubmunhak.com

ISBN 979-11-416-1357-0 03300

잘못된 책은 구입하신 서점에서 교환해드립니다.
기타 교환 문의 031)955-2661, 3580

www.munhak.com

프레시아도는 미래에서 온 철학자다. _엘 파이스

자유를 향한 탐구와 정체성 표류에 관한 글들을 모은 이 책은 저자의 성전환 과정을 기록한 일기이기도 하다. 시대를 바꾸는 변화와 그 위험한 대항혁명으로서의 초상화. _엘 문도

폴 B. 프레시아도의 집에 오신 것을 환영합니다—여러분은 이제 우주선에 올라타셨습니다. 무사하리라는 생각은 하지 마세요, 그러나 아시게 되겠지만 폭력적이진 않습니다. (…) 여러분은 물구나무를 서게 될 테고, 이제 중력은 낡은 추억에 불과해질 겁니다. 여러분은 다른 곳에 가 있을 거예요. _비르지니 데팡트

그는 명령을 내리면서도 위압적이지 않은 마법 같은 능력을 지녔다. 오히려 우리를 불러모아 그에게서 터져나오는 불꽃같은 에너지, 절박한 지식욕, 역동적인 노마디즘에 동참하도록 이끈다. _매기 넬슨

여성에서 남성으로, 문화에서 자연으로, 또는 과거에서 미래로, 어디로 가든 프레시아도는 완벽한 가이드다. _프랑크푸르터 알게마이네차이퉁

이 작품의 몽환적인 특성은 위대한 프랑스 작가 장 주네와 알베르 카뮈의 독자들에게 분명 공감을 불러일으킬 것이다. 강력 추천. _라이브러리 저널

이 책은 지평선과 가능성, 사랑과 욕망, 그리고 젠더가 머물 대안 공간에 관한 책으로, 서문에서 보듯 '아직 도래하지 않은 시대'를 위해 쓰였다. _프리즈